D0294868

Straf

Birger Baug

Straf

A.W. Bruna Uitgevers B.V., Utrecht

Oorspronkelijke titel
Straff

Vertaling
Geri de Boer
Omslagbeeld
Getty Images (jongetje); Reilika Landen/Arcangel Images/Imagestore (sneeuwlandschap)
Omslagontwerp
Mariska Cock

ISBN 978 90 229 9575 4
NUR 305

Dit boek is gedrukt op papier dat het keurmerk van de Forest Stewardship Council (FSC) mag dragen. Bij dit papier is het zeker dat de productie niet tot bosvernietiging heeft geleid. Een flink deel van de grondstof is afkomstig uit bossen en plantages die worden beheerd volgens de regels van FSC. Van het andere deel van de grondstof is vastgesteld dat hiervoor geen houtkap in de laatste resten waardevol bos heeft plaatsgevonden. Daarom mag dit papier het FSC Mixed Sources label dragen. Voor dit boek is het FSC-gecertificeerde Munkenprint gebruikt. Dit papier is 100% chloor- en zwavelvrij gebleekt en wordt geleverd door Arctic Paper Munkedals AB, Zweden.

Een druppel werd geplet toen hij op de voorruit plofte, maar vond zijn vorm terug en ging op reis omlaag naar het koude staal. Met elke centimeter die hij vorderde, werd hij een beetje kleiner. Zo dadelijk zou zijn korte leven voorbij zijn.

De man in de auto staarde er gefascineerd naar, totdat hij er niet meer tegen kon getuige te zijn van deze langzame tocht naar de ondergang. Hij zette de ruitenwissers aan en sneed de levenslijn van de druppel met één veeg door.

Hij keek weer omhoog naar het huis. Tot dusver had hij alleen maar een moeder gezien die druk in de weer was met een stel opgewonden kinderen. Nu was het huis in duisternis gehuld. De man, en daarmee de bevestiging die hij nodig had, was er niet. Nog niet.

Terwijl hij wachtte, dacht hij aan die avond een kleine week geleden, toen het avondduister zwaar en onbeweeglijk tussen de dikke sparren hing. Toen had hij geen bevestiging meer nodig gehad. Hij wist heel goed wie er onder hem lag. Langzaam en methodisch had hij het kortharige hoofd omlaaggedrukt en hij had alleen maar vrede gevoeld. Het leven dat onder hem wegebde, was een druppel geweest en hij... de ruitenwisser.

In de donkere auto, niet beschenen door de straatlantaarn een paar meter verderop, glimlachte hij tevreden. Het werd waarachtig tijd dat iemand deze taak op zich nam.

Eindelijk ging er licht aan in de keuken van het huis waar hij voor stond en hij begreep dat de man op wie hij wachtte, was thuisgekomen. Hij kon de man rustig bestuderen terwijl die de afwas deed. Het was al laat: het klokje op het dashboard gaf 23:24 aan. Toen het ten slotte weer donker werd in de keuken, nam hij aan dat de man in de badkamer was. Maar al na een paar minuten ging er een zwak lampje aan in de slaapkamer boven de keuken. Een silhouet tegen het witte rolgordijn maakte duidelijk dat de man even in de deuropening bleef staan voordat hij de kamer binnenging en zich boog over wat waarschijnlijk het bed was. Zijn arm leek een paar keer liefdevol heen en weer te gaan. Toen richtte hij zich weer op en het silhouet werd kleiner. De kamer werd helemaal donker toen de deur langzaam dichtging.

De man in de auto legde zijn verrekijker op de stoel naast zich, startte, zette de stoelverwarming hoog en reed toen onder het licht van de straatlantaarn door weg.

1

Maandag 18 september 2006

De helft van het ene been stak onder een van de donkerbruine wandjes van een kleedhokje uit. Het was bloot en het goudblonde beenhaar glansde in het licht dat door het kleine raampje boven in de muur kwam. Inspecteur Halvor Heming schoof de half openstaande deur voorzichtig helemaal open en zag een brede bank met donkerrode, leerachtige bekleding en een hoge kast met een sleutel erin. De rest van het dode mannenlichaam, half gehuld in een donkerblauwe badjas, lag op de vloer. Eén arm rustte op het onderste deel van de bank.

'Hartinfarct?'

'Geen idee. Hij was pas zevenendertig.'

De gezichtsuitdrukking van de dode man was sloom, versuft, alsof hij onder invloed was geweest toen hij stierf. Halvor Heming wist echter dat de gezichtsuitdrukking van een dode geen verband houdt met de doodsoorzaak. Toch vond hij het allemaal maar merkwaardig. Het was alsof de man voor hem geen spier meer had gehad die het deed toen hij nog leefde. Dat was des te vreemder omdat er al zoveel uren waren verstreken sinds de dode was gevonden, dat er normaal gesproken al lijkstijfheid moest zijn ontstaan. Hij keek over zijn schouder naar brigadier Kristine Holm. Zij dacht duidelijk hetzelfde. 'Raar,' zei ze zacht.

De dokter kwam weer naar de kleedkamer toe. 'Ik ben hier zo goed als klaar. De rest is voor Forensisch,' zei hij. De foto's waren genomen. Een technicus stak zijn hoofd om de deur en zei dat hij met zijn fototoestel terugging naar het bureau en dat hij de foto's in de beeldbank zou zetten. Daar zou Halvor ze over een paar uur kunnen vinden.

'Heb je dat krasje op zijn onderarm gezien, naast die grote moedervlek?' vroeg hij de dokter, die zijn spullen bij elkaar aan het rapen was.

'Ja. Ik heb voorlopig nog geen idee wat dat kan zijn. Misschien is hij in iets scherps gevallen, maar het is een behoorlijk diepe kras. Hij kan wel een paar uur oud zijn, maar pas toch maar goed op als jullie de kleedkamer onderzoeken. Als de kras nog heel vers is, kan ik de zwelling rond de wond niet verklaren. Wacht maar op het sectierapport,' zei hij terwijl hij de riemen van zijn klassieke dokterstas aantrok. 'Tot kijk.'

Een sterfgeval onder verdachte omstandigheden leidde doorgaans niet tot veel opschudding. Meestal was het vals alarm. Maar ditmaal was het anders. Het gebeurde niet elke dag dat er iemand stierf in het Vestkantbad, en al helemaal niet op zevenendertigjarige leeftijd. Dit was een van de weinige openbare zwembaden van Oslo waar de zaken min of meer naar behoren functioneerden. Water in de bassins en warmte in de sauna's waren niet overal standaard. Bovendien lag het Vestkantbad in een van de chicste buurten van de stad, op een steenworp afstand van het koninklijk paleis aan de ene kant en de kastanjes van de Bygdøyallé aan de andere kant.

De clientèle was deze ligging dan ook wel aan te zien. Heming kon zich goed voorstellen hoe geschokt die bedrijfsadvocaat van Aker Brygge was geweest toen hij dat blote been om klokslag zeven uur ontwaarde. Er werd meteen een dokter bij gehaald. Omdat de doodsoorzaak niet vaststond, nam de dokter volgens voorschrift contact op met de politie. De officier van justitie had al laten weten dat sectie vereist was 'in het algemeen belang'. De eerste melding was via de open lijn gegaan, dus inspecteur Heming wist dat er al veel pers voor de deur stond. Het zou hem niet verbazen als het persbureau NTB al een bericht had verspreid. In dat geval zou het hele journaille er al zijn, misschien ook het journaal. Er vonden in een jaar niet zo heel veel moorden plaats, zelfs niet in Oslo. Dus een sterfgeval onder verdachte omstandigheden kon veel aandacht trekken, zeker zolang nog niet vaststond dat het een natuurlijke dood betrof.

'Wil je de man spreken die het lijk heeft gevonden?' vroeg Holm.

'Nee, doe jij dat maar. Dan praat ik met de receptioniste.'

Halvor Heming richtte zich in zijn volle een meter vijfentachtig op, ging de kleedkamer uit en trok zijn plastic overschoentjes uit. Dit leek meer op een natuurlijke dood dan op moord. Maar de technici moesten hun werk nog doen, dus hij liet de kleedkamer aan hen over. Ze stonden al klaar met hun bewijszakjes.

'Moeten we stofzuigen?' vroeg een van hen. De onderzoeksleider knikte.

De receptioniste zat op een stoel achter de balie. Het was een jong meisje met blond haar en een goedgetraind lijf. Een jaar of vijfentwintig. Ze deed Heming even denken aan zijn eigen vrouw vijftien jaar geleden. Toen vroeg hij de vrouw of hij haar even kon spreken. Ze gingen een stukje verderop een kantoor in. Hij deed de deur dicht, maar hij zat nog niet of de receptioniste vroeg al: 'Het is toch geen moord?'

'Waarschijnlijk niet. Maar we weten het nog niet zeker.'

'Wanneer denkt u dat we weer open kunnen?'

'Zodra de laatste technicus weg is. Misschien zullen we die kleedkamer nog een of twee dagen gesloten willen houden, maar dat horen jullie dan nog wel.' Heming ging op een van de twee rechte houten stoelen zitten die er in het kantoortje stonden en haalde zijn bandrecordertje tevoorschijn. Hij vertelde de receptioniste wat haar plichten als getuige waren en zei dat hij nu alleen maar een voorlopige verklaring wilde opnemen, maar dat ze waarschijnlijk later een keer naar het bureau zou moeten komen voor een volledige verklaring.

'Hoe heet u?'

'Eva Beate Fosen.'

'Kende u hem?'

'Ja. Hij kwam 's maandags altijd een uur voor de gewone openingstijd,' antwoordde de receptioniste.

'Is dat normaal?'

'Nee, maar ik zei dat het goed was, als hij het maar van tevoren zei als hij een keer niet kwam.'

'Betekent dat dat u hier op maandagochtend een uur eerder moest zijn om hem binnen te laten?'

'Ja.'

De receptioniste klikte aan één stuk door hard met een pen die ze in haar hand hield. De meeste getuigen die de eerste keer na iets dergelijks met de politie in aanraking kwamen zeiden te veel. Dat was een manier om de schok te verwerken. Bovendien waren veel mensen bang om iets te vergeten waar de politie iets aan had. Meestal kregen de onderzoekers een hoop overbodige informatie. Heming dacht dat hij wel begreep waarom het ditmaal anders was.

'Krijgt u betaald om een uur eerder te komen?'

'Nee... eh... eigenlijk niet.'

'Betaalde hij u?'

'Ja, maar eh... maar driehonderd kronen,' voegde ze er gauw aan toe.

'Mag dat volgens de regels van de gemeente?'

'Denk ik niet.' Ze bleef maar klikken met die pen. Pas toen Heming zijn ogen er bewust op liet rusten, hield ze ermee op en legde ze hem voor zich op tafel.

'Dat zult u uw chef toch moeten vertellen na wat er nu gebeurd is. Ik zie geen reden waarom *wij* de gemeente erover zouden informeren, maar het is vast verstandig om het zelf te doen. Daar zul je toch niet om ontslagen worden.'

De receptioniste reageerde niet. Heming glimlachte en zei: 'Als u verder niets onwettigs hebt gedaan, zou ik graag willen dat u me alles over hem vertelt wat u weet.'

Ze leek opgelucht en ging rechtop zitten in haar stoel.

'Hij kwam hier dus elke maandag om zes uur. Ik geloof dat hij hier ook nog op een andere dag kwam, maar dan alleen voor een massage, en dan had ik geen dienst. Hij zei in elk geval dat hij ook altijd een massage kreeg.'

'Sprak u vaak met hem?'

'Hij stond meestal al op me te wachten als ik om zes uur open kwam doen. Dan praatten we wat. Niks bijzonders, alleen maar terwijl ik opendeed. Nou, en dan verdween hij in de kleedkamer. Dan zag ik hem een uur niet. Intussen maakte ik alles klaar voor de dag, las de krant en luisterde naar mijn iPod. Hij ging altijd meteen om zeven uur weg, als de eerste gewone klanten kwamen.'

'Kwam hij vandaag op de normale tijd?'

'Eh... hij stond op me te wachten. Hij zei iets over het weer, geloof ik.'

'Was de buitendeur tussen zes en zeven uur op slot?'

'Ja, dat is een knipslot, dus daar hoef ik niet om te denken.'

'Hebt u de deur in het slot horen vallen?'

'Dat weet ik niet meer. Maar ik moest hem om zeven uur in elk geval normaal opendoen.'

'Heeft hij weleens iets over zichzelf verteld?'

'Niet echt. Meestal zei hij iets over wat ik aanhad. Dat het mooi was of zo, of dat het een heerlijke ochtend was, of iets in die trant. Ik geloof wel dat hij een keer vertelde dat hij directeur van een of ander groot bedrijf was.'

'Weet u nog van welk bedrijf?'

'Ja, want het was een nogal typische naam. Dyneland AS of zo: dekbeddenland.'

Hij besloot hier verder niet op in te gaan. Daar was op het bureau vast al iemand naar aan het graven.

'Hoe kwam die afspraak tussen jullie tot stand? Is dat al lang geleden?'

'Begin vorige winter, geloof ik. Anderhalf jaar ongeveer. Hij kwam eerder altijd om zeven uur, maar op een keer vroeg hij of wij een afspraak konden maken. Hij zei dat het kwam doordat hij altijd zulke vroege vergaderingen had op maandag of iets dergelijks.'

'Oké. Dank u wel. Ik zal een verslag van ons gesprek maken en dan nemen we later contact met u op om even op het bureau langs te komen,' zei Heming. 'Dat is echt niet iets om bang voor te zijn,' voegde hij eraan toe toen hij haar onzekere gezicht zag.

Hij stond op en ging het kantoor uit.

'Had de getuige iets interessants te melden?' vroeg hij Kristine Holm, die bij de receptie op hem wachtte.

'Niets wat we zelf niet al gezien hadden,' antwoordde ze.

'Oké. Laten we dan maar gaan.'

Buiten stond het vol auto's, fotografen en jonge mensen met microfoons en notitieblokken. Het was duidelijk dat de pers dit een mooie plaats delict vond. Deze buurt was geen achterstandswijk, zoals Plata, Galgeberg of Grønland. Dit was een voorname buurt: hier zat de top van het Noorse bedrijfsleven, het paleispark, het Nobel-instituut, het ministerie van Buitenlandse Zaken, de Amerikaanse ambassade en een hele reeks andere belangrijke instellingen. Het prestige lag er hier overal duimendik bovenop en hij wist dat de mensen die hier stonden, hoopten dat het slachtoffer ook door die glans werd beschenen. Te oordelen naar de kleding die de technische collega's in de kleedkamer hadden gevonden, zouden de journalisten hierin niet teleurgesteld worden. Maar de naam Bjarne Rossvik, die ze op het rijbewijs hadden gevonden, zei de rechercheurs voorlopig nog niets.

'Is het moord?' De journalisten dromden samen om Heming en Holm. Er waren ook een paar tv-camera's, maar voor zover hij kon zien nu nog alleen de commerciële zenders TV2 en TV Norge. Hij antwoordde voor de vuist weg dat het te vroeg was om conclusies te trekken en zei dat de naam van het slachtoffer zou worden bekendgemaakt zodra de familie was ingelicht. Iemand vroeg waarom de politie dit behandelde als dood onder verdachte omstandigheden.

'Omdat de doodsoorzaak nog niet vaststaat. Maar we hebben vooralsnog geen zichtbare, uiterlijke verwondingen gevonden. In elk geval niets wat we onmiddellijk met de doodsoorzaak in verband kunnen brengen.'

'Waarom behandelen jullie het dan als dood onder verdachte omstandigheden?' vroeg iemand.

Heming deed alsof hij het niet hoorde en ging naast Kristine Holm op de passagiersstoel in de auto zitten. Ze reed rond het Solliplass en zette koers richting Grønland. Hemings mobiel rinkelde. Het was Birgitte, die vroeg of hij Hans uit de crèche kon halen, want haar vergadering kon weleens uitlopen.

'Dat zal wel lukken.'

Halvor Heming leidde uit het glimlachje van Kristine Holm af dat ze wist met wie hij praatte. De meeste mensen gingen iets hoger praten wanneer ze iemand aan de lijn hadden van wie ze hielden, en hij was kennelijk geen uitzondering. Omdat zijn collega het kon horen, verlaagde hij zijn stem opzettelijk toen hij het gesprek met zijn vrouw beëindigde.

In plaats van 'doeg' te zeggen, vroeg Birgitte: 'Ben je boos, Halvor?'

'Het gaat wel. We hebben het er wel even over zodra ik op het bureau ben,' antwoordde hij zo formeel en neutraal hij kon.

Birgitte hing op en Halvor keek snel opzij naar zijn collega. Ook al keek ze recht voor zich op de weg, haar glimlach besloeg nu haar halve gezicht.

2

April 1982

Daar! De nauwe doorgang tussen de schuur en de *stabbur*, het voorraadhuisje. Pas op waar je loopt: grote keien. Ademnood, hartkloppingen. Kan niet denken. Hij glipte ertussendoor en kwam aan de andere kant op zachte grond terecht. De aardkluiten vlogen op terwijl zijn benen steeds sneller bewogen. Net iets te laat kreeg hij de restjes sneeuw in de schaduw van het bos in de gaten. Au, nee! Hij gleed uit op de gladde ondergrond en viel. Hij kwam weer overeind. Zo dadelijk was hij tussen de bomen.

Hij hoorde hen achter zich, op de zachte grond nu. Hij wierp een snelle blik over zijn schouder. Waarom waren ze maar met zijn vieren? Ze waren toch altijd met zijn vijven? Hij was nu tussen de bomen. De takken en dennennaalden prikten als spelden in zijn gezicht. Doorgaan!

Tien meter verderop bewoog een tak. Hij veranderde van richting en zwoegde de rots op. Als beloning belandde hij in een sneeuwverstuiving van bijna een meter diep. Zijn linkerbeen zakte er tot over de knie in. Hij trok het zo hard hij kon omhoog, maar zijn laars zat vast. Hij draaide zich om en zag beweging aan de bosrand. Dan – een schaduw links, krakende sneeuw. Nummer vijf! Rennen! Hij trok zijn voet uit alle macht op en liet de laars zitten. Maar voordat hij een stap kon doen met zijn vrije voet, voelde hij al een hand op zijn schouder. Hij werd weer in de sneeuw geduwd.

'Hier is ie! Hier is Kris! Kom!'

Het was Andy, die rotzak. Kris kon zijn enthousiaste gezicht net links van zich zien. Toen voelde hij twee handen om zijn hoofd. Het werd omgedraaid en in de sneeuw gedrukt. Hard, koud. Hij kreeg geen adem meer.

Paniek. Hij wrong en worstelde. 'Kom! Straks hou ik hem niet meer!' Andy ging nog zwaarder op hem liggen. Kris hoorde de anderen komen. Hij gaf het op. Hij kon nog steeds geen adem krijgen en werd duizelig. Toen werd de druk minder en kon hij weer ademen.

'De Kraker en Andy pakken zijn armen, Steffen en Nikko zijn benen. Draai hem eerst om. Kom op!' Dat was Bubbel. Die had de leiding, zoals altijd. Hij liep voorop, de rots op, door de sneeuw. Zijn dikke achterwerk drilde in zijn broek en hij ademde zwaar onder zijn blonde engelenhaar. Kris kronkelde in hun greep. Tegen wil en dank probeerde hij zich los te wringen, ook al voelde hij dat het niet kon.

'Stil liggen! Anders breek ik je arm,' siste De Kraker.

Ze kwamen op de top. Vlak achter de rots was een klein stukje gras, waar de zon lang genoeg op had geschenen om het helemaal sneeuwvrij te maken. Kris zag vier palen staan met ongeveer anderhalve meter tussenruimte, en aan alle vier zat een stuk touw. Hij probeerde zich weer los te wringen, maar bedacht toen wat De Kraker had gezegd.

'Bind hem vast!' Bubbel ging op de buik van Kris zitten. De andere vier pakten ieder een stuk touw. Ze bonden hem stevig vast, veel te stevig. Kris voelde dat zijn bloed ophield met stromen. Zijn vingers werden warm en dik.

'Kom, we gaan!'

Was dat alles? Kris begreep er niets van. Hij wist dat hij hier ondanks alles niet lang zou blijven liggen. Er zou gauw iemand in de buurt komen. Hij kon roepen. Maar nu nog niet. Hij kon hun ruggen nog zien, op weg naar de andere kant van de rots. Hij begon aan de touwen te rukken en te trekken. Geen schijn van kans. Maar hij kreeg de knopen toch zo ver los dat het niet meer zo vreselijk zeer deed.

De jongens waren weg. Hij zou nog vijf minuten wachten, tot ze buiten gehoorsafstand waren.

Het was nu stil om hem heen. Hij keek naar de lucht. De wolken dreven snel door het blauw. De zon verwarmde zijn gezicht. Hij voelde tranen in zijn ooghoeken. Gunnar! Gunnar kwam hier altijd langs. Wanneer kwam hij uit school? Had Gunnar op woensdag niet altijd een uur langer les dan hij? Een uur kon hij het wel volhouden.

Toen hoorde hij weer iets. Gegiechel. Onderdrukt gelach. Een klein stukje verderop. Zou hij roepen of waren het Bubbel en zijn bende? Hij wachtte nog even. Toen hoorde hij voetstappen achter zich. Ze liepen om hem heen. De Kraker en Steffen stelden zich links van hem op, Andy en Nikko rechts. Stilte. Weer was Bubbel er niet bij. Toen hoorde hij weer stappen, zwaardere ditmaal.

'Kun jij hem vasthouden?' vroeg Nikko.

'Steffie.' Bubbel liep achter de anderen langs en ging voor de benen van Kris staan. Hij had iets in zijn handen. Het leek nog een touw, een halve meter lang ongeveer. Kris spande zich in om het beter te zien. Toen begreep hij wat het was. Hij werd duizelig en rukte van angst aan de touwen. Hoe hadden ze dat klaargespeeld?

'Blijf nou maar rustig liggen. Je komt toch niet los.' Bubbel grijnsde. 'Deze hier is de hele winter bij ons in de kelder mijn vriendje geweest. Ik heb 'm lekker opgefokt met muizen en worstjes. Helemaal ter ere van jou. Je zou trots moeten zijn! Steffen, trek zijn trui es omhoog.'

'Waarom?'

'Anders kan ie misschien niet door zijn kleren heen bijten.'

Steffen maakte een spleetje tussen de trui en de broek van Kris.

'Verder!'

Steffen deed wat hem gezegd werd. Bubbel hield de spartelende adder klaar voor een onderhandse worp. Hij grijnsde nog eens. En gooide.

*

Bubbel maakte één grote fout. In plaats van allebei zijn handen tegelijk open te doen, liet hij de staart een tiende seconde eerder los dan de kop, juist terwijl de adder een laatste wanhopige poging deed om zijn achterkant los te wurmen. Dus toen Bubbel die losliet, gaf het beest juist met volle kracht een klap met zijn staart en hij was al bezig zich te bevrijden toen Bubbel zijn andere hand opendeed. Door de verkeerde timing had de adder precies genoeg tijd om zijn bek open te doen en zijn giftanden in het vlezige gebied tussen Bubbels duim en wijsvinger te zetten. Daar bleef hij heel even hangen voordat hij zich in het gras liet vallen en snel het struikgewas in kronkelde.

‘Hij heeft me gebeten! Hij heeft me gebeten!’

Bubbel gilde. De andere jongens stonden verstijfd van schrik toe te kijken. Toen verbrak De Kraker de verlamming. Hij rende naar Bubbel toe.

‘Niet bewegen, anders verspreidt het gif zich door je lichaam!’ Tegen de anderen riep hij: ‘Andy, ren naar huis en bel een ziekenwagen. Wij moeten hem naar beneden naar de weg proberen te dragen.’

Andy was al onderweg. De andere drie pakten ieder een lichaamsdeel van Bubbel en probeerden hem op te tillen. Dat had geen zin. Bijna honderd kilo was te veel voor hen, zelfs met De Kraker erbij.

‘Oké, Steffen. Snij hem daar los. Hij moet mee helpen dragen.’

Ze sneden de touwen door. Kris stond zonder een woord te zeggen op en pakte Bubbels ene been. Zo werd hij meegenomen, half gedragen, half gesleept, de helling af, naar de weg.

‘Au! Het doet zeer! Het doet zeer!’

Bubbel gilde steeds harder, en Kris kon zien dat zijn hand begon op te zwellen.

Andy kwam aanrennen. ‘Ze zijn er zo,’ hijgde hij.

Kris ging naar huis. Niemand hield hem tegen. Hij keek niet meer om. Hij begon te rennen. Dat deed zeer met maar één laars.

*

Meer dan een week was het rustig. Bubbel was niet op school. Kris ging niet meer door het bos naar huis, behalve als hij tegelijk met Gunnar uit school kwam. Samen met iemand uit klas 8 naar huis gaan was veilig.* Gunnar was ook geen zwaargewicht, maar hij had vrienden genoeg, dus niemand durfde hem lastig te vallen.

Kris had hem niets verteld. Hij schaamde zich er een beetje voor dat de bende nu juist hem als slachtoffer had gekozen. Hij wilde graag dat Gunnar dacht dat hij populair was, of in elk geval niet zo impopulair dat niemand met hem wilde omgaan. Maar Gunnar was niet dom. Hij zag heus wel dat Kris elke pauze alleen was. Hij had hem bovendien een paar keer gered. Zonder dat hij het wist,

* De onderbouw van het voortgezet onderwijs (klas 8-10) vindt in Noorwegen plaats op dezelfde school als het basisonderwijs (klas 1-7). Kinderen van 6 tot 16 zitten dus op één school.

dacht Kris. Gunnar had gewoon de neiging op het goede moment op te duiken.

Toen hij die dag thuisgekomen was, had het nog bijna twee uur geduurd voordat zijn moeder uit haar werk kwam. Hij had die tijd gebruikt om een was te draaien. Zijn kleren waren kletsnat geweest, vol mos, aarde en vuil. De dag erna had hij gespijbeld bij wiskunde en was hij vóór alle anderen naar huis gegaan om zijn laars uit de sneeuw te halen.

Vandaag was de sneeuw helemaal weg, maar het klotste nog als hij zijn laars op de grond zette. Iets in zijn linkerknie werkte na het voorval niet meer zoals het hoorde. Zo goed en zo kwaad als het ging hinkte hij voort naast Gunnar.

'Is Bubbel daarboven gebeten?' vroeg Gunnar, wijzend.

'Ja. En sindsdien is hij trouwens niet meer op school geweest.'

'Zullen we eens gaan kijken of we er nog meer kunnen vinden? We hebben allebei laarzen aan.'

'Beter van niet. Ik heb mijn moeder beloofd dat ik op tijd thuis zou zijn en de aardappels op zou zetten. Bovendien is Bubbel in zijn hand gebeten,' zei Kris.

Hij merkte dat Gunnar naar hem keek.

'Het is best als je niet mee wilt, maar je hoeft niet te doen alsof dat vanwege je moeder is. Ik zou zelf ook vast wel bang geworden zijn als iemand uit mijn klas door een adder gebeten was. Maar ik ga er toch even heen. Tot morgen.' Gunnar grijnsde. 'Als je me morgen niet ziet, weet je in elk geval waar jullie moeten zoeken.'

Hij draaide zich om en ging de helling op. Kris liep door naar huis. Zodra Gunnar hem niet meer kon zien, begon hij te rennen. Het was de eerste keer dat Gunnar had gevraagd of ze samen iets zouden doen. Hij had er bijna spijt van dat hij nee gezegd had. Maar hij kwam op weg naar huis in elk geval niemand tegen.

3

Maandag 18 september 2006

Halvor haalde Hans om precies kwart over vier op. Het bijna drie jaar oude ventje was juist aan zijn derde jaar op de crèche begonnen en werd kennelijk beschouwd als volwaardig lid van Bell's Angels, zoals een groepje kinderen, naar de Oegandese leidster van Robbedoes, werd genoemd. Het groepje bestond nu uit vier jongens. De jongste was bijna een jaar ouder dan Hans, die er op zijn beurt ontzettend trots op was dat hij door de grote jongens was goedgekeurd. Dat hield ook in dat hij de hinderlijke gewoonte van de anderen had overgenomen om niet mee naar huis te willen als hij werd opgehaald. Hij was sowieso niet meer de favoriete mascotte van de crèche.

'Er was weer veel heibel vandaag,' zei Bell. 'Hans kan niet zo goed stilzitten tijdens het eten.'

Een kwartier later, na veel gekrijs en geschreeuw en aankleden onder dwang, stonden ze buiten. Halvor was nog net op tijd om Hanne voor sluitingstijd bij de naschoolse opvang op te halen, maar hij stelde vast dat hij de een-na-laatste was. Ole, die bijna negen was en niet meer in de naschoolse opvang zat, was met een vriendje mee naar huis gegaan. Halvor zou hem een paar uur later bij de voetbaltraining in de Manglerudhal treffen.

Ze maakten avondeten: visballetjes. Hanne en Hans slaagden erin tussen hun gekibbel door iets te vertellen over hoe het op school en op de crèche was gegaan. Maar dat was voordat Hans het drijfvermogen van de visballetjes in de waterkan wilde testen. Toen Halvor opstond om duidelijk te maken wat hij daarvan vond, stootte hij de kan om.

'Je knoeit, papa,' riep Hans opgetogen.

Birgitte was om halfzes thuis. Ze kuste Halvor, at de overgebleven visballetjes op en vroeg of ze nog vijf minuutjes mocht blijven zitten.

'Tuurlijk,' zei Halvor, terwijl hij zich afvroeg wanneer ze ooit tijd zouden hebben voor de vijftien minuten die je volgens de pedagogen in de kranten dagelijks met je kinderen moest spelen.

Toen was het tijd voor het kinderprogramma op tv. Birgitte deed de afwas in de machine en hing wasgoed op. Halvor probeerde de twee kleintjes op zijn schoot te laten balanceren. Toen het kinderprogramma afgelopen was, begon Hanne aan haar huiswerk en Hans aan zijn gebruikelijke tijdrekken voor het naar bed gaan. Toen Halvor hem uiteindelijk de badkamer in had weten te krijgen, vertikte Hans het om zijn mond open te doen voor de tandenborstel. De oplossing was alle versjes over Karius en Baktus te zingen, de mannetjes die in de holle kies van Jens wonen. Wat gekietel op de rand van het bed moest het gemis aan spel compenseren, totdat het klaterende kindergelach overging in gehik. Halvor gaf Hans een kusje op zijn hoofd en zei welterusten. Het was tien over zeven, dus hij kon nog net op tijd bij de Manglerudhal zijn.

*

Hij liep er snel heen, met de sporttas van Ole in zijn hand. Niet voor het eerst bedacht hij hoe goed het uitkwam dat het salaris van Birgitte en hem slechts genoeg was voor een twee-onder-een-kapwoning in deze niet ál te chique wijk. Manglerud lag ingeklemd tussen de metro en de drukste weg van Oslo. Vlakbij lagen twee winkelcentra die heel dicht in de buurt kwamen van de verwerkelijking van de vierkante, raamloze legogebouwen die hijzelf had gebouwd toen hij vijf was. Als het meer Østensjøvannet en de natuur van de Oslomarka hiervandaan niet zo makkelijk bereikbaar waren geweest had hij, zelfs met drie kinderen, liever een flat dichter bij het centrum gehad.

Toch had Manglerud ook voordelen. Zolang je in de buurt van de laagbouw bleef en niet richting centrum ging, was het er rustig, open en groen. Bovendien was het een heel prettige leefomgeving voor kinderen én volwassenen. Mensen die echt geld hadden, wentelden zich liever in de glans van de Solvei en de Oslofjord aan de andere kant van de heuvelrug achter hem. Halvor zou daar zelf ook wel willen wonen, maar dan zouden de kinderen in een tamelijk wereldvreemde omgeving opgroeien.

Hij zou nooit vergeten dat hij een keer met een vriend die aan het Bekkelagsterrasse woonde naar het Bølerbad was gegaan, allebei met hun dochtertje van vier. Ze banjerden allebei met hun dochter op de arm door het lage deel van het bad en kwamen langs een Pakistaans gezin. Het dochtertje van zijn vriend vulde eerst het hele zwembad met een gekrijs alsof ze in doodsnood verkeerde en verklaarde vervolgens met hetzelfde volume: 'Ik ben bang voor bruine mensen, papa!'

Halvor bleef radeloos staan. Zijn vriend reageerde veel alerter: hij zette zijn panisch kijkende dochter onmiddellijk op Halvors nog vrije arm. Halvor ontdekte zijn vriend pas een tijdje later aan het korte uiteinde van het bad: hij lag dubbel van het lachen. Op dat moment staarden alle andere aanwezigen nog naar Halvor en zijn twee dochtertjes. Later, in de kleedkamer, liet hij er geen twijfel over bestaan dat het gedaan was met hun vriendschap tenzij zijn vriend diens dochter een dag meenam naar de allochtone markt op Grønland Torg. Of naar het winkelcentrum Manglerud Senter; daar kwam je ook een hoop gekleurde mensen tegen.

Hij kon nu wel lachen om het verhaal. Toch stelde hij vast dat er vanavond noch blanke noch donkere mensen in Manglerud te zien waren. Dat kwam waarschijnlijk door die motregen die maar niet leek op te houden. Het ergste van de voortdurende regen van deze herfst was de luchtvochtigheid. Je kleren werden vochtig, je auto werd vochtig, ja zelfs zijn kantoor op het politiebureau was vochtig, ondanks het zogenaamde balansventilatiesysteem dat ergens in de vorige eeuw ooit hypermodern was geweest. De enige plaats waar je aan de vochtigheid kon ontkomen was thuis, waar de gezelligheid en de vloerverwarming ervoor zorgden dat hij het in- en uitwendig warm kreeg. Alleen jammer dat hij daar maar zo weinig was.

Toen hij de helling van de woonhuizen naar de school en de sporthal op liep, hoorde hij een schreeuw. Hij stopte en luisterde. Nu hoorde hij het duidelijk. Iemand riep zo hard mogelijk en doodsbang: 'Nee-ee!' Instinctief ging hij harder lopen, en algauw sprintte hij voluit. Bij de boom op de speelplaats van de school zag hij schaduwen. Twee jongens van een jaar of dertien, veertien die iemand op de grond hielden. Halvor schreeuwde.

De twee jongens vlogen overeind en waren al tien, vijftien meter verderop toen Halvor bij de boom kwam. Onder zich hoorde hij gesnik. Hij keek naar beneden. Ole.

Hij keek snel weer op en zag nog net de rug van een van de jongens om de hoek van het eerste schoolgebouw verdwijnen. Voorzichtig pakte hij zijn zoon bij de schouders en tilde hem op van de vochtige grond. De jongen huilde nog steeds, maar nu stiller.

'Hè toch.' Halvor streelde hem over zijn haar, dat al dezelfde kleur begon te krijgen als zijn eigen donkerblonde haar. Hij keek over Oles schouder op de grond. Daar zag hij iets wits. Hij keek nog wat beter. Een pilletje.

Hij schoof Ole langzaam iets van zich af en probeerde zijn blik te vangen. Voorzichtig zei hij: 'Wat was er aan de hand?'

'Ze wilden... ze wilden me dwingen om drugs te gebruiken!' Ole zag er nog steeds doodsbenauwd uit met zijn wijd opengesperde ogen. Halvor wist dat de jongen een paar maanden geleden nog niet eens wist wat drugs waren, maar dat was voordat er twee zevendeklassers op het schoolplein waren betrapt op het roken van hasj. Het schoolbestuur had geprobeerd de zaak in de doofpot te stoppen, maar onder leerlingen en docenten gonsde het toch van de geruchten. Daardoor had het voorval uiteindelijk geleid tot formele samenwerking met de afdeling Preventie van het politiebureau van Manglerud. De docenten sloten daarop aan met lessen voor alle klassen over de schadelijke gevolgen van drugs.

De zevendeklassers waren dertien jaar. Daar ging je met je pogingen om kinderen te beschermen tegen dingen waarvan iedereen dacht dat ze die nog niet hoefden te weten.

Halvor boog voorover en pakte met duim en wijsvinger het pilletje op. Met de Maglite die hij altijd in zijn jaszak had, bescheen hij het aan beide kanten. Aan de ene kant stond een hoofdletter M, of misschien een W. Aan de andere kant stond met kleine lettertjes: PARACETAMOL 500 MG.

*

Ze waren wat te laat voor de voetbaltraining en de hoofdtrainer was al begonnen. Hij knikte wat ontevreden toen Halvor binnenkwam en wees naar de lege trainingshoek, waar Halvor koptraining zou geven. Ole ging bij de anderen in de rij staan voor de warming-up.

Terwijl Halvor wachtte tot de jongens daarmee klaar waren, bestudeerde hij Oles ploeggenoten. Ze leken blij te zijn hem te zien. Ze duwden en stoeiden met hem en grijnsden en lachten precies zo naar hem als naar de anderen. Halvor had gedacht dat het goed was om toch maar naar de training te gaan, dan kon Ole het gebeurde van zich afschudden. Tot dusver leek hij daar gelijk in te hebben gehad.

Maar toen ze na de training naar huis liepen, begon Ole er zelf weer over. Hij vroeg wat het dan voor pilletje was, als het geen drug was. Halvor vertelde het en vroeg toen wie die twee jongens waren.

'Eirik en Jonas. Die zaten vorig jaar in de zevende klas.'

'Heb je al eerder last van ze gehad?'

Halvor dacht dat hij een heel kleine pauze waarnam voordat Ole antwoordde: 'Nee, maar andere jongens uit de klas wel af en toe. Het zijn geen leuke jongens.'

✶

Birgitte kreeg het verhaal te horen terwijl ze op de rand van het bed zat. Van Halvor, want Ole zelf was ongewoon stil. Zo stil en bleek zelfs dat zijn vader bijna de thermometer had gepakt. Maar daar zag hij uiteindelijk van af. Hij zou het nog even aanzien tot morgenochtend. Toen Ole eenmaal sliep, installeerde Birgitte zich met haar laptop en logde ze in op haar werk.

'We moeten het er morgen nog maar eens met Ole over hebben, Halvor,' zei ze zuchtend. 'Ik moet de verklaring voor die hearing morgenochtend nu echt afmaken.'

Halvor knikte, trok zijn jack aan en riep dat hij nog even een blokje om ging. Tussen het gehamer op het toetsenbord door hoorde hij een 'mm' voordat hij de voordeur achter zich dichttrok. Van de motregen was nu alleen nog damp over. Maar het was nog net zo vochtig, dus hij besloot de auto te nemen. Als hij de verwarming en de airconditioning allebei hoog zette, zou hij de vochtigheid misschien op afstand kunnen houden.

Hij wist eigenlijk niet wat hij wilde. Hij voelde een vage onrust in zijn lichaam en hij dacht dat dat niet alleen door Ole kwam. Zijn zoon gedwongen te zien worden tot iets wat hij niet wilde, had bij Halvor diep in zijn achterhoofd iets losgemaakt. Iets wat met hemzelf te maken had. Een autoritje zou zijn hoofd helder kunnen maken.

Op de Plogvei bepaalde hij dat stille, donkere wegen het beste bij zijn stemming pasten. Dus reed hij de Enebakkvei in en sloeg toen links af naar het grote kruispunt met stoplichten. Hij reed zacht en probeerde dat wat in zijn achterhoofd gonsde uit zijn schuilplaats te lokken.

Toen hij bij het Østensjøvannet kwam, zag hij twee jongens fietsen op de weg onder de brug. De ene had precies zo'n windjack aan als de jongen die bij de school de hoek om was gegaan: een kort, groen ding van het type Catalina.

Halvor reed naar de andere kant van de weg en parkeerde. Hij deed het portier voorzichtig achter zich dicht, stak de weg over en liep geruisloos in de richting waar hij de jongens had zien fietsen. Vlak voor hij achter de brugpijler vandaan kwam, kreeg hij een achterlicht en een fietswiel in het oog. Hij stopte en luisterde. Kennelijk stonden de twee wat te kletsen. Toen bespeurde hij een zwakke rooklucht.

Hij voelde de aderen in zijn slapen kloppen. Toch wist hij zich nog een paar seconden in te houden. Toen stapte hij tevoorschijn. Twee witte gezichten staarden hem aan. Voordat ze het wisten, was hij al bij hen en greep hij hen om hun middel. Hij trok ze hard tegen zich aan en voelde een sigaret gloeiend langs zijn hand scheren voordat hij zacht op het gravelpad onder hen viel. Hij duwde de jongens naar een grote kei en hield hen daartegenaan gedrukt. Het hoofd van de grootste raakte bijna de onderkant van de brug.

'Rustig blijven zitten!'

Hij pakte zijn Maglite en bescheen de knapen een voor een.

'Namen?'

De grootste probeerde op te staan, maar Halvor duwde hem met kracht terug. Toen bleef hij zitten, maar met een verongelijkte blik.

'Waarom wilt u verdomme onze namen weten? Is het soms verboden om te roken?!'

'Nee, maar wel om kinderen te pesten die vijf jaar jonger zijn dan jullie!'

Nu leek de stoerste van de twee iets te dagen. Hij keek niet langer verontwaardigd, maar een beetje radeloos. Halvor wachtte, maar ze zeiden niets. Hij greep hen allebei op borsthoogte bij de bloes en boog voorover tot hij op ooghoogte kwam.

'Ik zal jullie eens een geheimpje vertellen: ik weet al wie jullie zijn. En nog een geheimpje: als ik nog één keer zie dat jullie mijn zoon of iemand anders pesten, zorg ik ervoor dat jullie in een isoleercel terechtkomen!'

'Ben je soms een smeris?' De stoere had weer praatjes.

Eigenlijk was Halvor niet van plan antwoord te geven, maar de ironische ondertoon in de stem van het klootzakje maakte dat hij van gedachten veranderde.

'Ja.' Hij liet de jongens los, scheen nog een keer in hun gezicht en zag hen in elkaar krimpen. Hij draaide zich abrupt om en liep weg.

*

In de auto op weg naar huis wist hij het weer. Het was in het paradijs van zijn kinderjaren: bij zijn grootouders in Rakkestad.

Het was zo'n klassieke zomerdag waarvan ze er in dat kleine plaatsje in de provincie Østfold zo wonderbaarlijk veel hadden. Droge, rustige warmte tijdens een sloom dorpsweekend. Jan en Fredrik waren geen van tweeën thuis, dus hij mocht naar de Narvesen-kiosk bij het station fietsen om een ijsje te kopen. Hij had zich voorgenomen om het ijsje thuis op te eten, dus hij nam de snelste weg terug, anders zou het smelten. Dat betekende dat hij door het voormalige industriegebied moest. Hoge, lege fabrieksgebouwen staarden hem aan. Meestal was dat spannend, maar dan was hij samen met Jan en Fredrik. Vandaag leken de gebouwen hoger en leger dan anders. Hij wilde juist op zijn Apache-fiets langs een oud laadperron racen, toen hij een paar jongens in het oog kreeg die tussen twee gebouwen in met de fiets tussen de benen stonden te roken. Hij wist dat ze vijftien jaar waren en als hij één ding had onthouden van wat Jan en Fredrik over hen hadden verteld, dan was het dat je bij hen uit de buurt moest blijven. Hij remde, keerde abrupt zijn fiets en begon weer in de richting van het station te fietsen. Maar te laat, veel te laat. Ze waren al bij hem voordat hij goed en wel op gang was en grepen hem bij zijn armen, zodat hij bijna op de grond viel.

'Kom op, neem een trek!' De blondste van het stel was fors gebouwd en hield hem in een stevige omklemming. Hij keek vrolijk en hield Halvor een sigaret voor. Een shagje. Het leek wel een trompet.

Nog steeds kon Halvor zich de geur en de smaak herinneren van die trompet, die steeds dichter bij zijn lippen en uiteindelijk ertegenaan kwam. Hij smaakte zuur.

'Inhaleren!'

Hij had geïnhaleerd en moest er bijna van overgeven. In het gelach dat volgde, had hij zijn kans schoon gezien. Nog nooit had hij zó'n vaart gemaakt. Het ijsje belandde op de grond, tussen de twee jongens in. Pas toen hij thuis was, durfde hij om te kijken. Zijn opa was meteen in de auto gestapt, met Halvor naast zich. Maar de jongens waren spoorloos verdwenen.

Voor een volwassene was het natuurlijk een kleinigheid. Maar voor de negen jaar oude Halvor niet. De twee jongens hadden hem beroofd van de veiligheid van het paradijs van zijn kinderjaren. De eerstkomende jaren durfde hij niet meer alleen door de straten van Rakkestad te lopen als hij niet de hele omgeving kon overzien en was hij altijd klaar om te vluchten naar waar mensen waren. Op het voormalige industrieterrein had hij nooit meer een voet gezet, zelfs niet als volwassene.

Halvor begreep dat het de rooklucht onder de brug was die deze herinnering weer in hem had gewekt. Hij dacht even na over de bijna oncontroleerbare woede die hij had gevoeld. Ole zou geen last meer van die twee hebben, daar was hij van overtuigd. Toen hij op straat voor zijn twee-onder-een-kaphuis parkeerde, hoopte hij dat hij ook voor zichzelf geen spijt zou krijgen van wat hij had gedaan.

4

Dinsdag 19 september 2006

Het onheilspellende mistdek dat Halvor de halve afdaling van de Ekebergåsen had omgeven, leek wel weggeblazen toen hij de Oslogate bereikte. Voor het eerst in bijna twee weken piepte er een lekker herfstzonnetje over de wijk Lodalen achter hem. Het probeerde een beetje glans te brengen op de vuilgrijze auto's die in de file richting Schweigaardsgate stonden. Getroost door de zon en door het feit dat hij al om acht uur op kantoor was, zat hij blakend van energie achter zijn bureau toen de telefoon ging.

'Goeiemorrgen,' brouwde iemand op zijn Bergens in de telefoon. Het was Gundersen van de technische recherche, uitgeslapen als altijd.

'Je was gisteren zo vroeg weg dat ik geen kans meer had je dit te vertellen. We hebben iets raars in dat kleedhokje ontdekt, iets waarvan ik dacht dat je het graag zo gauw mogelijk wilde weten.'

'Vertel.'

'Je hebt misschien wel gezien dat de garderobekast openstond? Toen een van de jongens de tas optilde die daarin stond, vond hij in een hoek een paar verse keutels. Misschien zat er een rat of zoiets in de kast toen Rossvik hem opendeed, en is hij zich daar letterlijk dood van geschrokken?'

'Misschien. Maar hoe kwam dat beest daar dan in? Hebben jullie gaten in die kast gevonden?'

'Nee, maar misschien heeft de deur op een kier gestaan en was het dier juist op bezoek toen Rossvik binnenkwam. De kleedkamers waren immers sinds zaterdagmiddag al niet meer gebruikt. De keutels die we hebben gevonden, hebben we meegenomen en laten we analyseren als het voorlopige sectierapport daar aanleiding toe geeft.'

'Oké. Dankjewel.'

Halvor hing op. Hij startte zijn pc op en vond een mailtje van Bastian Eide, een van de vier rechercheurs van zijn team. Het mailtje bevatte gegevens over Bjarne Rossvik. Geboren in '69, geen strafblad en inderdaad directeur van Dyneland AS, een middelgroot bedrijf dat bedden, matrassen en slaapkamermeubilair importeerde. Burgerlijke staat: ongehuwd, geen kinderen en ook geen geregistreerde samenlevingspartner.

Het had niet veel nut meer te ondernemen voordat het voorlopige sectierapport kwam, omstreeks twaalf uur. Hij had het gevoel dat er geen misdaad in het spel was.

Als Rossviks hart niet bestand was geweest tegen de ontmoeting met een rat, viel er toch niemand te arresteren wegens moord. Het Vestkantbad zou een ontsmettingsbedrijf op bezoek krijgen, meer niet.

Hij besloot toch even de beeldbank te checken. Na wat zoeken vond hij twee afbeeldingen met de titels *Ontlasting I* en *Ontlasting II*, die kennelijk in de kast waren gemaakt. Hij zag meteen dat er geen sprake kon zijn van een rat, ook al had Gundersen dat gezegd. Als de Bergenaar met zijn grote mond deze keutels met eigen ogen had gezien en ze aanzag voor rattenkeutels, kon Halvor hem daar nog jaren mee jennen.

In plaats van de kleine, eivormige ontlasting van een rat zag Halvor twee donkerbruine pegels. Er zat ook iets wits in, en haarresten. Hij wist heel zeker wat dit was, want zijn zusje en hij hadden katten gehad toen ze nog klein waren. Zo had de mand van Nøste eruitgezien als ze haar vacht grondig gewassen had. Halvor vroeg zich even af hoe een kat het voor elkaar had gekregen zich in het Vestkantbad te laten insluiten en bedacht toen dat het waarschijnlijk een onfortuinlijke muizen- of rattenjager was geweest. Hoe dan ook, ze zouden het weten zodra de analyse er was.

Halvor voelde zich niet verplicht om in de drukte die er momenteel bij Geweldsdelicten heerste meer tijd aan een verdacht sterfgeval te besteden. In plaats daarvan las hij zijn eigen rapport nog eens door in een zaak waarover hij de volgende dag in de rechtbank moest getuigen.

Die zaak ging om een oude bekende van Halvor, een van de machtigste pooiers van Oslo, die een stevige knokpartij had gehad met een concurrent. Aarzelen en in je papieren bladeren maakte geen goede indruk als je voor de rechter stond, dus hij probeerde zich te concentreren op wat er in het rapport stond. Ditmaal moest die schoft de bak in. Hij mocht er niet van afkomen met dienstverlening. Hij wilde juist gaan lunchen toen Kristine binnenkwam met een A4'tje in haar hand.

'Is dat het sectierapport? Heb je het al gelezen?'

'Nee, het is net binnen. Ik dacht dat jij het eerst wilde bekijken.'

Halvor legde het vel papier voor zich en begon te lezen. De gerechtsarts had zoals gewoonlijk zijn best gedaan om begrijpelijk te schrijven, en de samenvatting besloeg ongeveer een half kantje.

Halvor had al heel wat sectierapporten gelezen en het gebeurde steeds minder vaak dat hij de arts die het stuk had geschreven telefonisch om een toelichting moest vragen. Maar nu vroeg hij zich af of hij niet toch een telefoontje moest plegen.

'Er staat dat er sporen van een onbekende stof in het bloed zijn gevonden en dat er monsters naar het gerechtelijk toxicologisch instituut zijn gestuurd voor verder onderzoek. Die schram op zijn arm is veroorzaakt door een voorwerp dat dikker is dan een normale injectienaald. De waarschijnlijke doodsoorzaak is een hartinfarct, maar ze sluiten voorlopig toch niet uit dat er verband bestaat tussen de onbekende stof die geïnjecteerd is en de hartstilstand. Het kan wel een paar dagen duren voordat we de antwoorden krijgen.'

'Moord of natuurlijk? Wat doen we?' vroeg Kristine.

Halvor stak zijn handen in de lucht. Hij twijfelde. Kon iemand iets in Rossvik hebben gestoken? Een paardenspuit of zo? Die waren toch groter dan gewone spuiten? Of kickte die man op een of andere ongewone drug?

Hij belde Gundersen en vroeg of die alles wat ze gevonden hadden voor nadere analyse wilde doorsturen, ook de inhoud van de stofzuigerzak.

'Hebben jullie binnen in de kast ook gezogen?'

'Ja, ja, overal in de kleedkamer. Gelukkig zijn de ruimtes zaterdag na sluitingstijd schoongemaakt, dus er kan weinig geks in die zak zitten.'

'Maken ze de kasten vanbinnen ook schoon?'

'Ja, maar 's zaterdags niet. Daar zul je trouwens toch weinig menselijke sporen vinden, want er gaan niet veel mensen een kast in om zich om te kleden. Verder denk ik dat het je vast wel interesseert dat we een heel heldere en duidelijke afdruk aan de binnenkant van de linkerkastwand hebben gevonden: een linkerduim. Die zat in iets wat een of ander vet lijkt te zijn. Die afdruk wordt nu door het register gehaald, met nog een heel stel andere. Ik bel je als we een match hebben.'

*

Halvor en Bastian namen de dienstauto, terwijl Kristine op het bureau bleef om het rapport van de vorige dag af te maken.

Dyneland AS lag aan de Gamle Strømsvei in een grote, oude villa die tot kantoorgebouw was verbouwd. Het logo was op het balkon boven de ingang aangebracht. Het stelde een dekbed voor dat op gevederde vleugels een landschap van groene dalen, blauwe lucht en lichte, roze wolkjes in vloog. Zowel het huis als het logo was een welkome afwisseling in het dorre, door veel beton ontsierde labyrint van wegen dat de wijk Alnabru vormde.

Op weg naar de receptie stopte hij om aan de muur de plaquette van de organisatie te bekijken. Bovenaan troonde een groot portret van Bjarne Rossvik, kennelijk door een beroepsfotograaf genomen. Daaronder stonden pijlen naar de afdelingen Inkoop, Marketing, Verkoop, Administratie/IT, Magazijn en Financiën. Van de afdelingshoofden stonden wel de namen maar niet de foto's op de plaquette. Het waren er bij elkaar algauw een stuk of dertig, dus naar Noorse maatstaven was het een behoorlijk groot bedrijf.

Ze hadden een afspraak met het hoofd van de administratie, Gunvor Berge. De receptioniste vroeg of ze even wilden wachten. Ze keek hen niet aan.

'Halvor Heming,' zei Halvor.

Gunvor Berge stelde zich voor, gaf hun een met ringen bezaaide hand en liet hen binnen in haar kantoor. Het was een donkerblonde vrouw van ongeveer veertig, keurig gekleed in een olijfgroen mantelpakje, maar met een heel gewoon gezicht. Ze zag er bezorgd uit.

'Bent u hier nu de baas?' vroeg Halvor.

'Ja, op het ogenblik wel, denk ik. Bjarne maakte deel uit van een driekoppige raad van bestuur, maar ik heb nog niet met de andere twee bestuursleden gesproken; ik heb ze alleen via de e-mail ingelicht. Ik weet niet goed hoe het nu verder gaat,' antwoordde ze.

'Bezat hij alle aandelen?'

'Nee, 51 procent. De beide anderen hebben ieder 24,5 procent,' zei ze.

Halvor bekeek het kantoor nauwkeurig. Met archiefkasten, boekenkasten en een heel groot bureau stond het behoorlijk vol. Zijn oog viel op een ingelijst affiche op A4-formaat, midden op het bureau. Bovenaan stond dezelfde foto van Rossvik en daaronder: STRATEGISCHE DOELSTELLINGEN 2006, gevolgd door een opsomming van vijf punten.

Gunvor Berge volgde zijn blik en zei: 'Bjarne deed er alles aan om ons scherp te houden. Iedereen heeft er zo een op zijn bureau.'

'Was hij er van het begin af aan bij?'

'Ja, wij allebei. Hij is alleen begonnen, in 1995. Ik was het eerste personeelslid dat hij aanstelde. Ik hield me bezig met inkoop en verkoop. Een paar jaar later maakte hij er een naamloze vennootschap van, en toen kwamen die andere twee erbij.'

'Hebt u niet het aanbod gehad om mee te doen?'

'Nee, ik had op dat moment zwangerschapsverlof. Bjarne hield er niet zo van dat mensen verlof hadden. Daar had het mee te maken, denk ik. Hij was echt zo'n grondleggerstype: hij werkte dag en nacht. Maar wij hadden toch geen geld om ons in te kopen, want we waren net naar een nieuwe flat verhuisd. Ik vind het niet erg, want ik heb eind jaren tachtig een hoop UNI- en DnC-aandelen geërfd en die bedrijven gingen failliet, dus daar heb ik weinig profijt van gehad. Sindsdien heb ik het niet meer zo op aandelen.'

'Hebben jullie hier een ondernemingsraad?' vroeg Bastian.

'Jawel, maar daar zitten vooral de mannen van het magazijn in. De voorzitter is de souschef. U vindt hem in het magazijn, honderd meter verderop aan deze straat.'

Terwijl Bastian zich de weg liet wijzen, keek Halvor de kamer nog eens rond. Door een raam dat uitkeek op de gang zag hij drie mensen bij een koffieautomaat staan. Ze lachten om iets wat een van hen had gezegd. Het zag er niet naar uit dat Bjarnes overlijden de stemming erg drukte, in elk geval niet bij iedereen.

Bastian ging weg en Halvor en Gunvor Berge bleven achter. Ze zag er een beetje verloren uit en Halvor zei: 'We weten niet of Bjarne vermoord is, maar we moeten te werk gaan alsof dat wel het geval is. We verdenken niemand en er is niets wat in de richting van zijn werk wijst. We zijn hier vooral om te proberen ons een beeld te vormen van hoe hij als mens was, want dat kan ons verder helpen. Kunt u me iets vertellen over hoe hij was? Probeert u zo eerlijk mogelijk te zijn.'

Hij zag dat ze nadacht. Om haar op gang te helpen, voegde hij eraan toe: 'Hier zullen net als in ieder ander bedrijf ook weleens conflicten zijn.'

Toen barstte ze los: 'Persoonlijk heb ik altijd een dubbel gevoel over Bjarne gehad. Aan de ene kant kon hij geweldig inspirerend zijn en had hij een enorme energie, waardoor hij iedereen meetrok. Aan de andere kant was hij verschrikkelijk zelfingenomen en solde hij naar believen met zijn personeel. Als hij van iemand af wilde, vond hij daar altijd wel een manier voor, or of geen or. Als Bjarne om de een of andere reden iets tegen iemand kreeg, maakte het niet uit of alle anderen hem vertelden dat die man of vrouw goed werk deed.'

'Iets tegen iemand kreeg... Hoezo?'

'Bijvoorbeeld als hij in het openbaar werd tegengesproken. Daar kon hij absoluut niet tegen. Hij gaf er altijd over op dat de bomen hier zo hoog groeiden, maar het enige wat hoog groeide was hijzelf. Hij zei en deed precies waar hij zin in had.'

'Hoe was uw persoonlijke relatie met hem?'

'Heel goed, eigenlijk. Na mijn zwangerschapsverlof duurde het een tijdje voordat ik weer in genade werd aangenomen. Maar ik begreep wel dat ik niet nog een kind moest krijgen als ik mijn baan wilde houden. Nu wilden wij toch niet meer kinderen, dus Bjarne en ik hebben later altijd goed met elkaar samengewerkt.'

En ze vervolgde: 'Dat komt misschien vooral omdat ik Bjarne het best kende van ons allemaal. Ik wist precies op welke dagen ik iets met hem kon bespreken en op welke dagen ik maar beter zo ver mogelijk van zijn kantoor vandaan kon blijven.'

Halvor vroeg of ze iets over zijn privéleven wist. Volgens Gunvor dachten de meesten dat hij homo was, omdat niemand iets wist van een vrouw of een vriendin. Hij had ook nooit belangstelling aan de dag gelegd voor de vrouwen op de zaak, of ze nu single waren of getrouwd, zelfs niet bij het kerstdiner.

'Hij leek met niemand erg intiem te zijn of te willen zijn. Ik heb maar één keer het vermoeden gehad dat...'

Ze aarzelde. Halvor knikte bemoedigend.

'Wat ik nu ga zeggen is eigenlijk nergens op gebaseerd. Maar toen ik nog directiesecretaresse was, verbeeldde ik me soms dat hij met een van de bestuurders anders praatte. Met iets meer warmte en respect of zo, ik weet niet...'

'En wie van hen was dat?'

'Birger Schram heet hij. Ik weet niet meer van hem dan dat hij iets jonger is dan Bjarne. Hij heeft trouwens niet zoveel verstand van het besturen van een bedrijf, in elk geval had hij dat in het begin niet. Ik geloof niet dat hij grossiert in commissariaten, zoals ze dat noemen.'

Halvor besloot hier nu niet over door te zagen. Hij had toch al heel wat om uit te zoeken. Als het moord was, tenminste, hield hij zichzelf voor.

Hij vroeg of hij Bjarnes kantoor mocht zien. Dat lag naast dat van Gunvor, in de hoek die uitkeek op de Strømsvei. Het was licht en ruim. De ene muur werd in beslag genomen door een grote kaart van Azië. Daaronder stond een grote, eikenhouten tafel met gemakkelijke, met leer beklede stoelen eromheen.

'Hier waren de vergaderingen van de raad van bestuur. Wij importeren het merendeel van onze producten uit Azië, vooral uit China,' zei ze als ongevraagde verklaring voor de kaart aan de muur.

Daarop verontschuldigde ze zich omdat er een telefoon ging. Halvor gebruikte haar afwezigheid om een kijkje in de laden te nemen. Hij hoefde ze maar amper aan te raken, of ze gleden al geruisloos open. Er zaten vooral paperassen en kantoorartikelen in, maar in een van de laden lagen oude foto's. Boven in die la lagen een oude klassenfoto en een paar individuele foto's van de mensen die ook op de groepsfoto stonden. Halvor pakte de klassenfoto. Hij zag Bjarne Rossvik er niet op staan.

Hij was net begonnen de namen onder de foto te lezen toen zijn mobiele telefoon ging. Het was Bastian, die hem vertelde dat hij er over een minuutje kon zijn als Halvor klaar was. Halvor wilde juist vragen of hij iets te weten was gekomen van de or-voorzitter, toen een piepje aankondigde dat er nog een gesprek binnenkwam. Hij verbrak de verbinding met Bastian en kreeg Gundersen aan de lijn.

'Die vingerafdruk die we aan de binnenkant van de kast hebben gevonden is heel interessant,' begon de man uit Bergen.

'O?'

'Hij is van Knut Iver Bredal. Gaat er dan een belletje bij je rinkelen?'

Dat ging er. Het was dezelfde man die Halvor de volgende dag bij de rechtbank zou tegenkomen. De gewelddadige pooier. Gundersen haalde diep adem en schraapte zijn keel. Uit de jarenlange samenwerking met zijn collega wist Halvor dat hij hij nu iets ging zeggen waar hij heel content mee was: 'Een vrouwelijke collega...'

Het ontging Halvor niet dat Gundersen even zweeg. Dat betekende dat hij een nauwe band had met deze collega, ook buiten het werk om.

'... vertelde me trouwens dat het Vestkantbad tegenwoordig een klantenregister heeft. Ik kon het niet laten even te bellen. Bredal komt niet in dat register voor,' zei Gundersen.

5

April 1982

De volgende dag was Bubbel weer op school. Zijn hand was verbonden en hij zag er nog papperiger uit dan anders. In de eerste pauze liep hij vlak langs Kris. 'We krijgen je nog wel, eikeltje. Het was verdomme jouw schuld,' siste hij hem zachtjes toe.

De rest van de vrijdag had Kris pijn in zijn buik. Maar hij durfde niet naar huis te gaan. Hij was al zo vaak afwezig. Hij ging in de schoolbibliotheek zitten tot Gunnar vrij had en ging toen samen met hem naar huis. Het was maar vijftig meter van Gunnars huis naar zijn eigen huis, maar zelfs dat stukje wilde hij het liefst rennen. Toen hij de deur achter zich dichtdeed, zag hij zijn moeders zwarte laarsjes met hoge hakken in de gang staan. Er lag een plasje water naast. Hij deed de deur achter zich op slot.

'Dag, schat! Ik dacht dat je vandaag vroeg thuis zou zijn, dus ben ik zelf ook wat eerder gekomen,' klonk het vanboven.

'Ik heb een tijdje in de bieb gezeten.'

Kris ging naar boven en gaf zijn moeder een zoen. Een wat dikkere dan anders.

'Ik heb de rest van de pizza van zaterdag opgewarmd. Heb je daar zin in?'

'Mm.'

Ze zaten even in stilte te eten. Kris had een enorme lading ketchup op zijn pizza.

'Hoe was het vandaag op school?'

'Best.'

'Wat heb je in de bibliotheek zitten lezen?'

'Van alles.' Hij had over slangen zitten lezen. Over adders stond er dat er vrijwel nooit iemand doodging aan een beet en dat het gif overeenkwam met zes wespensteken.

'Ik ga naar mijn kamer, mam.'

'Oké. Trouwens… Ik ga vanavond uit, met een collega van mijn werk. Vind je het niet erg om alleen thuis te blijven? Ik kom niet zo laat thuis, hoor.'

'Da's best, hoor,' zei Kris. Hij ging naar zijn kamer. Hij was blij dat zijn moeder uitging. Dat had ze niet vaak gedaan sinds zijn vader vier jaar geleden bij een auto-ongeluk op de E6 was omgekomen. Ze was toen gaan werken, maar 's avonds en in de weekends was ze bijna altijd thuis. Ze praatten weleens over zijn vader. Zijn moeder kreeg dan altijd vochtige ogen. Kris wilde haar niet nog meer verdriet doen door lastig te zijn. Dat was hij één keer geweest, toen Bubbel en zijn bende hem zo met sneeuw hadden ingezeept dat hij met een gezicht vol wonden was thuisgekomen. Hij had zijn moeder verboden er met iemand over te praten. Ze had vier nachten niet geslapen. Toen ze de vierde ochtend half bewusteloos uit haar kamer was gekomen, had ze verzucht: 'Ik wou dat papa er nog was.'

De wonden in zijn gezicht waren weer geheeld. Maar hij had besloten dat hij zijn moeder nooit meer met zoiets zou lastigvallen.

*

Een paar uur later vertrok zijn moeder, nadat ze Kris een kus op zijn voorhoofd had gegeven. Nog een uur later ging de telefoon.

'Als je die adder al eng vond, bedenk dan maar dat dat nog niks is vergeleken met wat we nu met je van plan zijn,' klonk het in de hoorn. Kris hing op.

6

Dinsdag 19 september 2006

Halvor stapte snel in de auto. 'Naar het bureau,' zei hij. Bastian drukte het gaspedaal in en reed richting Grønland. Halvor praatte hem bij over de vingerafdruk. Toen belde hij Kristine: 'Zoek het adres van Bredal op en wacht op ons voor de garage. Het is vast niet volgens de regels, maar ik wil dat Bastian uitzoekt waar Bredal zich bevindt. We zijn er over vijf minuten.'

Halvor hing op en keek Bastian aan. 'Ik wil weten wat hij uitvoert, maar spreek hem vooral niet aan. Hij weet niet wie je bent en hij mag absoluut niet in de gaten krijgen dat we belangstelling voor hem hebben.'

Kristine stond hen al op te wachten voor de parkeergarage van het politiebureau en gaf Bastian het adres. Ze aarzelde even. 'We weten nog steeds niet of het moord is.'

'Nee. Maar als het dat wel is, kun je er vergif op innemen dat Bredal er met meer dan een duimafdruk bij betrokken is geweest. Hij is gegarandeerd in die kleedkamer in het Vestkantbad geweest en hij staat niet in het klantenregister. Bel me als je uitgevonden hebt waar hij zit, dan kan ik zo nodig Speciale Operaties bellen om hem in de gaten te laten houden,' zei Halvor.

Halvor en Kristine liepen gauw het politiebureau in. Vanuit zijn kantoor belde hij de forensische dienst en vroeg naar dokter Christensen, de patholoog-anatoom die het voorlopige sectierapport had geschreven.

'Heb je nog meer voor me?' vroeg Halvor.

'Ik heb nog niet veel meer van hem gezien. We hebben een ander lichaam binnengekregen waar ook haast bij is. Maar we verwachten vanmiddag de resultaten van de eerste analyses,' antwoordde de arts.

'Kun je deze zaak voorrang geven? We hebben ander technisch materiaal dat toch duidelijk op een misdaad wijst,' zei Halvor.
'Ik zal kijken wat ik kan doen,' zei Christensen.
Daarna ging Halvor even op bezoek bij commissaris Fridtjof Andersen, de chef van de afdeling Geweldsdelicten. Hij klopte aan en ging naar binnen zonder op antwoord te wachten.
'Dag Heming,' zei Andersen. 'Zit er wat schot in je zaak?'
'Gundersen meldt dat een van de vingerafdrukken in de kast in het kleedhok van Knut Iver Bredal is.'
'Nee maar! Goed om te horen dat Bredal in training is. Kon hij zich daar maar wat meer op toeleggen en wat minder op andere dingen.'
'Helaas is er niet veel dat erop duidt dat hij die training erg serieus neemt. Hij is in elk geval nooit geregistreerd geweest als bezoeker van het Vestkantbad.'
'Vandaar dat je zo enthousiast bent,' zei Andersen en hij rekte zijn lange, slungelige lichaam uit, dat verbazend genoeg toch al bijna vijfenvijftig was. 'Trouwens, ik wist niet dat openbare zwembaden er een klantenregister op na hielden?'
'Het Vestkantbad gaat samenwerken met een sportschool. Ze hebben namen en adressen nodig om aan klantenwerving te doen en om contributies te innen.'
Andersen knikte. 'Heeft Forensisch al meer gevonden?'
'Nee. Ze wachten op bloedtests. Maar het feit dat Bredal erbij betrokken is, geeft me sterk het gevoel dat dit geen natuurlijke dood is. Bastian is aan het uitzoeken waar hij is. Heel discreet, natuurlijk. Ik heb Kristine erop gezet om hem via gps te lokaliseren. Maar dat veronderstelt wel dat zijn telefoon schoon is,' zei Halvor, erop zinspelend dat Bredal gebruik zou kunnen maken van een gestolen mobieltje of een telefoon die op naam van iemand anders was geregistreerd. Een van de grote frustraties van de politie was dat het zo gemakkelijk was om prepaid telefoons op andermans naam te laten zetten. Als je voor de eerste keer een telefoon nam, kon je gewoon een valse naam opgeven. Vooral in de omvangrijke Oslose overvallerswereld was deze werkwijze populair. Als je op de telefoonlijsten af moest gaan, was ongeveer de helft van alle eerste-elftalspelers van Vålerenga bij de roof van *De Schreeuw* en *Madonna* uit het Munchmuseum betrokken. Maar Andersen rea-

geerde op iets anders. 'Strikt genomen is het misschien niet zo slim dat je Bastian op het zoeken naar Bredal hebt gezet. Ik begrijp wel dat je graag wilt weten wat Bredal uitspookt, maar het is niet Bastians werk, zoals je weet. Dus zorg er in elk geval voor dat Kristine van de officier van justitie toestemming krijgt om Bredal te lokaliseren, zodat we ons boekje ook in dat opzicht niet te buiten gaan. Als je mazzel hebt, ben je hier misschien lang genoeg om te horen wat ze heeft gevonden ook. Of hoe laat moet je je kind vandaag uit de crèche halen?' vroeg Andersen, een tikkeltje kribbig. Halvor ging daar niet op in maar zei: 'Merete en Hans Petter zitten allebei tot over hun oren in de zaak van die messentrekker bij het Nationaltheater. Het kan zijn dat ik straks meer mensen nodig heb.'

'Dat zal wel, als je werkdag om vier uur eindigt,' zei Andersen.

'Wat probeer je eigenlijk te zeggen?'

'Alleen maar dat ik gistermiddag om halfvijf geprobeerd heb je te bereiken, zowel op de interne telefoon als op je mobiel. Maar ik kreeg te horen dat je naar de crèche was.'

O shit, dacht Halvor. Hij hoorde zijn mobieltje niet altijd in de enorme herrie in de crèche. Als er iemand van het bureau belde, kreeg hij bovendien alleen de melding 'onbekend nummer', net als bij iemand van de pers. 'Sorry,' zei hij.

'Ik wilde alleen maar vragen of je Kristine kon uitlenen voor het onderzoek naar de bendestrijd in de Schweigaardsgate. Maar omdat ik jou gisteren niet te pakken kreeg, heb ik het aan Grepstad van Centrum gevraagd. Daar konden we iemand van lenen. Hoe dan ook, zand erover nu. Je krijgt toch niet meer mensen voordat we zeker weten dat het moord is. Maar dan nog moet ik er goed over nadenken,' zei Andersen. En hij voegde eraan toe: 'Het klinkt misschien niet zo, maar ik begrijp best dat het lastig is om je huishouden rond te krijgen als je een fulltime werkende vrouw en drie kinderen hebt. Maar vergeet niet dat we hier te maken hebben met moord en geweld, een duidelijke groeibranche. Met de lengte van jouw werkdagen zou je geen inspecteur bij de recherche zijn als je oplossingspercentage niet beter was dan dat van veel anderen hier. Zorg ervoor dat je die cijfers in stand houdt.'

Halvor ging terug naar zijn kantoor. Net als de andere inspecteurs was Halvor gewend aan Andersens uitbarstingen. Toch moest hij toegeven dat hij waarschijnlijk de kortste werkdagen maakte van iedereen bij Geweldsdelicten. De baas had dus wel een punt, dat viel niet te ontkennen, maar tegelijkertijd vertrouwde Halvor erop dat zijn quotum hoger was dan Andersen in een kwade bui wilde doen voorkomen.

Halvor zette de uitbrander van zich af en concentreerde zich op Knut Iver Bredal. Zijn grote haat jegens die man was een gevolg van iets wat al jaren geleden gebeurd was. De eerste zaak die Halvor als rechercheur bij Geweldsdelicten had gehad nadat hij gestopt was bij SO – of Speciale Operaties, zoals het eigenlijk heette – draaide om Bredal. Bij Geweldsdelicten waren ze er, na een zeer grondig en diepgaand onderzoek onder leiding van Halvor, heel zeker van geweest dat dit de eerste veroordeling wegens *trafficking* in de Noorse rechtspraak zou worden. Bredal werd samen met twee anderen voor de rechter gedaagd, maar op het laatste moment trok de belangrijkste getuige zich terug. De lekenrechters hadden ervoor gezorgd dat alle drie de aangeklaagden slechts voor kleinere vergrijpen werden veroordeeld, die amper een boete opleverden. Na de nederlaag bij de rechtbank was de getuige niet meer terug te vinden. Waarschijnlijk was hij allang weer terug naar Oekraïne. De openbare aanklager had daarom geen hoger beroep aangetekend, zeer tegen de zin van de recherche.

Voor Halvor was Bredal het symbool bij uitstek geworden van alles wat hij in deze stad haatte. Al die mensen die de vernieling in werden geholpen. Als je ook maar het geringste teken van zwakheid toonde, stond er altijd wel iemand klaar om je op te vangen en je de goot in te helpen. Het beste sociale vangnet ter wereld kon niets uitrichten tegen de knaap die als troostende engel verscheen om een door liefdesverdriet verteerd zestienjarig meisje een brede schouder te bieden om uit te huilen, en een paar bruine pijpjes om aan te sabbelen.

Dat was ook met Halvors oudere zus gebeurd. Twee jaar later was ze seropositief, leed ze aan epilepsie en was ze thuis niet meer welkom. Nog drie jaar later werd ze voor het eerst geweigerd bij het methadonproject dat voor drugsgebruikers met hiv was opgezet. De reden was dat ze het vertikte te stoppen met Rivotril, het geneesmiddel dat ze tegen epilepsie gebruikte. De papieren waarmee ze kon aantonen dat ze daaraan leed, waren door het ziekenhuis zoekgemaakt. Voordat die papieren gevonden waren en haar klacht was behandeld, werd ze op een mooie lenteochtend dood gevonden op de heuvel tegenover de zeevaartschool.

Elin. Hij had haar kist gedragen. Zijn grote zus, die hem met zijn huiswerk had geholpen, die altijd partij voor hem had gekozen tegen zijn ouders en die hem liggend op bed voorlas als papa en mama naar een feestje waren. Halvors enige troost was dat de knaap met de brede schouder twee maanden voor zijn zus was overleden aan een overdosis.

Twee jaar later meldde Halvor zich aan bij de politieacademie. Na vijf jaar bij de mobiele eenheid en twee jaar bij SO dacht hij dat hij over de dood van zijn zus heen was. Maar zijn eerste zaak als rechercheur bij Geweldsdelicten had het tegendeel bewezen. De haat die hij tegen Bredal voelde, was zo sterk dat hij wist dat hij zijn baan zou verliezen als hij de man ooit alleen in een donker steegje tegenkwam.

De verloren zaak bij de rechtbank had zijn haat niet bepaald verminderd. Sindsdien was het Halvor en zijn team meestal voor de wind gegaan. Maar de pooier was hij nooit vergeten.

★

'Zo te zien is er niemand in zijn flat,' meldde Bastian telefonisch vanuit de Uelandsgate.

'Oké,' zei Halvor. 'Bel me als je meer weet.' Hij begon aan een rapport van zijn bezoek aan Dyneland AS. Hij had Bastian beloofd dat hij diens rapport ook zou schrijven, zodat Bastian het alleen maar hoefde te ondertekenen als hij terugkwam op het bureau. Volgens Bastian had de voorzitter van de ondernemingsraad niet onder stoelen of banken gestoken dat Rossvik een slechte relatie had gehad met het personeel van het magazijn. Niemand had een traan gelaten toen het bericht van zijn dood de vorige dag was gekomen. Integendeel.

'Misschien ligt hier ook een motief, want het is nog geen halfjaar geleden dat er een de zak kreeg. De reden was overigens wel dat er een boxspring van 30.000 kronen ergens tussen het magazijn en een winkel in Bodø zoekgeraakt was. Alleen Rossvik, niemand anders, dacht dat dat de schuld van het magazijn was, maar degene die de order had behandeld werd toch ontslagen. Ze hebben nog overwogen het ontslag aan de rechter voor te leggen, maar zoals gewoonlijk bleef het bij overwegen,' had Bastian verteld.

'De voorzitter van de or vond dat het magazijn altijd de schuld kreeg als er iets misging. Het leek zelfs wel alsof ze probeerden hun blijdschap een beetje voor mij te verbergen.'

*

Kristine kwam zijn kantoor binnen met een stapeltje uitdraaien in haar hand. 'We hebben een mobiel nummer van Bredal, waarvan we weten dat hij het heeft gebruikt, maar dat is al vijf dagen niet meer gebeurd. De laatste keer dat het geregistreerd is, was vorige week donderdagochtend, toen het mobieltje een basisstation tussen Holmlia en de E18 passeerde. Naar de voorgaande registraties te oordelen was hij toen op weg naar het zuiden, Oslo uit.'

Halvor dacht na. 'Kan het zijn dat hij zich schuilhoudt omdat hij Rossvik te grazen wilde nemen? Of is hij van telefoon veranderd? Hoe dan ook, Kristine, laten we afwachten of Bastian erachter komt waar Bredal is, en anders of hij zich morgen tenminste meldt bij de rechtbank, dan zien we daarna verder. Als hij morgen niet komt opdagen, zal ik een intern opsporingsbericht uitsturen, ook als er dan nog geen bewijs is dat het om moord gaat. Het zou me verbazen als we hem niet binnen een etmaal vinden, als hij in Noorwegen is. Intussen kun jij je voorbereiden op je getuigenis morgen.'

Het was bijna vier uur. Halvor belde Bastian om te vragen hoe het ermee stond.

'Niets wijst erop dat hij thuis is. De laatste keer dat hij gezien is, is vorige week woensdag.'

'Hoe weet je dat, verdorie, je zou toch met niemand praten?'

'Ik heb een wandelingetje door de oude stad gemaakt en met een paar meisjes uit zijn stal gepraat. Ik heb niet gezegd wie ik ben, alleen dat ik hem dringend wilde spreken.'

'Dat heb ik even niet gehoord,' bromde Halvor.

'Het voordeel van dat ik nooit in Oslo op straat heb gewerkt, is dat niemand weet wie ik ben.'

'Daar hebben we het morgen nog wel over.'

'Zijn meisjes hoopten al zo'n beetje dat ze alle duizendjes die ze de afgelopen dagen hebben verdiend zelf mochten houden, want ze hadden hem sinds woensdag niet meer gezien.'

'Oké, we hebben de stille hoop dat hij morgen in de rechtbank verschijnt. Hou er nu maar mee op. Als we meer opsporingswerk moeten doen, overleg ik wel met SO.'

Halvor zuchtte en sloeg ergens in zijn geheugen op dat als ze een officiële verklaring van die meisjes nodig hadden, ze die in elk geval niet door Bastian moesten laten opnemen.

Op weg naar buiten keek hij even bij de fax. Hij zag zijn eigen naam bovenaan staan en vond een 'Bijlage bij het voorlopige sectierapport'. Christensen constateerde laconiek dat hij nog een prikwond had gevonden, verborgen in een grote wrat op een centimeter van de andere schram. Met de hand had hij erbij geschreven dat hij een sterk vermoeden had waar die twee prikken van kwamen, maar dat hij op de analyses van het forensisch lab moest wachten om daar zeker van te zijn. Volgens de patholoog waren ze ook bezig met de analyse van de ontlasting uit de kast, maar dat kon nog even duren. Dus hij dacht dat er sneller resultaat zou zijn als de politie de slang kon lokaliseren.

Halvor floot zachtjes. Wanneer was er in Noorwegen voor het laatst slangengif aangetroffen bij een moord?

7

Dinsdag 19 september 2006

De directeur van het Vestkantbad was bijna tien minuten sprakeloos toen hij vernam dat er mogelijk ergens een gifslang in zijn zwembad zat. 'Dat is gek,' zei hij ten slotte. 'Er was vandaag een mevrouw die dacht dat ze onder een van de massagebanken een slang had gezien terwijl ze op haar masseur wachtte. Niemand geloofde haar, natuurlijk, maar we hebben voor de schijn een minuut of tien gezocht. Per slot van rekening is ze getrouwd met de algemeen directeur van de Nordea Bank. Uiteindelijk waren wij én zij ervan overtuigd dat ze het zich maar verbeeld had.'

'Laat alle ruimtes onmiddellijk sluiten. Bedenk een of ander excuus, maar zeg niks over slangen,' zei Halvor. 'We sturen binnen een uur iemand naar jullie toe.'

Op weg naar de crèche belde Halvor Bastian en vroeg hem de politiedatabase door te lopen om na te gaan of er in een van de rapporten over Bredal sprake was van reptielen.

'En verder moet je even met de officier van justitie praten om de officiële bevestiging te krijgen dat dit een moordonderzoek is.'

Hij hing op en besloot Kristine te bellen. Hij was benieuwd hoe ze zou reageren op wat hij haar nu ging vragen.

*

Kristine Holm stond samen met de directeur voor de entree van het Vestkantbad. Rentokil had beloofd dat ze meteen iemand zouden sturen. Het duurde niet lang voordat er een stevig gebouwde, blonde vrouw van rond de dertig verscheen, op hoge hakken en met een grote koffer.

'Randi,' zei de vrouw terwijl ze als een kerel Kristines hand schudde. 'Enig idee wat voor slang het is?'

'Nee, alleen dat het een gifslang is die verantwoordelijk kan zijn voor de dood van een zevenendertigjarige man. Dus het zal wel geen simpel addertje zijn.'

'Nee, vast niet,' antwoordde Randi. 'Enig idee hoe groot hij is?'

'Volgens de vrouw die hem gezien heeft wel anderhalve meter. Maar ze weet het niet zeker. Ze heeft hem niet in zijn volledige lengte gezien.'

Randi trok haar wenkbrauwen op. 'Dan is het zeer zeker geen adder. Die worden niet veel meer dan een halve meter lang. Dit wordt heel interessant, want ik heb nog nooit een ander soort slang gevangen. Adders pakken we meestal met rattenvallen. Maar ik geloof niet dat we dat hier moeten proberen,' zei de vrouw en ze pakte een paar stevige handschoenen uit haar koffer.

Toen keek ze Kristine aan, monsterde haar van top tot teen en zei: 'Maar ik heb wel een probleem. Ik heb van kantoor heel duidelijk de instructie gekregen dat ik dit niet in mijn eentje mocht doen, dus ze zouden nog iemand sturen. Het probleem is dat die man in de Hausmannsgate een schadeformulier staat in te vullen, want hij is aangereden door een tram. Hoe lang dat gaat duren weet ik niet,' zei ze terwijl ze sceptisch naar de rechercheur naast haar keek.

Kristine begreep de hint en zei schoorvoetend: 'Ik wil wel helpen. Maar dan moet je me wel vertellen wat ik moet doen.' Vanuit haar ooghoeken zag ze dat de directeur opgelucht keek.

'Ik hou wel de wacht bij de deur,' bood hij aan. Vervolgens glimlachte hij om zijn eigen grapje.

Randi ontblootte haar tanden in een zelfverzekerde glimlach. 'Twee vrouwen moet meer dan genoeg zijn voor zo'n snuffelaartje,' verklaarde ze.

Toen deed ze de deur open en hield die vast tot ook Kristine binnen was. Het geluid van de deur die vlak achter haar dichtsloeg, beviel Kristine helemaal niet, maar ze probeerde te doen alsof er niets aan de hand was.

Randi ging op haar hurken zitten, deed de koffer open en pakte nog een paar stevige rubberhandschoenen. Terwijl ze die aangaf, keek ze naar de hoge leren laarsjes die Kristine aanhad. 'Die zien eruit alsof ze wel tegen een stootje kunnen, dus laten we er maar van uitgaan dat ze stevig genoeg zijn. Ik neem aan dat ik niet hoef te zeggen dat je toch voorzichtig moet zijn. Ik heb geen tegengif, en dat zou trouwens ook weinig zin hebben, want we weten immers niet wat voor slang het is.' Ze stond op en ging voor richting kleedkamers. 'We beginnen met de massagebanken, omdat hij daar het laatst gezien is.'

In de derde kamer die ze passeerden, zag Kristine een massagebank. Aan het ene uiteinde zat een gat voor het gezicht. Ze probeerde zich voor te stellen wat de vrouw van de bankdirecteur had gevoeld toen ze een heuse slang onder zich door had zien kronkelen. Waarschijnlijk had ze haar hele beschermde leven lang nog nooit iets griezeligers meegemaakt.

Kristine droogde haar handen af aan haar bovenbenen en probeerde door haar buik adem te halen. Randi staarde naar de grond terwijl ze langzaam een pirouette draaide. Ze ging voorzichtig op haar knieën zitten en legde haar handen op de vloer. Ze boog zo ver voorover dat haar wangen bijna het koude linoleum raakten terwijl ze van links naar rechts keek. Onder de wanden van de kleedhokjes door kon ze alle vier de muren zien.

'Het zou ook wel ál te mooi zijn geweest als we hem meteen hadden ontdekt,' zei ze en ze keek naar Kristine. 'We proberen hem eerst te lokaliseren. Dan zoeken we daarna wel uit hoe we hem moeten vangen.'

Ze liep verder door de ruimtes, ogenschijnlijk onaangedaan. Kristine merkte dat ze, ondanks de hitte en de hoge luchtvochtigheid, een droge mond had. Ze kon de gedachte niet onderdrukken dat dit de ideale omgeving was voor een slang.

Baf! Kristine draaide zich met een ruk om. Het geluid kwam uit het kleedhokje achter haar. Ze zag de kastdeur half openstaan. Randi had het geluid ook gehoord en zat al in haar koffer te wroeten.

Ze haalde er een kleine Maglite uit, deed hem aan en ging zachtjes de kleedkamer binnen. Kristine meende dat ze beweging zag in de donkere kast.

Randi ging op een kleedkamerbankje staan en scheen recht in de kast. Ze hoorden een nieuwe klap, en Randi knikte naar Kristine. Ze zette haar linkerlaars voorzichtig op de grond en liep terug naar haar koffer. Zonder een woord te zeggen pakte ze een telescoopstok, trok hem in zijn volle lengte uit en ging in de deuropening van de kleedkamer staan. Met beide handen om de stok duwde ze de kastdeur stevig dicht. Kristine kon nu een grote zweetplek op haar rug zien. Zij was dus toch maar een mens.

'Doe jij hem op slot?' vroeg Randi.

Kristine kwam bij haar positieven. Het gebons in de kast werd harder en ze begreep dat dit geen moment was om te aarzelen. Ze liep gauw naar de kast en draaide snel het sleuteltje in het slot om. Op het moment dat ze zich wilde omdraaien, sloeg de slang zo hard tegen de deur dat die ervan trilde. Ze dacht dat de deur mee zou geven en stond met twee passen op de bank waar Randi eerder op had gestaan.

Toen ze zich omdraaide, kon ze zien dat de onderkant van het dunne fineerdeurtje opbolde. Er was een kiertje van ongeveer een centimeter, voorlopig nog te smal voor de slang om zich erdoorheen te persen. De vraag was hoe lang de deur het zou houden.

'Zo te zien moeten we snel zijn,' zei Randi. Ze groef weer in haar koffer en haalde een net tevoorschijn dat aan één kant dichtgesnoerd kon worden. 'Ik dacht dat die misschien van pas zou komen.'

In Kristines ogen was het net niet veel dikker dan horrengaas. Het gebons in de kast ging door. 'Dat is toch nooit sterk genoeg?'

'Het is veel sterker dan het lijkt. Ik denk dat het wel houdt,' antwoordde Randi. 'In elk geval lang genoeg om hem hierin te krijgen.' Ze haalde een stevige leren zak tevoorschijn, ook met een snoer aan de bovenkant. In die zak had Kristine aanmerkelijk meer vertrouwen. 'Luister goed.' Randi legde uit wat ze wilde doen. Kristine knikte. Het zou kunnen. Maar zo niet…

De kast hield nog steeds stand toen Randi het net op de vloer uitspreidde, deels onder en deels voor de kast. Hij bedekte ongeveer één bij één meter. Niet veel, als de slang anderhalve meter lang was, dacht Kristine. Het gebons werd intussen iets zwakker en ze begon te geloven dat ze de situatie toch onder controle hadden. Randi maakte de snoeren met een lus vast aan het uiteinde van de telescoopstok. Toen legde ze de stok op de grond, ging staan en liep naar het andere uiteinde. 'Ben je er klaar voor?'

Kristine knikte. Randi hield de telescoopstok tegen de deur, net als toen ze hem dichtduwde. Kristine ging erheen en draaide het slot open. Randi trok de stok een stukje terug van de deur. Terwijl Kristine de deur opentrok, deed ze snel een paar passen achteruit.

Nu kon ze de hele slang zien. Hij was bruin en lag opgekruld onder in de kast, met zijn kop een beetje omhoog en zijn ogen in een onverholen dreiging direct op Kristine gericht. Maar hij bleef heel stil liggen, afgezien van zijn gespleten tong, die regelmatig zijn bek in en uit ging.

Er verstreek een minuut. Uiteindelijk zelfs vijf. Er gebeurde niets. Als drie gladiatoren keken ze elkaar aan. Toen hield Kristine het niet meer uit. Ondanks haar dikke plastic handschoenen wist ze haar riem los te peuteren. Ze hield hem in haar rechterhand. Randi keek haar aan. Ze knikte. De stok in haar handen was begonnen te trillen, en ze begrepen allebei dat het slechts een kwestie van tijd was voordat Randi hem niet meer kon houden, laat staan optillen.

Kristine gooide de riem. De slang deed er een snelle uitval naar en gleed toen de kast uit. Recht in het net.

Als in een vertraagde film zag Kristine hoe Randi de stok optilde en het net strak trok. De achterste helft van de slang lag nog buiten het net, dat nu bijna helemaal dichtgesnoerd was. Eén kort, onheilspellend ogenblik leek het alsof de slang zich achterwaarts vrij zou kunnen kronkelen, maar met een klein plopje verdween hij helemaal in het net. Kristine zag alleen nog maar een wirwar van wit en bruin. Het hele net zwiepte zo hevig van links naar rechts dat het een wonder was dat Randi het snoer aan de stok vast wist te houden.

Shit, de leren zak lag nog bij de koffer! Met twee sprongen was Kristine er om hem te pakken. Terwijl ze terugliep naar de kast hoorde ze iets scheuren. Ze zag een paar draden van het net kapotknappen en deed de zak nog tijdens het lopen open. Voordat de slang helemaal vrij was en langzaam op de vloer zakte, was ze er. De timing was perfect. De slang viel in de zak zoals een stuk wasgoed in een wasmand, en voordat Kristine ergens over had kunnen nadenken, hadden haar handen puur instinctief de leren riemen dichtgetrokken.

Ze hadden hem! Achter zich hoorde ze Randi zwaar ademen. De Rentokil-medewerkster keek naar het vernielde net aan het uiteinde van de stok en zei: 'Toch maar goed dat we met zijn tweeën waren, ja.'

Kristine lachte. Even later hadden ze allebei hysterisch de slappe lach.

*

'We hebben hem.'

'Wie hebben jullie?'

'De slang. Mooi ingepakt in een zak hier naast me.'

'Geweldig! Hoe hebben jullie dat voor elkaar gekregen?'

'Dat kan ik je via de telefoon vertellen, maar je kunt ook zorgen dat je over twintig minuten in het reptielenpark bent, dan kun je hem meteen ook zien. Ik heb daar afgesproken met ene Berntsen.'

Halvor keek op zijn horloge. Hij had nog een goed uur voordat Birgitte met de kinderen thuiskwam van het eten bij oma.

Hij keek nog één keer naar de plafondlamp, die nu bijna hing, en legde de schroevendraaier op de plank voor zich.

*

Een klein halfuurtje later parkeerde hij zijn auto op de binnenplaats van het Oslo Reptilpark. Een paar meter verderop stond een kleine man van middelbare leeftijd met grijzend haar. Hij hield een deur open. Daarnaast zag hij Kristine, met haar hoofd gebogen boven de kofferbak van de civiele politiesedan. Hij bleef kijken totdat ze uitgerommeld was en een stap terug deed met een grote leren zak in haar hand.

'Hallo!' Kristines wangen waren een beetje rood. Hij wist niet of dat kwam doordat ze net met haar hoofd voorover had gestaan of dat ze zijn blik had gezien. Halvor liep naar de leren zak en bekeek hem eens goed. Hij meende aan de binnenkant wat beweging te kunnen waarnemen, maar het zag er niet erg indrukwekkend uit. 'De vrouw van de bankdirecteur heeft zeker een tikkeltje overdreven?'

Kristine glimlachte. Het roze op haar wangen was weer verdwenen. 'Draag hem maar naar boven,' zei ze.

Hij pakte de zak en begreep onmiddellijk dat hij de grootte totaal verkeerd had ingeschat. Bovendien zat er nu meer leven in. Hij gaf Berntsen een hand en volgde de twee de trap op.

Ditmaal probeerde hij naar de leuning te kijken in plaats van naar de vrouwelijke collega voor hem. Daardoor merkte hij niet dat de twee voor hem bij een deur stopten, en hij botste pardoes tegen Kristine aan. De zak met de slang plofte hard op de grond en viel opzij.

‘Ik hoop dat die knoop is gelegd door iemand die er verstand van heeft,’ zei Berntsen droog.

Hij liet Halvor en Kristine binnen in een kamer met een bureau en twee pc’s. Berntsen wees op een glazen bak van zeker een meter hoogte die op de grond stond en toen naar de man naast hem.

‘Ik maak het snoer los en hou de opening met mijn blote handen dicht. U pakt de onderkant van de zak en keert hem hierboven om. Niet schudden, alstublieft; ik heb geen handschoenen aan,’ zei hij.

Halvor deed wat hem gezegd werd. In de leren zak voelde hij het gekronkel van het slangenlijf.

Berntsen bracht de opening van de zak helemaal naar de bodem van de kooi, keerde zich half om en zei: ‘Nu laat ik los!’

Halvor knikte, Berntsen liet los en kwam snel overeind. Meteen viel er een grote, honingbruine slang op de bodem van de bak, waar hij zich onmiddellijk oprolde in een hoek. In het midden was het lijf zo dik als een gebalde vuist. De slang zag er niet vrolijk uit, als slangen dat al ooit doen. De zoöloog bestudeerde hem even.

‘Op basis van het sterfgeval, de kleur en de grootte ben ik er voor 99 procent zeker van dat het een taipan is,’ zei hij. Hij keek Halvor aan en zei: ‘Gefeliciteerd! U hebt zojuist de giftigste slang van de wereld drie verdiepingen omhoog gedragen. Dat kunnen er niet veel zeggen. Er zijn er trouwens ook niet veel die er een in levenden lijve gezien hebben.’

Halvor keek eerbiedig in de bak.

‘Hoe hebben jullie hem gevangen?’ vroeg Berntsen.

Kristine vertelde het. De frons tussen Berntsens wenkbrauwen werd steeds dieper. Toen ze klaar was, verklaarde hij met onverwacht hoog volume: ‘Jullie zijn volkomen getikt. De eerste slangenonderzoeker die een levende taipan probeerde te vangen, Kevin Budden, stierf zevenentwintig uur nadat hij gebeten was. Budden is maar twintig jaar geworden, maar zijn leven heeft in elk geval zin gehad: dankzij de slang die hij ving konden de Australiërs de eerste doses tegengif maken. Zo’n slang levend proberen te vangen zonder behoorlijk materiaal en met het tegengif op 20.000 kilometer afstand is zo ongeveer het minst intelligente wat ik ooit heb gehoord,’ zei Berntsen, en hij voegde er een nauwelijks hoorbaar ‘allejezus’ aan toe.

Halvor keek naar Kristine. Hij hoorde waarschijnlijk niet te grijnzen, maar kon het niet laten. Maar goed dat je niet alles van tevoren weet, dacht hij en hij vroeg zich af hoeveel slapeloze nachten Kristine tegemoet ging.

8

Mei/juni 1982

De wraak liet op zich wachten. In de pauzes op school zorgde Kris er altijd voor in het zicht van de toezicht houdende leraar te blijven, en op weg naar huis bleef hij in de buurt van Gunnar of een paar anderen die hij vertrouwde. Als hij thuis was, ging hij daar lezen.

Na verloop van tijd ontspande hij een beetje. Het leek of Bubbel en de anderen hem waren vergeten. Zijn knie werd beter en Kris begon in de pauzes weer wat te voetballen. Maar hij was nog steeds de laatste die voor een team gekozen werd.

Hij dacht dat hij wel snapte wat er mis was met hem. Hij was te klein, te slecht in voetbal, te goed op school en te veel het lievelingetje van de meester. Af en toe gaf hij bij proefwerken expres een verkeerd antwoord of deed hij brutaal tegen Dalberg, maar toen hij daarover een briefje mee naar huis had gekregen hield hij ermee op. Zijn moeder had tranen in haar ogen gekregen toen ze las wat de leraar had geschreven.

Gunnar werd ziek. Longontsteking. Kris liep nu steeds over het wandelpaadje naar huis. Dat was twee keer zo ver, maar over het algemeen liepen er daar heel veel van school. Het enige waar hij bang voor was, waren de laatste driehonderd meter. Daar waren bijna nooit anderen. Dan moest hij door het stukje bos.

Het gebeurde op de vierde dag dat Gunnar er niet was. In het bos sprongen ze alle vijf tegelijk op de weg, drie voor hem en twee achter hem. Kris kon niet eens aan vluchten dénken. De Kraker en Andy pakten hem stevig bij zijn armen en draaiden die achter zijn rug. Ze bonden hem vast. Bubbel propte een want in zijn mond. Er was niemand anders te zien. Toen gingen ze het bos weer in, de heuvel op. Boven op het plateau zag Kris een houten krukje staan onder de dikke, oude den waar ze altijd in klommen.

Boven de kruk hing een touw met een lus aan het uiteinde.

Kris spartelde hevig. Hij voelde dat zijn broek nat werd, maar het lukte hem bijna zich los te wurmen. Ze dwongen hem op de grond en gingen met zijn drieën boven op hem liggen.

'Jezus, hij heeft in zijn broek gepist! Gatverdamme!'

De Kraker hield Kris aan de achterkant in een ijzeren greep. Samen sleepten ze hem op het krukje en in de lus. Kris spartelde uit alle macht tegen totdat hij het touw om zijn hals voelde. Toen bleef hij heel stil staan. De Kraker liet hem los en Bubbel schopte het krukje weg.

9

Woensdag 20 september 2006

Twintig minuten nadat de rechter had plaatsgenomen, hamerde hij op tafel en zei: ‘Meneer Lundin, hebt u er een verklaring voor waarom uw cliënt niet aanwezig is?’

‘Nee, edelachtbare,’ antwoordde advocaat Lundin. ‘Ik heb hem vorige week gesproken en toen was hij duidelijk van plan te komen. Voor onze afspraak van gisteren kwam hij echter niet opdagen en hij nam de telefoon ook niet op toen ik belde. Ik heb er geen verklaring voor waarom hij hier niet is en het spijt me zeer.’

De rechter zuchtte en wendde zich toen tot officier van justitie Westerhammer. ‘Meneer de officier, kunt u of een van uw collega’s ervoor zorgen dat Bredal hier zo snel mogelijk verschijnt?’

Westerhammer knikte. De rechter tikte nogmaals op tafel en zei: ‘De zitting is geschorst tot elf uur. Dan moet de verdachte hier zijn.’

*

Een politiepatrouille kreeg onmiddellijk de opdracht naar Bredals huis te gaan en er ging een intern opsporingsbevel naar alle eenheden in Oslo. Lundin beweerde dat hij elk kwartier belde, maar dat hij alleen maar het antwoordapparaat van de mobiele telefoon van zijn cliënt kreeg.

Het werd elf uur en de zitting werd verzet naar eind november. Het slachtoffer, een pooiercollega van Bredal, had kennelijk niets tegen het uitstel, hoewel hij sinds de onplezierige ontmoeting met Bredal het jaar daarvoor de helft van een oor moest missen. Halvor was ervan overtuigd dat de zaak nooit bij de rechter terecht zou zijn gekomen als er niet een paar onafhankelijke getuigen van het voorval waren geweest.

*

De officier van justitie en commissaris Andersen vonden het goed dat Halvor en zijn team Bredals verdwijntruc gingen onderzoeken.

Kristines 'officiële' straatonderzoek leverde geen andere antwoorden op dan Bastian de vorige dag had gekregen. Al een week lang had niemand de souteneur meer gezien.

'Vertel me eens in het kort wat je tot nu toe hebt,' zei Andersen.

'Het slachtoffer kwam zoals altijd op maandagochtend om zes uur bij het Vestkantbad aan. Hij werd op de kop af om zeven uur dood in een van de kleedkamers aangetroffen door een van de andere vaste klanten. De receptioniste zat toen al een uur op haar plek en heeft niets ongewoons gehoord, wat niet zo vreemd is, omdat de deur tussen de receptie en de kleedkamers gesloten is. Bovendien heeft de receptioniste kennelijk een intieme verhouding met haar iPod. De waarschijnlijke doodsoorzaak is een hartinfarct en/of vergiftiging ten gevolge van de beet van een taipan, die bekendstaat als de giftigste slang op aarde. Tot dusver zijn er geen opmerkelijke technische vondsten gedaan, afgezien van slangenpoep en een vingerafdruk, beide gevonden in de garderobekast van het slachtoffer.'

'Juist, ja. Heb je een hypothese, Halvor, op basis van wat je tot nu toe hebt?'

Halvor onderkende onmiddellijk een van de hinderlagen die Andersen af en toe legde om er zeker van te zijn dat zijn rechercheurs geen tunnelvisie hadden en in de rechtszaal voor gek stonden. Hij noemde Bredal dus nog niet, ook al had hij daar wel zin in.

'Ik denk dat iemand de slang zaterdag vlak voor sluitingstijd in de kast heeft gestopt. Er zit een knipslot op de kast. Dat krijg je niet open zonder sleutel. Maar de meeste klanten laten de kastdeuren openstaan als ze de kleedkamer verlaten en leveren de sleutel in bij de receptie. We hebben bovendien uitgevonden dat het slachtoffer op maandagochtend altijd dezelfde kleedkamer en dezelfde garderobekast gebruikte. Als iemand Rossvik om het leven wilde brengen, had hij dus op een willekeurige maandag rond zevenen kunnen komen, want dan was het een koud kunstje om erachter te komen welke kleedkamer Rossvik gebruikte; en dan moest hij afgelopen zaterdag terugkomen om de slang in de juiste kast op te sluiten. Voorlopig is het niet onlogisch om te veronderstellen dat de moord gepland was, en dat het ook de bedoeling was om juist deze man om het leven te brengen. Het zwakke punt in deze redenering is dat de man of de vrouw die het gedaan heeft, het Vestkantbad minstens twee keer heeft moeten bezoeken: eerst om uit te vinden welke kleedkamer Rossvik gebruikte en daarna om de taipan op de goede plek achter te laten.'

'Een andere mogelijkheid is dat de dader van de werknemers van het Vestkantbad of van andere bezoekers of van Rossvik zelf informatie over de vaste klanten heeft gekregen.'

'Dat kan natuurlijk. Maar behalve de vaste receptioniste wist waarschijnlijk niemand wanneer Rossvik kwam. Zij kan zich niet herinneren dat ze met iemand heeft gesproken over haar afspraak met Rossvik. Omdat ze zich door Rossvik liet betalen om hem een uur voor openingstijd binnen te laten, vind ik haar verklaring wel aannemelijk. Maar het blijft mogelijk dat de dader Rossviks vaste bezoektijden kende via een van de andere klanten en dat hij Rossvik van gezicht kende. De receptioniste zegt dat ze nooit heeft gezien dat hij met andere bezoekers praatte, en Rossvik was ook niet zo'n publiek persoon dat iedereen wist hoe hij eruitzag.'

'Oké. Welk belang hecht je aan die vingerafdruk?'

'We hebben dus een vingerafdruk van een linkerduim op de linkerwand van de kast, vlak boven de plaats waar de slang moet hebben gelegen. De afdruk is heel scherp en duidelijk, omdat er vet op de vinger zat. Volgens de analyses gaat het om motorolie, die niet langer dan een week voor de afdruk op de vinger is gekomen. Anders zou hij ondanks de vochtige omgeving van het Vestkantbad verder zijn ingedroogd. De afdruk is van Knut Iver Bredal, die twee keer wegens geweld en één keer wegens souteneurschap is veroordeeld.

Bredal is nooit als klant van het Vestkantbad geregistreerd. We hebben foto's laten zien, maar niemand van het personeel kan zich herinneren hem ooit gezien te hebben.'

'Goed. Zo te horen ben je tot nu toe goed bezig. Ga verder op het hoofdspoor van Bredal, maar denk erom dat je de andere mogelijkheden openhoudt. Wat doe je op dit moment?'

'Bredal heeft zijn positie er niet sterker op gemaakt door te verdwijnen. De jacht op hem heeft dus prioriteit. Nu hij niet bij de rechtbank is verschenen, zal niemand het vreemd vinden dat de politie hem zoekt en hoeven we niet bang te zijn dat hij begrijpt dat hij in deze zaak de status van verdachte heeft. Het kan ook zijn dat het een moord in opdracht is. Dat zoeken we ook uit. Bovendien hebben we het spoor van de slang. Dat wil zeggen dat we proberen uit te vinden waar de taipan vandaan komt. Ik ga ervan uit dat de giftigste slang ter wereld toch enige aandacht trekt, zelfs in de meest geharde reptielenkringen.'

'Heb je genoeg mensen?'

'Voorlopig wel, denk ik. Zodra Merete en Hans Petter klaar zijn met de verhoren in de zaak van die messentrekker, in de loop van de dag, gaan we ons allemaal helemaal op deze zaak concentreren. Maar het zou mooi zijn als een van de andere teams eventuele nieuwe zaken kan oppakken.'

'Daar zal ik voor zorgen, als we tenminste geen tsunami van geweld over ons heen krijgen. Voor jouw informatie: ik heb met het Openbaar Ministerie gesproken, en Cecilie Kraby wordt de officier in deze zaak. Jullie hebben al vaker goed samengewerkt, dus ik neem aan dat jullie elkaar begrijpen.'

Andersen knikte hem zijn kamer uit. Halvor was blij dat hij Cecilie toegewezen had gekregen. Ze was ook officier van justitie geweest in de vorige zaak-Bredal, en ze was er bijna net zo op gebrand om hem veroordeeld te krijgen als Halvor zelf, liefst met een lange gevangenisstraf.

*

Kristine en Bastian gingen langs de deuren in de wijk Sagene. Bredal woonde in De River, zoals de populaire naam luidde van een bijna honderd jaar oud appartementencomplex ontworpen door de architect Kristen Tobias Rivertz. De huizenblokken waren oorspronkelijk gebouwd voor de arbeidersgezinnen die ooit de industrie langs de rivier de Akerselva, een paar honderd meter verderop, draaiende hielden. De hele buurt en de drie verdiepingen hoge gebouwen met veel groen ertussen waren onlangs opgeknapt, en nu woonden er vogels van diverse pluimage. Binnen een straal van enkele honderden meters kon je alles aantreffen, van doorgewinterde criminelen tot uitkeringstrekkers, thuis werkende prostituees, studenten van de nabijgelegen universiteit, gepensioneerde industriearbeiders en lieve jonge stelletjes die hun eerste kind verwachtten.

Er bestond weinig twijfel over de vraag tot welke categorie Bredal behoorde. De flat van de souteneur lag dus een flink eind verwijderd van de straten in het centrum die zijn werkplek vormden. Kristine ging ervan uit dat dat was omdat hij een beetje afstand wilde bewaren tot alle vrouwen die zo hard werkten om zijn rekeningen te betalen.

Tot nog toe hadden ze één bewoner thuis getroffen: een oudere dame die waarschijnlijk allang naar een verpleeghuis had gemoeten. Ze zag eruit alsof ze over de negentig was, en het had een hele tijd geduurd voordat ze haar rollator naar de deur had gemanoeuvreerd. Ze wist helemaal niets over een Bredal.

Ze begonnen aan het trapportaal ernaast. Bij de derde deur waar ze aanbelden, deed een man zonder moeite open. Kristine ging er naar binnen, terwijl Bastian verder naar boven liep. De man heette Bård Nummedal. Kristine vroeg zich af waarom hij in 's hemelsnaam midden op de dag thuis was.

'Ik schrijf de portretten voor de zaterdagkrant. Dat doe ik altijd het liefste thuis,' verklaarde hij. Hij kende Bredal goed. 'Bedoelt u De Kraker?'

Kristine knikte.

'Ik ken die charmante bijnaam van hem omdat een paar van zijn vrienden laatst in het verkeerde trappenhuis aanbelden. Ze vroegen naar De Kraker. Ik kon ze pas helpen toen ze zijn echte naam noemden.'

'U kent hem dus?'

'Ik weet wie het is, liever gezegd. Mijn werkkamer kijkt uit op de binnenplaats, en daar zie ik hem af en toe komen of gaan. Met of zonder een of andere dame,' voegde hij eraan toe. 'Ik heb maar één keer met hem gesproken. Dat was vorig najaar en had te maken met het gezamenlijk onderhoud van de flat. Hij liep langs, en ik vroeg of hij ook meedeed. Hij trok alleen maar zijn schouders op en zei dat hij geen tijd had. Bredal is er de directe oorzaak van dat wij als bestuur bij de volgende jaarvergadering zullen voorstellen dat bewoners die geen corvee doen een bepaald uurtarief moeten betalen,' zei Nummedal.

'Hebt u hem de laatste tijd nog gezien?'

'Nee, al dagen niet, eigenlijk. De laatste keer was waarschijnlijk vorige week. Woensdag of donderdag, denk ik. Ja, dat moet donderdagochtend geweest zijn, want de dagen daarvoor was ik op de krant. Toen zag ik hem uit de flat komen. Alléén, ditmaal.'

'Weet u nog hoe laat dat was?'

'Ik zag hem vlak nadat ik was begonnen met schrijven. Dus het zal zo tussen negen uur en halftien geweest zijn. Wat heeft hij trouwens gedaan?'

Kristine antwoordde dat ze een paar routinevragen stelden en vroeg de journalist haar een seintje te geven als Bredal weer opdook. Toen ging ze het trapportaal uit om op Bastian te wachten. Omdat dat even duurde, ging ze de trap weer op en luisterde bij alle deuren. Op de derde verdieping hoorde ze stemmen. Ze belde aan en tien seconden later stond Bastian in de deuropening met een kleine vrouw van rond de vijftig. De vrouw had Aziatische trekken, net als haar collega. Bastian bedankte netjes voor de thee en haar informatie, en toen gingen ze weg.

'Ik weet dat jij dat denkt, maar het is niet altijd een voordeel om van Aziatische komaf te zijn,' zei Bastian ironisch toen ze het portiek verlieten. 'Ze had absoluut niets te melden over onze man, maar vond het vreselijk leuk om bezoek van een andere "Indonesiër" te krijgen,' voegde hij eraan toe terwijl hij met zijn vingers aanhalingstekens maakte. 'Het maakt niet uit dat ik daar nooit geweest ben. Toen jij kwam, was ik aan mijn derde kop thee bezig.'

*

Toen Bastian terugkwam, stond Halvor op hem te wachten. Kristine kamde de oude stad uit om meer te weten te komen over Bredals bewegingen. De twee mannen reden eerst naar Dyneland AS, waar Halvor uitstapte. Bastian reed door naar de wijk Disen, waar hij tien minuten later voor Rossviks villa aan de Lofthusvei een afspraak had met een slotenmaker.

Halvor sprak opnieuw met Gunvor Berge en vertelde haar dat het nu een moord betrof. De dag ervoor had ze met de beide bestuurders gesproken en hun zegen gekregen om het bedrijf voorlopig te leiden.

'Birger Schram had het er erg moeilijk mee. Hij huilde aan de telefoon,' vertelde ze.

Halvor kreeg opnieuw toegang tot Rossviks kantoor. Ditmaal ging hij systematisch te werk. Hij liep alles door wat op de boekenplanken stond, maar zonder iets interessants te vinden. In de laden vond hij weinig persoonlijks, totdat hij bij de la kwam waarin hij de dag tevoren de oude foto's had zien liggen. Hij haalde alles eruit en legde het op het bijna pijnlijk netjes opgeruimde bureau voor zich.

Allereerst bekeek hij de klassenfoto nog eens goed. SKIBAKKENSCHOOL, KLAS 7B, VOORJAAR 1982, stond erboven. Halvor herkende Rossvik nog steeds niet op de foto, maar liet zijn ogen nu gaan over de namen onder de foto. Daar! Daar stond wel degelijk *Bjarne Rossvik*. Halvor zocht de derde van links op de achterste rij en vond een dikke jongen met een dubbele onderkin en engelenhaar. Geen wonder dat hij hem niet had herkend! De Bjarne Rossvik die ze in het Vestkantbad hadden gevonden had absoluut geen overgewicht. Toen hij stierf, woog hij waarschijnlijk heel wat minder dan destijds in de zevende klas, dacht Halvor. Zijn ogen gingen een plaats naar rechts. Allemachtig! Hoe bestond het! Weer moest hij de namen onder de foto erop nakijken. Naast Bjarne Rossviks naam stond: *Knut Iver Bredal*.

Halvor stak zijn hoofd om de deur en riep Gunvor Berge. Hij hoorde dat ze 'doeg' zei en de telefoon neerlegde. Toen haastte ze zich met een wat misprijzende uitdrukking door de gang. Halvor deed of hij dat niet zag.

'Hebt u de naam "Knut Iver Bredal" weleens gehoord of gezien?'

'Knut Iver Bredal...' Ze dacht na. 'Nee, die naam zou ik wel onthouden hebben. Ik heb familie in het westen van het land met dezelfde achternaam.'

'Zou u de naam hier eens door uw archief willen halen?'

'Dat kan ik iemand van de boekhouding wel laten doen.'

'Ik zou liever willen dat u het zelf doet, en dat u die naam voorlopig tegen niemand noemt,' zei Halvor.

Ze knikte met tegenzin en liet hem met haar meegaan naar haar kantoor. Terwijl ze daarheen liepen vroeg Halvor wat ze het afgelopen weekend had gedaan. Het antwoord was dat het gezin zijn gebruikelijke najaarsuitstapje naar Holmsbu had gemaakt om het zomerhuis winterklaar te maken en dat ze vrijdag meteen na het werk waren vertrokken. Gunvor Berge ging achter haar pc zitten en begon te zoeken. In geen van de elektronische archieven vond ze iets. Halvor dacht na en belde toen Merete op het bureau. Hij vroeg haar uit te zoeken of Bredal in het centrale bedrijvenregister voorkwam. Ook daar was het antwoord negatief. Hij kreeg wel de namen en telefoonnummers van de beide andere bestuursleden en reed vervolgens met een patrouille mee naar de Lofthusvei. De klassenfoto en de andere foto's nam hij mee, nadat hij Gunvor Berge een kwitantie had gegeven.

*

Rossviks huis lag in een van de beste villawijken van de stad. Grote tuinen, het natuur- en skigebied Grefsenkollen pal erachter en slechts een kwartiertje met de blauwe tram naar het centrum van Oslo – dat alles had de prijzen tot boven de tien miljoen kronen opgestuwd. Toch sprong Rossviks huis er nog uit. Drie woonlagen, een grote tuin met een complete appelboomgaard, een garage en een bijgebouw in de achtertuin.

'Allemachtig,' zei Halvor toen Bastian de zware mahoniedeur opendeed. 'Wat moet een alleenstaande man met zo'n kasteel?'

'Dat is de vraag. Het zal heel wat tijd kosten om al zijn spullen te doorzoeken,' zei Bastian. 'Hij is trouwens misschien toch niet zo alleenstaand als we dachten. In een van de drie gemarmerde badkamers staan van de meeste dingen twee stuks: twee tandenborstels, twee soorten deodorant, enzovoort. In de slaapkamer is een aparte kast met kleren in een andere maat dan Rossvik volgens mij heeft. Maar het is allebei absoluut herenkleding, en wel van heel andere merken dan ik me kan permitteren.'

'Hm. Dan woonde hij dus toch samen.'

'Of er kwam heel vaak iemand op bezoek.'

Bastians vondst maakte het geplande gesprek met Birger Schram des te dringender. Halvor belde eerst Nummerinformatie om uit te vinden op wiens naam er telefoonabonnementen op het adres aan de Lofthusvei geregistreerd stonden. Dat was alleen op naam van Rossvik zelf: vaste telefoon, fax en mobiel. Toen vroeg hij om het adres dat bij Schrams mobiele nummer hoorde. Eckersbergsgate 21J. Midden in het duurste deel van Frogner, dacht Halvor. Rossvik en Schram behoorden dus in elk geval tot dezelfde klasse. Hij draaide het nummer dat hij van Gunvor Berge had gekregen.

'Met Birger,' zei een zachte, lichte stem. Halvor stelde zich voor en vroeg of hij Schram kon spreken. Schram antwoordde dat hij net op Gardermoen was geland na een week in Parijs, maar dat hij om een uur of vijf thuis zou zijn. Ze spraken af dat Halvor daar een uur later zou zijn.

'Ik heb om zes uur afgesproken met Schram,' zei Halvor tegen Bastian.

De jonge rechercheur keek hem met een glimlachje aan. 'Ik wil het wel van je overnemen als het voor jou lastig is.'

'Nee, maar toch bedankt. Dit gesprek wil ik graag zelf doen.' Ze reden samen terug naar het bureau, nadat ze de technische recherche telefonisch hadden gevraagd naar dc Lofthusvei te gaan om te zien of ze iets konden vinden. 'Als jullie tijd hebben,' zei Halvor.

*

Toen hij uit het bureau kwam en op de Dyvekesvei reed, pleegde Halvor nog een telefoontje, ditmaal met Birgitte. Hij sloeg een zo opgewekt mogelijke toon aan.

'Dag, jeugdige schoonheid! Ik ben onderweg om de kinderen op te halen. Ik kan nog wel eten klaarmaken, maar ik moet om zes uur ergens zijn.'

Het was even stil. 'Betekent dat dat ik ze alle drie alleen naar bed moet brengen?' vroeg Birgitte afwachtend.

'Nee, hoor. Ik heb de afspraak expres tijdens het kinderprogramma gemaakt en ik denk dat ik rond zevenen wel terug kan zijn.'

'Ja, ja, ik ken die planning van jou. Maar ik heb zeker geen keus?'

'Nee,' zei Halvor met een zucht. 'Alles wijst erop dat dit een lastige zaak wordt. Hebben we iets te eten, trouwens?'

'Geen idee,' antwoordde Birgitte.

Halvor stopte bij de gemeentelijke kinderopvang in de buurt van

Manglerud Senter. Hans was al buiten, helemaal in regenpak, en vloog in zijn armen. Halvor keek naar zijn stralende gezichtje. 'Papa, moet je horen!'

Halvor glimlachte. 'Nou?'

'Toen we vandaag naar buiten gingen, verloor Bell haar oorbellen. En ik heb ze teruggevonden.' Hans was zo trots dat hij er een kleur van kreeg. Om dat te verbergen, verstopte hij zijn gezicht in Halvors hals.

*

De inspecteur diepte onderuit de vriezer een paar oude vissticks op en in de kast twee zakjes aardappelpuree. Door er een deciliter water bij te doen was er nog precies genoeg melk om puree te maken. De niet meer geheel verse tomaat uit de koelkast diende als groente-alibi voor de kinderen, hoewel het strikt genomen een vrucht was. Hij deed zijn best om hem in drie gelijke delen te snijden. Hij en zijn collega's kregen hun dagelijkse portie groen in de vorm van de geweldscurve. Birgitte moest maar een appel nemen. Het eten was in tien minuten klaar. Dat Halvor ooit de initiatiefnemer van een eetclubje met vrienden was geweest, behoorde nu tot een verleden waarvan hij niet meer wist dat het ooit had bestaan.

Birgitte was, zoals gewoonlijk, om kwart over vijf thuis. Na het welkomstzoentje bood Halvor áan op de terugweg van het gesprek met Schram boodschappen te doen, ook al betekende dat dat hij niet voor halfacht, acht uur thuis zou zijn. Birgitte knikte en kneep hem toen plagend in zijn wang. 'Ik hou van je, ook al heb je een hopeloze baan,' zei ze. Halvor vond dit geen geschikt tijdstip om Birgitte eraan te herinneren dat haar eigen werk niet veel beter was.

10

Woensdag 20 september 2006

Juist toen Halvor in de auto wilde stappen, ging zijn telefoon. Het was Kristine.

'Ik heb niets nieuws gehoord in de oude stad, behalve dan dat Bredal een paar keer naar Zweden is uitgeweken als de grond hem te heet onder de voeten werd. Maar nu heb ik net iets vernomen wat erop duidt dat hij daar in elk geval niet is,' zei ze buiten adem.

'Waar is hij dan?'

'Hier in de stad. Ik heb zijn gps-gegevens nog eens gecheckt, en zijn mobieltje is vanmiddag op diverse plaatsen in Oslo geregistreerd. Voor het laatst veertig minuten geleden bij een basisstation aan de Grensevei. Er zou nu alweer een nieuwe moeten zijn gekomen, maar ofwel hij heeft zijn telefoon uitgezet ofwel hij heeft geen bereik.'

'Is de telefoon gebruikt?'

'Ja, één keer, naar een bedrijf dat Boekenvreugd heet, in Nydalen.'

'Is zijn auto geregistreerd bij een van de tolstations op de ringweg?'

'Nee, maar te oordelen naar de snelheid waarmee hij zich tussen de basisstations verplaatst, zit hij waarschijnlijk wel in een auto.'

'Oké. Bel de centrale en vraag ze uit te kijken naar Bredal of zijn auto. Misschien kunnen er een paar patrouille-eenheden naar de Grensevei om daar te gaan zoeken. Er moet ook een eenheid naar zijn huis gaan. En als ze genoeg mensen hebben, kunnen ze ook een auto naar dat bedrijf in Nydalen sturen. Zelf ben ik onderweg naar Birger Schram, waarschijnlijk de partner van Rossvik,' zei Halvor.

'Goed. Ik hou je op de hoogte,' zei Kristine.

*

Birger Schram nodigde Halvor met een bijna apathische handbeweging uit binnen te komen in het nauwe gangetje achter hem.

Ze gaven elkaar een hand en stelden zich voor. Halvor bekeek Schram nauwkeurig. Hij was waarschijnlijk begin dertig en leek opzienbarend veel op Jude Law in de film over Oscar Wilde.

Schram ging op de designbank in de kleine woonkamer zitten. Halvor nam plaats op de fraaie witte fauteuil aan de andere kant van de glazen salontafel. De stoel zat zo ongemakkelijk dat Halvor besloot meteen ter zake te komen.

'Klopt het dat u een relatie had met Bjarne Rossvik?'

Schram knikte. De tranen stonden hem al in de ogen.

'Dan moet ik u condoleren met uw verlies. We zijn er nu tamelijk zeker van dat we te maken hebben met moord. Ik begrijp dat het moeilijk voor u is, maar we moeten toch zo snel mogelijk zo veel mogelijk over zijn leven te weten komen. Misschien wilt u eerst vertellen waarom u de relatie zo geheim hebt gehouden,' zei Halvor.

Schram vertelde met een lichte stem in verzorgd West-Osloos dat een ietwat bestudeerde indruk wekte, dat ze elkaar bijna tien jaar geleden hadden ontmoet, dat Bjarne hem aandelen Dyneland AS had gegeven als onderpand voor zijn flat en dat ze hun relatie altijd geheim hadden gehouden.

'Dat was omwille van zijn moeder, die nog altijd in Ås woont, waar Bjarne is opgegroeid. Zijn vader is overleden, zoals u ongetwijfeld weet. Hoe het ook zij, Bjarne was ervan overtuigd dat het ook zijn moeders dood zou zijn als ze te weten zou komen dat hij homo was. Hij was immers enig kind, en zijn moeder klaagde ook voortdurend dat het tijd werd dat hij eens trouwde en haar kleinkinderen bezorgde. En ik begrijp wel dat adoptiekinderen niet voldoende waren.'

Schram pauzeerde even. Hij leek met zijn gedachten ver weg te zijn. 'Eigenlijk begrijp ik niet waarom hij zo hechtte aan zijn moeders mening. Hij bezocht haar nooit.'

'Hebt u hem niet gevraagd zijn moeder te trotseren?' Halvor merkte dat hij platter ging praten, zoals altijd wanneer hij mensen sprak die een vooroorlogs taalgebruik cultiveerden.

'Jazeker wel, herhaaldelijk. Maar Bjarne is – was – niet gemakkelijk om mee om te gaan. Overgevoelig in sommige dingen, totaal ongevoelig in andere. Dat ik me beledigd voelde door zijn moeder, die ik overigens nooit heb ontmoet, deed er niet toe. Eigenlijk zat ik erop te wachten dat zij zou sterven, maar toen was het Bjarne die...'

Hij stopte weer. Halvor begreep dat Schram zijn tranen probeerde te bedwingen, en veranderde van onderwerp.

'Had hij veel vijanden?'

'Eerlijk gezegd geloof ik wel dat hij in de loop der jaren nogal wat mensen tegen zich in het harnas heeft gejaagd, maar ik had de indruk dat dat toch vooral met het bedrijf te maken had. Een van de redenen dat dat zo snel groeide, was dat hij meedogenloos was als hij een groter marktaandeel kon verwerven. Zijn privéleven draaide voornamelijk om mij, en omdat ik officieel niet bestond, zagen we samen maar zelden andere mensen. Behalve in onze vakanties...

Wat betreft vijanden op zijn werk, denk ik dat u beter met Gunvor Berge kunt praten. Zij leidt momenteel het bedrijf.'

'Zegt de naam Knut Iver Bredal, in de wandeling ook wel "De Kraker", u iets?'

Schram schudde zijn hoofd. Halvor veranderde opnieuw van onderwerp en concentreerde zich nu op het Parijse alibi van Schram. Als freelancemodeconsulent was hij daar geweest om zich in de modehuizen te oriënteren. Hij was vorige week donderdag vertrokken. Halvor vroeg om de boardingpasjes en stopte die in zijn zak.

Toen hij bij zijn auto kwam, was het bijna zeven uur, en hij belde Kristine.

'Nog nieuws?'

'Zeker weten. Ik sta hier met Bredals mobieltje in mijn hand. Nadat ik jou had gesproken, net, ben ik nog eens door die registraties gegaan en toen zag ik dat zijn mobieltje steeds dezelfde basisstations was gepasseerd, steeds in dezelfde volgorde, maar steeds heen en weer. Toen heb ik de metrokaart erbij gepakt, en toen was er nog maar één conclusie mogelijk: zijn mobieltje moest in lijn vijf zitten. En inderdaad, daar vonden we hem. Met tape aan de onderkant van een bankje vastgemaakt,' zei ze triomfantelijk.

'Goed werk. De telefoon staat uit, neem ik aan, omdat hij niet aldoor signaal gaf?'

'Nee, hij staat niet uit. Hij sloeg alleen steeds een registratiepunt over omdat hij dan in een tunnel zat waar geen bereik is. Maar van Bredal zelf hebben we nog geen spoor. Ik ga nu met de telefoon en de tape naar het bureau en vraag de TR die te onderzoeken op vingerafdrukken en eventueel DNA-materiaal. Als dat gebeurd is, ga ik kijken wat er in de telefoon zit,' zei Kristine.

Halvor was in zijn nopjes over Kristines slimheid en sprak dat duidelijk uit. Terwijl hij naar de supermarkt reed, bedacht hij dat het hem eigenlijk niet verbaasde; Kristine was de scherpzinnigste rechercheur met wie hij ooit had gewerkt. Ze had vooral indruk gemaakt bij de gewapende overval op de geldcentrale in Løren. Toen was het enkel en alleen aan haar gevoel voor logica te danken dat ze dat paar handschoenen hadden gevonden dat het eerste DNA-spoor had opgeleverd en voor een doorbraak in het onderzoek had gezorgd.

Zelfs Andersen had grote bewondering voor haar uitgesproken. Halvor had wel zo'n vermoeden wie de volgende teamleider zou worden als er weer een plekje vrijkwam – als Andersen tenminste over zijn scepsis tegenover vrouwen heen kon stappen.

★

Kristine zat in haar kantoor bij het licht van alleen de bureaulamp, met de politiescanner zachtjes werkend op de vensterbank achter zich. Zo had ze het graag als ze wilde nadenken. Op dit moment kon ze zich niet losmaken van de vraag waarom Bredal in 's hemelsnaam zijn mobieltje kwijt wilde of waarom hij het in 's hemelsnaam onder een bank in de metro had geplakt. Wist hij dat de politie hem met man en macht achternazat wegens de moord in het Vestkantbad en wilde hij hen op een dwaalspoor zetten? In dat geval: waarom? En hoe kon hij weten dat de politie veel grootschaliger jacht op hem zou maken dan normaal op iemand die niet kwam opdagen bij een rechtszitting? Of had hij met iemand afgesproken dat hij zijn telefoon op deze manier aan die ander zou doorgeven?

Achter haar kraakte de scanner met onregelmatige tussenpozen. Ze had hem een paar jaar geleden voor 199 kronen in Zweden gekocht, omdat de rechercheurs van Geweldsdelicten niet met gewone politieradio's waren uitgerust; die kregen ze alleen ter beschikking als het nodig was. Ze hield ervan als hij aanstond, omdat ze dan lekker in de overwerkstemming raakte. Op dit tijdstip waren het vooral meldingen van en aan de centrale: een verkeersincidentje hier, wat burengerucht of een autobrandje daar en – soms – een grotere gebeurtenis als een tasjesroof of een overval op een benzinestation. Dan kwamen er meteen eenheden in beweging. Het adrenalineniveau steeg hoorbaar als de jacht op de daders werd ingezet. Het geluid van de scanner was voor de meeste politiemensen het geluid van de stad, ook voor Kristine.

Ze spitste haar oren. Ze ving iets op over 'plaats delict afzetten' en 'officier van dienst erbij halen'. Ze zette het geluid harder, maar toen klonk er: 'We doen het verder telefonisch.' Dat betekende dat nadere informatie over de plaats delict via de mobiele telefoon zou worden gegeven, zodat de betrokkenen niet konden worden afgeluisterd door journalisten, tipgevers of allerlei schurken.

Kristine voelde een onverklaarbare spanning in haar lichaam. Na vijf minuten hield ze het niet meer uit en belde ze de operatiecentrale. De coördinator van de plaats delict kreeg ze niet te pakken, maar wel iemand anders van het team, die ze gelukkig goed kende.

'Het ziet ernaar uit dat we hier een moordzaak hebben, joh.'

'Waar?'

'In een flat aan het Sinsenterrasse.'

'Heb je een naam?'

'Ik geloof dat ik net wel een naam gehoord heb, maar ik heb hem niet onthouden. Probeer de officier van dienst maar. Die is nu ter plaatse.' Kristine hing op en belde de officier van dienst. Die was nogal gestrest en niet erg behulpzaam. Maar uiteindelijk kreeg ze toch de naam van de eigenaar van de flat: Anders Dahl. Dat zei haar niets, dus ze sloeg er het archief op na. Niets ongewoons daar, alleen paspoortaanvragen. Kristine zat even te piekeren, logde toen in op de site van de belastingdienst en zocht op Anders Dahl aan het Sinsenterrasse. De machine aarzelde even en toen verscheen de ene na de andere informatie. Kristine liet haar ogen over het scherm gaan. Plotseling ging er een schok door haar heen.

'Allemachtig! Nee toch!' zei ze hardop. Ze begon onmiddellijk het nummer van Halvor in te toetsen, maar stopte toen en keek op de klok. Kwart voor acht. Hij was waarschijnlijk net bezig de kinderen naar bed te brengen, en een serieuze moordzaak kwam waarschijnlijk niet zo heel goed uit als je net de kleinste of de middelste of welk kind dan ook aan het voorlezen was. Dus pakte ze haar mobieltje en stuurde ze een sms'je dat hij haar moest bellen zodra hij kon.

Het kon ongeveer zeven seconden later.

'Wat heb je nu weer gevonden?'

'Ben je niet de kinderen naar bed aan het brengen?' vroeg Kristine.

'Nee, ik sta met een halfvol winkelwagentje in de supermarkt.'

'Oké. We hebben nog een moord, ditmaal aan het Sinsenterrasse. Een zekere Anders Dahl.'

'Ik kan me niet herinneren dat ik die naam eerder heb gehoord, hoewel het een heel gewone naam is... Heeft het iets met ons te maken? Ik heb Andersen gevraagd om de komende dagen nieuwe zaken bij ons vandaan te houden.'

'Andersen zit hier niet achter. Ik kreeg zomaar een ingeving om eens te kijken in het register van de belastingen. En wat ik daar vond, zou jij vast meteen willen weten, dacht ik.'

'Wat was dat dan?'

'Dat het hele salaris van Anders Dahl vorig jaar van de firma Boekenvreugd in Nydalen kwam.'

Stilte.

'Jij vertelt me dus dat Anders Dahl voor het bedrijf werkte dat Bredal eerder vandaag heeft gebeld?'

'Precies.'

Ze hoorde dat Halvor diep inademde voordat hij zei: 'Geef me het adres eens precies, dan ga ik er meteen heen. Het is maar tien minuten hiervandaan. In de tussentijd kun jij zo veel mogelijk informatie uit Bredals mobiel persen.'

11

Woensdag 20 september 2006

De hele ingang van de flat was in een straal van zeker vijf meter afgezet met geel band. Overal waren mensen van het plaatsdelict-team aan het werk. In de miezerregen liep Halvor tussen de witte pakken door naar de coördinator.

'Dag, Henry, wat is er aan de hand?'

'Hallo, Halvor. Wat doe jíj hier? Beetje ver voor een avondwandelingetje, niet?'

Halvor grijnsde. 'Ik moet in vorm blijven, hè? Nee, we hebben aanwijzingen dat er verband zou kunnen bestaan tussen de moord in het Vestkantbad die wij onderzoeken en wat hier gebeurd is, maar dat hoef je voorlopig nog aan niemand te vertellen.'

Achter zich hoorde hij een stem: 'Heming!' Hij draaide zich om en zag een van de misdaadverslaggevers van het dagblad *VG*, die hij waarachtig wel mocht ook.

'Waarom bent u hier? Is er een verband met wat er in het Vestkantbad gebeurd is?' vroeg de verslaggever.

'Geen idee. Ik reed hier toevallig voorbij,' zei Halvor.

'Het zal wel,' zei de verslaggever glimlachend.

Halvor glimlachte terug en draaide zich weer naar Henry toe. Ze gingen zachter praten. 'Ik ben zelf nog niet binnen geweest. Maar volgens de agenten die hem hebben gevonden, lag hij levenloos over zijn bureau gebogen, met vlak onder zijn borst een fietsketting. Ze denken dat hij daarmee is gewurgd. Veel meer hebben ze niet kunnen zien voordat ze zich, geheel volgens het boekje, terugtrokken.'

'Wie heeft de leiding over de technici?'

'Gundersen heeft dienst. Hij is in de flat. Zal ik vragen of je boven mag komen?'

Halvor knikte en de coördinator plaats delict pakte zijn mobieltje. Een paar tellen later kreeg Halvor de telefoon en hoorde hij de welbekende Bergense tongval: 'Kom maar boven, hoor. Het is wel goed voor je om ook eens de lucht van een plaats delict op te snuiven.'

Daar was Halvor het mee eens. De tactische rechercheurs van tegenwoordig zaten bijna alleen nog maar op kantoor naar foto's en bewijsstukken te kijken en verhoren af te nemen. Dat hij zijn tweede plaats delict in amper een week ging bezoeken, was een zeldzaamheid. Halvor vond het prettig om te zien waar het gebeurd was. Hij had het idee dat hij zich dan beter in de gedachten van een moordenaar kon verplaatsen. Veel collega's waren het daar niet mee eens, maar Halvor had er niets op tegen als ze hem een beetje ouderwets vonden.

Gundersen liet hem zien waar hij zich kon bewegen zonder het risico te lopen nog niet veiliggestelde sporen uit te wissen, gaf hem een witte overall met muts en plastic hoesjes voor zijn schoenen, en trok een monddoekje over zijn hoofd. Voor de tweede keer die dag liep Halvor door een smalle gang naar een woonkamer.

Die was hooguit vijftien vierkante meter groot. In een hoek stond een bankstel en voor het raam een bureau. Op de grond stonden grote stapels van wel dertig of veertig dezelfde boeken. Halvors oog viel op een stapel boeken getiteld *Repareer zelf uw auto*, deel 1 tot en met 15. Die serie had hij wel kunnen gebruiken, als hij tenminste tijd had gehad om te lezen. Zijn dagen zaten al zo vol. En een werk van vijftien delen was helemaal uitgesloten.

Het lichaam van Anders Dahl was nog niet weggehaald. Schijnwerpers deden de kamer baden in het licht; de schaduw van Dahls donkerblonde hoofd kwam bijna tot het kozijn. Halvor liep ernaartoe. Hij zag aan de linkerkant van Dahls hals een grote blauwe striem met een paar kleine wonden, waarvan het bloed opgedroogd was. Achter in zijn nek waren geen verwondingen zichtbaar en ook niet in zijn fijne, zonnebankbruine gezicht. Alles in het tafereel voor hem duidde erop dat Dahl in zijn stoel had gezeten toen hij van achteren was gewurgd met een voorwerp dat zo scherp was dat het een stukje door de huid had gesneden. Die afdrukken leken goed te passen bij de fietsketting die onder zijn borst lag. Het was een oude, roestige ketting zonder zichtbare olie. Waarschijnlijk was het al even geleden dat die ketting aan een fiets had gezeten.

'Als hij onverhoopt geen handschoenen heeft gebruikt, heb ik goede hoop dat we huidresten en misschien ook bloedresten op die ketting vinden,' zei Gundersen achter hem. 'Misschien vinden we ook delen van een vingerafdruk, maar waarschijnlijk niet genoeg voor volledige identificatie. Waarom ben jij hier, trouwens? Houdt deze zaak verband met wat er in het Vestkantbad is gebeurd, of heeft Andersen eindelijk besloten dat jij net zo lang moet werken als wij?'

De man uit Bergen glimlachte terwijl hij dit zei, en Halvor wist dat er niet meer achter zijn woorden stak dan hem te helpen herinneren aan de geweldige inzet van de recherche en de uniformdienst om de stad veilig te houden. Niemand maakte meer overuren dan zij. Hoewel de politie uitgezonderd was van de Arbowet, waren er heel wat politiemensen die ieder jaar het absolute maximum aan toegestane overuren overschreden. Halvor en de andere rechercheurs van Geweldszaken behoorden daar niet toe, al dacht Birgitte van wel.

Halvor vertelde Gundersen over het telefoontje dat Bredal eerder die dag had gehad met de firma Boekenvreugd.

'Een advocaat kan vast honderd goede redenen bedenken voor dat telefoontje zonder dat het iets met de moord te maken hoeft te hebben. Maar ik ben geen advocaat, dus ik denk logisch na,' zei Halvor.

Gundersen knikte en zei: 'Als je maar netjes in het veilige gebied blijft en niet in de weg loopt, mag je hier blijven zo lang als je wilt.'

Halvor bleef nog een kwartier en gebruikte die tijd om een beeld van de flat te krijgen. Die had alle kenmerken van een vrijgezellenflat, met simpele, mannelijke meubels. Overal lagen stapels boeken, niet alleen in de woonkamer. Als Anders Dahl geen boekverkoper was, vrat hij zijn plastic overschoenen op. Over welke aankoop was Bredal zo ontevreden geweest dat hij Dahl had gewurgd? *Hoe word ik pooier*?

*

Op weg naar huis ging Halvor even bij Kristine op Geweldsdelicten langs om te laten zien dat ook hij zich 'volledig' inzette in de jacht op de dader.

Ze had net de mobiele telefoon teruggekregen na het technische onderzoek. Kennelijk was hij afgeveegd; ze hadden niets kunnen vinden. Kristine had ook niets gevonden toen ze het mobieltje op informatie had onderzocht. Alles was gewist.

'Blijkbaar een "vuile" telefoon, misschien onderweg naar zijn volgende opdrachtgever toen wij hem vonden,' zei Kristine. 'Maar eens kijken wat de IT-specialisten er nog uit kunnen halen,' voegde ze eraan toe.

Halvor maakte van de gelegenheid gebruik om de oude klassenfoto van Rossvik te pakken. Hij had drie seconden nodig om Dahl op de foto te vinden, in de middelste rij, onder Bredal en Rossvik. Eigenlijk verraste hem dat niets.

'Kristine, het ziet ernaar uit dat we morgen de hele dag bezet zijn. Er wijst van alles naar klas 7B van de Skibakkenschool in Ås. Morgen gaan wij samen praten met de klassenleraar,' zei Halvor en hij wees op de naam onder de foto: Rolf Dalberg. Hij vroeg Kristine naar huis te gaan. Zelf ging hij naar de politiegarage om zijn auto te halen. Hij was bijna thuis toen hij bedacht dat hij boodschappen had zullen doen. Hij vloekte, keerde de auto en reed naar de 7-Eleven.

Om halfelf stond hij voor de deur in Manglerud, met twee kleine boodschappentasjes ter waarde van 719 kronen op de stoel naast zich. Het was harder gaan regenen, dus hij bleef een paar minuten zitten terwijl de druppels drumsolo's uitvoerden op het autodak. Het ging eerder harder dan zachter regenen. Hij gaf het op, greep de tas en rende naar binnen.

Terwijl hij in de gang stond uit te druipen, stelde hij vast dat het donker was in hun hele huis. In de kamer stond een halfvolle fles wijn met een leeg en een vol glas ernaast. Op het aanrecht stond de hele afwas van de dag – waarschijnlijk niet zonder reden.

Had ze zijn sms'je niet gehoord? Hij keek op haar mobiel, in haar tas in de gang. 1 NIEUW BERICHT stond er in het display. Hij zuchtte.

*

Toen Halvor klaar was met de afwas en de lunchpakketjes voor de volgende dag, was het bijna halftwaalf. Hij was al op weg naar de badkamer toen zijn mobieltje ging. Hij stortte zich erop om te voorkomen dat Birgitte of de kinderen wakker zouden worden van het geluid. Het was Andersen, die geen poging deed zijn irritatie te verbergen.

'Sorry dat ik zo laat bel, maar je hebt je kinderen nu waarschijnlijk wel in bed, want je was vandaag weer om vier uur vertrokken. Maar ik dacht: ik zal je toch even melden dat er vanmiddag enige ontwikkeling in je zaak is geweest. Ik sprak net de officier van dienst, en hij vertelde me dat er vanavond weer een moord is geweest, die volgens de coördinator plaats delict misschien verband houdt met jouw zaak. Dat moet de betreffende inspecteur zo snel mogelijk weten, dus ik dacht dat het wel goed was als ik je zelf op de hoogte bracht, ook al is het wat laat...'

De sarcastische ondertoon was duidelijk, en Halvor kookte van woede. Hij spuugde de woorden haast uit, zij het zacht: 'Die informatie heeft de coördinator plaats delict van míj. Eerlijk gezegd denk ik dat ik heel wat meer over die zaak weet dan jij, Andersen. En ik moet zeggen: ik vind dat je als baas van een van de belangrijkste recherchediensten van het land buitengewoon slechte research hebt gepleegd.'

Het bleef stil aan de andere kant, en Halvor vroeg zich af of hij misschien te ver was gegaan. Hij kalmeerde en gaf Andersen een kort overzicht van wat er die avond gebeurd was. De stem van de commissaris klonk heel wat gedweeër toen hij weer iets zei: 'Het spijt me, Halvor, maar de officier van dienst zei niet dat jij op de plaats delict was geweest. Het is voor mij ook een lange, vermoeiende dag geweest. Hoe dan ook, na alles wat er nu is gebeurd stel ik voor dat we morgenochtend om negen uur in de grote vergaderzaal bijpraten. Dan wil ik de hele bliksemse boel bij elkaar hebben: de hoofdcommissaris, de officier van justitie, jij en je hele team, en verder zo veel mogelijk andere teamleiders en mensen van de technische recherche, opsporing en de uniformdienst. Misschien moet je er een ploeg bij hebben, dus we moeten nagaan of de anderen capaciteit overhebben. Ik stuur iedereen nu nog een mailtje thuis, dan zien we wel wie er komt.'

Na een korte stilte voegde hij eraan toe: 'Halvor, het spijt me echt. Ik zal volgende keer beter nadenken.'

Vijf tellen nadat hij had opgehangen, ging de telefoon opnieuw, weer met ONBEKEND NUMMER in het display. Wat was Andersen nú weer vergeten?

'Hallo! Met Ingrid Schjerven van *VG*. Ik hoop dat ik u niet wakker heb gemaakt?'

Halvor voelde de irritatie weer opkomen.

'Nee, dat niet. Maar ik moet toegeven dat het niet mijn favoriete bezigheid is om rond middernacht met journalisten te praten.'

'U weet dat we bij *VG* een late deadline hebben, dus het gebeurt weleens dat we laat moeten bellen,' antwoordde ze. Halvor hield nog net een 'daar heb ik geen zak mee te maken' in.

Ingrid Schjerven ging door: 'Een van onze verslaggevers meldde zonet dat hij u vanavond op een plaats delict had gezien. Toen dachten wij natuurlijk dat er weleens een verband zou kunnen bestaan tussen die moord en de moord in het Vestkantbad. Is dat zo?'

'U weet heel goed dat u voor dat soort zaken commissaris Andersen moet bellen.'

'Ja, maar ik heb zijn mobiele nummer niet en u ken ik iets beter. Ik dacht dat u me misschien off the record zou kunnen vertellen wat er precies aan de hand is.'

'Daar heb ik helemaal geen zin in en dat kan ik ook niet. Het is gewoon nog veel te vroeg om te kunnen zeggen of er een verband is. En nu ga ik naar bed. Welterusten!'

Terwijl hij ophing, hoorde hij aan de andere kant: 'Dan schrijf ik alleen dat jullie niet uitsluiten dat er een verb...'

Halvor dwong zichzelf in de leren stoel te blijven zitten die Birgitte van haar ouders had geërfd. Hij merkte dat de waarschuwingsader op zijn slaap weer trilde. Soms was hij bang voor de gevolgen van zijn woede. Ergens in zijn hoofd bevond zich een zwart gat, en hij wist niet wat er zou gebeuren als hij daarin viel. Hij was vreselijk bang voor dat zwarte gat, en tot nu toe had hij het weten te vermijden, ook al kostte hem dat elke keer als hij in de buurt kwam veel moeite.

Hij dacht weleens dat het enige wat hem van vrouwenmishandelaars en moordenaars onderscheidde, zijn vermogen was om zich op tijd van dat gat terug te trekken. Zou hem dat zijn hele leven blijven lukken?

Plotseling was hij zevenentwintig jaar terug in de tijd, toen hij voor de eerste keer de macht van die kloppende ader ontdekte. Hij was twaalf en zijn vader stond erop hem nog iedere avond voor te lezen, omdat het nodig was om de 'revolutionaire geest' van zijn zoon te versterken. Zo hadden ze alle drie de delen van *Het Kapitaal* van Marx en het hele *Wat te doen?* van Lenin doorgewerkt. In de zesde klas kende Halvor al aardig wat Engels, dus ging zijn vader over op *Works*, de Engelse vertaling van de verzamelde werken van Kim Il Sung. Een tijdlang gebruikte Halvor het voorlezen om zich het hoofd te breken over de vraag waarom hij bij de D-pupillen niet in de spits mocht spelen, hoe hij die grote snoek in het Børtevann moest vangen of andere verstandige en belangrijke jongensvragen.

Maar zijn vader had algauw door dat hij niet oplette en begon controlevragen te stellen. Als Halvor het antwoord niet wist, kreeg hij 's zaterdags geen snoepgoed of een of twee dagen huisarrest.

Halvor had zich erin geschikt. Maar op een avond lukte het hem niet zijn gedachten ergens anders op te concentreren dan op de steeds dikker wordende tieten van Merete van klas 6C. Toen zijn vader na een paar minuten wantrouwend opkeek en vroeg wat kameraad Kim bedoelde met 'progressieve democratie', ontdekte Halvor het zwarte gat. In plaats van antwoord te geven, legde hij allebei zijn handen op zijn oren en begon te gillen. Hij trok het dekbed over zijn hoofd en bleef gillen tot hij niet meer kon. Waarschijnlijk was hij ten slotte van uitputting in slaap gevallen.

Dat was de laatste keer dat zijn vader hem had voorgelezen, en het had een maand geduurd voordat hij weer met zijn zoon had gepraat. Halvor zou het tegenover zijn ouders nooit hebben toegegeven, maar hij herinnerde zich nog altijd een citaat uit *Works*. In de loop der jaren waren ze in het Noors in zijn hoofd blijven hangen: 'Het doel van ons werk is een democratie van het volk, waarin mensen uit alle levensfasen aan het bestuur van het land deel kunnen nemen en politieke vrijheid en politieke rechten genieten, hetgeen tot een gelukkig leven voor alle mensen zal leiden.'

Hij wist niet helemaal waarom hij dat citaat had onthouden, maar hij nam aan dat het iets te maken had met het verschil tussen ideaal en werkelijkheid, waarvan zijn vader de meest nabije exponent in zijn omgeving was. Halvor was uit protest op zijn zestiende vicevoorzitter van de jongerenorganisatie van de afdeling Oslo-Grorud van de rechtse *Fremskrittsparti* geworden, voordat hij een paar jaar later tot rust was gekomen in het politieke centrum van de Noorse sociaaldemocratie. Zijn vaders teleurstelling over Halvors politieke ontwikkeling was enorm geweest en was alleen overtroffen door zijn reactie toen Halvor vertelde dat hij bij de politie wilde gaan werken. Zijn vader was dus, toen hij twee jaar later aan een beroerte stierf, geen gelukkig man, met een dochter die gestorven was aan een overdosis en een zoon die hij zonder meer als politiek dood beschouwde. Halvor had tien jaar en ontelbare gesprekken met Birgitte nodig gehad voor hij zichzelf niet langer de schuld van zijn vaders beroerte gaf.

Halvor schudde het verleden van zich af en liep de trap op naar de badkamer. Hij kreeg een acute aanval van slecht geweten omdat hij ook vandaag weer geen tijd had gehad om eens goed met Ole over het incident bij de Manglerudhal te praten. Hij keek dus snel even in Oles slaapkamer. De blauwe plek en de zwelling die hij vlak onder het linkeroog van de jongen zag, stonden hem niet aan. Zelfs zonder dat hij het licht aandeed was de blauwe plek goed te zien in de reep maanlicht die langs de ene kant van het rolgordijn piepte. Hij was er honderd procent zeker van dat die blauwe plek er nog niet had gezeten toen hij 's avonds met de kinderen had gegeten. Ter compensatie boog hij voorover, streelde Ole voorzichtig een paar keer over diens niet gekwetste wang en ging toen zo stil als hij kon de trap af.

12

Mei/juni 1982

Gunnar vond hem. Het was bijna halfvijf toen Kris' moeder bij hem was gekomen om te vragen of hij haar zoon had gezien. Dat had hij niet, maar hij voelde zich weer fit genoeg om mee te gaan zoeken. Zijn moeder had het voetpad naar de school genomen, terwijl Gunnar daar via het bos naartoe zou gaan.

Kris lag in foetushouding op het gras onder de boom. Hij ademde zwak en het leek alsof hij sliep. Gunnar zag geen aanwijzingen dat er anderen in de buurt waren. Hij gaf Kris een voorzichtig duwtje, waarop deze met zijn ogen knipperde en langzaam wakker leek te worden. Zijn hele lichaam trilde ongecontroleerd. Gunnar begreep niet waarom. Het was minstens twintig graden, en zo koud kon je het dan toch niet hebben als je wakker werd?

'Waarom lig je hier?' vroeg Gunnar.

Kris gaf geen antwoord en keek alleen maar omhoog naar de boom. Gunnar volgde zijn ogen, maar zag niets anders dan takken en flinke, groene dennennaalden.

*

Kris antwoordde helemaal nergens meer op. Zijn moeder probeerde hem voortdurend woorden te ontlokken, maar zonder succes. Verder gedroeg hij zich wel ongeveer zoals anders. Hij at, maakte zijn huiswerk, sliep en ging de volgende dag weer naar school. Er waren echter twee opvallende dingen veranderd: hij praatte niet en hij lachte niet.

Aan het eind van de dag belde Dalberg. Hij vertelde dat hij Kris in de klas verschillende vragen had gesteld. Elke keer had de jongen de leraar alleen maar zwijgend aangekeken. Zijn moeder legde uit wat er de vorige dag gebeurd was.

'Ik heb nog steeds geen idee waarom hij zich zo gedraagt. Maar ik hoopte dat hij vandaag op school weer zou gaan praten,' zei ze.

'Dat heeft hij dus duidelijk niet gedaan. Misschien moet u eens gaan praten met de schoolverpleegkundige,' stelde Dalberg voor.

Die avond vroeg zijn moeder of Kris de antwoorden op haar vragen wilde opschrijven. Hij schudde alleen maar zijn hoofd. Zijn moeder kreeg ook geen reactie toen ze vertelde dat ze de volgende ochtend al naar de schoolverpleegkundige zouden gaan.

*

De schoolverpleegkundige was een oudere vrouw met grijs haar, met wie de meeste leerlingen een goede band hadden. Na het telefoontje van de dag ervoor had ze zich verdiept in lectuur over kinderen die plotseling stom werden. Ze luisterde naar wat Kris' moeder vertelde over de vorige dag.

'Na zeer traumatische ervaringen beschermen sommige kinderen zichzelf en hun omgeving door niet meer te praten,' vertelde ze. 'Ik denk dat het wel zou helpen als jullie erachter zouden komen wat er gisteren nu eigenlijk gebeurd is.'

Terwijl ze Kris aankeek, zei ze: 'Als je het moeilijk vindt om het aan je moeder te vertellen, wil ik haar wel vragen even weg te gaan. Dan kun je het aan mij vertellen. Ik heb zwijgplicht, dus ik vertel niemand iets als jij dat niet wilt.'

Kris staarde uit het raam naar de heuvel achter de school. De schoolverpleegkundige gaf zijn moeder het telefoonnummer van een dokter die ze goed kende.

13

Donderdag 21 september 2006

Voor de vergadering van negen uur belde Kristine nog met de Skibakkenschool, waar ze te horen kreeg dat Rolf Dalberg daar vijf jaar geleden was gestopt en nu aan de Kathedraalschool van Oslo werkte, in de volksmond ook wel 'De Kat' geheten. Van de administratie van de school vernam ze dat Dalberg waarschijnlijk om een uur of tien zou komen.

Intussen bereidde Halvor een PowerPoint-presentatie voor de vergadering voor, en dacht aan Birgitte. Ze had de hele nacht met haar rug naar hem toe gelegen, maar na een douche, een kop koffie en nadat hij had gewezen op het tijdstip van zijn sms-bericht, had ze in elk geval geluisterd naar wat hij te vertellen had over de vorige avond. Hij had zelfs bijna een omhelzing gekregen toen ze wegging. Halvor hoopte dat haar boosheid helemaal over zou zijn als ze weer thuiskwam. Bovendien, had hij tegenover Birgitte vastgesteld, bleef rode wijn heel goed als je hem een etmaal op kamertemperatuur bewaarde. En vanavond zou hij geheid thuis zijn, daar kon ze van op aan.

In een steeds beter humeur nam hij het materiaal van drie dagen onderzoek door. Dat was nog heel wat, en er bestond weinig twijfel over dat Knut Iver Bredal hun hoofdverdachte was. Er moesten nog wel meer aanwijzingen worden gevonden voor de samenhang tussen de twee moorden, maar Halvor vertrouwde erop dat dat zou lukken. Bredal was in het Vestkantbad niet voorzichtig genoeg geweest en hij had ditmaal hopelijk ook een fout gemaakt.

Hoofdcommissaris Ragnvald Andresen opende de vergadering. Hij stelde vast dat deze zaak momenteel de hoogste prioriteit had voor de Oslose politie en dat hij de korpschef elke dag zou bijpraten. Daarna vertelde commissaris Fridtjof Andersen welke mensen en middelen beschikbaar waren voor het tactische onderzoek, en daarop kreeg Halvor het woord. Hij legde helder, duidelijk en zo neutraal mogelijk uit hoe de zaak ervoor stond. Hij sloot af met wat naar zijn mening de belangrijkste volgende stappen in het onderzoek waren.

'Eén: vaststellen of er verband bestaat tussen de beide moorden. Twee: motief en gelegenheid van mogelijke daders achterhalen. Drie: Bredal vinden. Vier: eventuele nieuwe criminele handelingen in de zaak voorkomen. Ons team gaat aan de gang met de punten één en twee, maar ten aanzien van de andere twee punten hebben we natuurlijk bijstand nodig. Tot nu toe hebben we geen reden om iemand anders dan Bredal te verdenken, maar dat betekent niet dat we geen andere sporen volgen als die zich voordoen. Hoe dan ook zou ik Speciale Operaties en Uniform sterk willen aanraden punt drie prioriteit te geven. Als Bredal niet achter de moorden zit, moet hij er toch op de een of andere manier bij betrokken zijn en kan hij het onderzoek nieuwe impulsen geven als we hem vinden. Kort gezegd: ik hoop dat die twee afdelingen wat in Bredals omgeving kunnen wroeten en alles over zijn bewegingen boven tafel krijgen wat er te vinden is. Als ze moeten vertellen waarom, gebruik dan het wegblijven bij de rechtszaak maar als excuus.'

Cecilie Kraby stak haar hand op. 'Ik ben niet alleen officier van justitie maar ook advocaat van de duivel, zoals jullie weten.'

De anderen mompelden instemmend, benieuwd naar wat er nu kwam.

'Ik ben het ermee eens dat Bredal een cruciale rol speelt. Maar toch wil ik erop wijzen dat een beetje advocaat geen enkele moeite zal hebben om alles wat we tot nu toe hebben gevonden te ontkrachten. Wij hebben verband gevonden tussen Bredal, Rossvik en Dahl, maar dat verband bewijst nog lang niet dat Bredal twee moorden heeft begaan. Al met al kan er een heel natuurlijke verklaring zijn. Bredal kan Dahl hebben gebeld omdat ze oude vrienden zijn en hij kan Rossvik in het Vestkantbad hebben opgezocht om over de grote roman over zijn jeugd te praten.'

'... en terwijl ze daar op maandagochtend om zes uur over spraken, boog hij voorover en voelde aan de binnenkant van de garderobekast, zodat hij in zijn boek kon beschrijven hoe donkergebeitst fineer aanvoelt. O ja, een advocaat kan daar vast wel een mooi verhaal van maken,' zei Halvor ironisch.

Cecilie glimlachte: 'Ik zeg absoluut niet dat Bredal een onschuldig lammetje is. Er zijn maar weinig mensen die ik liever achter slot en grendel zou zien, zacht uitgedrukt. Ik zeg alleen maar dat we op dit moment niet genoeg hebben om Bredal veroordeeld te krijgen.'

Ze wilde nog iets zeggen, maar de telefoon van de chef van de technische recherche begon te piepen. Hij haalde hem uit zijn zak en las het sms-bericht. Toen zei hij: 'We hebben stukjes van een onbekende vingerafdruk op de fietsketting gevonden. Het is te weinig om hem aan op te hangen, maar hij kan heel goed van Bredal zijn.'

Halvor deed de stem van advocaat Lundin bijna perfect na: 'In de loop van dit proces zal ik aantonen dat het waarschijnlijk is dat die vingerafdruk afkomstig is van die keer dat Dahl en Bredal als tieners van fiets ruilden en de ketting eraf liep.'

Ze lachten allemaal, ook Cecilie. De chef van de TR vervolgde: 'Er zijn bovendien huid- en bloedresten gevonden op het deel van de ketting dat de dader waarschijnlijk heeft vastgehouden, dus hij heeft waarschijnlijk geen handschoenen aangehad. We hebben Forensisch gevraagd de DNA-analyse morgenmiddag al klaar te hebben. In Dahls nek zijn trouwens vezels van een stof gevonden. Het lijkt erop dat de moordenaar zijn knie in de nek van Dahl heeft gezet om de ketting aan te trekken.'

De hoofdcommissaris had na het openen van de vergadering niets meer gezegd. Nu stond hij op. Voordat de anderen dat ook konden doen, zei hij met de autoriteit die alleen hij bezat: 'De Oslose politie heeft op dit moment één grote prioriteit. Dat is het vinden van Knut Iver Bredal. Gisteren!'

Iedereen stond op en vertrok. Halvor en zijn team vergaderden nog even door op zijn kantoor. Als het nodig was konden collega Daae en diens team te hulp schieten, maar voorlopig dacht Halvor dat zijn team het alleen wel aankon. Ze verdeelden de taken dus alleen onderling.

'Ik wil graag dat jij het slangenspoor verder volgt, Bastian. Ik wil weten waar je aan zulke slangen kunt komen en hoe hij het land in is gekomen. Hans Petter, wil jij naar de moeder van Rossvik gaan en kijken of je van haar iets wijzer kunt worden? Vraag vooral naar zijn jeugd en of ze Bredal en Dahl kende. Verder kun je samen met Bastian bij het personeel van Dyneland doorgaan met zoeken naar motief en gelegenheid.' Hans Petter en Bastian knikten.

'En jij, Merete, wil jij je concentreren op Dahls werk, en dan vooral nagaan of iemand van de receptie zich kan herinneren of er gisterenmiddag telefoon voor hem is geweest. Verder moet je maar gaan praten met nabestaanden die je relevant lijken, en dan speciaal met het oog op zijn jeugd.'

'*Aye*,' zei Merete, een grote, sterke, donkerharige vrouw van begin dertig. Ze was een voormalige handbal-international, grof in de mond en berucht omdat ze heel wat mannen had verslagen bij het armdrukken. Ze was precies het tegenovergestelde van de vrouwelijke Kristine, maar heel goed in verhoren, vooral van jonge bendeleden. Alleen al met haar zeer stevige handdruk had ze veel respect verworven. Halvor was blij dat hij haar maar één keer een hand had hoeven geven.

'Kristine en ik gaan met de klassenleraar van klas 7B van de Skibakkenschool praten. Ik heb het gevoel dat dat een belangrijk gesprek is, en wil dat graag met zijn tweeën doen. Als de ketting terugkomt van Forensisch, is Kristines voornaamste taak uit te zoeken waar die vandaan kan komen. Ik ben zoals altijd de libero naar wie jullie de bal kunnen afspelen. Ik zorg voor de juridische zaken, voor Andersen en voor de dingen waar jullie niet aan toekomen. Verder hou ik de draadjes van deze zaak bij elkaar. We komen om halfvier weer bij elkaar op mijn kantoor om door te nemen wat we dan hebben.'

Ieder ging zijns weegs. Terwijl Kristine een afspraak maakte met Dalberg, de klassenleraar, viel Halvors oog op de bewijszakjes met privéspullen die Rossvik bij zich had gehad in het Vestkantbad. Halvor had ze gisteren op zijn bureau gekregen, maar had nog geen tijd gehad om de inhoud te bekijken. Hij keek wat het was. Hij legde de zakken met de tas en de kleren terzijde en concentreerde zich op de andere spullen die ze in de kleedkamer hadden gevonden. Dat waren een mobiele telefoon, een portefeuille, een paperback, een pakje kauwgum en een brillendoos. De technici hadden geen andere vingerafdrukken gevonden dan van Rossvik zelf, en hij mocht de spullen gerust aanraken. Pas toen hij bij de donkerbruine leren Gucci-portefeuille kwam, begon hij geïnteresseerd te raken. Uit de bijna onzichtbare spleet achter het muntgeldvak trok hij een fotootje van een jongen van een jaar of tien, elf tevoorschijn. Het leek uit een grotere foto geknipt te zijn, was smoezelig aan de randen en zag eruit alsof het vaak gepakt en bekeken was. Hij keerde het fotootje om, maar er stond niets achterop.

In geen van de gesprekken die hij met Rossviks bekenden had gevoerd, was naar voren gekomen dat er een jonge jongen in zijn kennissenkring zat. Was het soms Birger Schram als kind? Hij keek nog beter. Nee, Rossviks vriend had dan heel wat sproeten en duidelijk roodgetint haar moeten wegwerken. Halvor pakte de klassenfoto erbij en bestudeerde alle gezichten. Geen daarvan leek op de jongen op het fotootje. Hij dacht na. Toen riep hij Hans Petter bij zich. De stevige rechercheur zag er, toen hij Halvors kantoor binnenkwam en met zijn blonde kuif knikte, uit als de efficiency in hoogsteigen persoon – zoals gewoonlijk.

'Deze foto zat in de portefeuille van Rossvik. Wil jij die meenemen en aan zijn moeder laten zien als je daarheen gaat? Als zij hem niet herkent, mag je hem aan Schram en aan Rossviks collega's laten zien.'

'Doe ik. Zal ik hem eerst even kopiëren?'

Halvor keek op de klok. 'Dat red je niet als je over een halfuur in Ås wilt zijn. Doe het maar als je terugkomt.' Hans Petter knikte en vertrok.

Halvor leunde achterover in zijn stoel. Was het normaal voor homo's om met foto's van jonge jongens in hun portefeuille rond te lopen als ze zelf geen kinderen hadden? Had Rossvik in kringen van pedofielen verkeerd? Had Bredal zijn werkterrein op de een of andere manier uitgebreid tot kinderen? Zou ruzie over deze jongen of andere jongens iets met het motief voor de moord te maken kunnen hebben?

Kristine stak haar hoofd om de deur. 'Dalberg kan ons meteen ontvangen. Zullen we gaan?'

14

Donderdag 21 september 2006

Dalberg zag eruit als de klassieke leraar: grijzend haar, bruin corduroy jasje met leer op de ellebogen en ogenschijnlijk wat stoffig van het krijt, als het tenminste geen roos was.

Dalberg was ongeveer even oud als Andersen, misschien een paar jaar ouder. Maar hij zag er nog altijd wel zo goed uit dat de meisjes van de school hem waarschijnlijk beschouwden als een van de 'lekkerste' leraren.

Het verschil met Halvors eigen schooltijd was dat Dalberg een laptop onder zijn linkerarm had. De rechterarm gebruikte hij om Halvor en Kristine een hand te geven.

'Het was een behoorlijke schok voor me om te horen dat twee van mijn oud-leerlingen zijn vermoord. Ja, dat Bjarne dood was, heb ik een paar dagen geleden al gehoord, maar ik wist niet dat Anders ook... Pas toen u het me vertelde,' zei hij, terwijl hij Kristine aankeek.

'De naam wordt waarschijnlijk pas vanmiddag vrijgegeven,' zei Halvor.

Dalberg vervolgde nadenkend: 'Met zulke dingen is het net als met ouders. Het voelt tegennatuurlijk als een leerling eerder overlijdt dan zijn vroegere leraar.'

De man leek oprecht in zijn ingetogen verdriet en Halvor vond hem intuïtief sympathiek. Dalberg deed hem denken aan zijn eigen favoriete leraar op de middelbare school. Dankzij het eindeloze geduld van die leraar had Halvor een voldoende voor Duits weten te halen, hoewel dat het enige vak was waar hij echt de pest aan had gehad.

'Kunt u zich hen goed herinneren?' vroeg Halvor nadat ze in een leeg klaslokaal waren gaan zitten.

'Ja, best goed. Dat komt doordat ze allebei deel uitmaakten van de vriendenclub met de sterkste onderlinge band die ik in mijn loopbaan ooit heb meegemaakt. Ze waren met zijn vijven, en ze zaten allemaal in mijn klas. Ze hadden allemaal een bijnaam. Bjarne werd 'Bubbel' genoemd omdat hij nogal corpulent was, om het maar zo te zeggen, en Anders was 'Andy', voor zover ik me herinner, tenminste.'

'Was het een leuk groepje?'

'Niet zonder meer, nee. Ze deden het over het algemeen heel aardig op school, ook al was geen van hen nou direct een hoogvlieger. Bjarne had heel goed kunnen zijn als hij had gewild, maar hij wilde niet. Het vervelende was dat ze echt alles samen deden. Als er één spijbelde, kon ik er zeker van zijn dat de andere vier er ook niet waren.'

'Hadden ze conflicten met andere kinderen, dat u weet?'

'Nee, eigenlijk niet. Ze waren meestal op zichzelf, zaten bij elkaar in de klas en bleven op het schoolplein ook bij elkaar. Wat gekibbel en geruzie met andere kinderen zal er wel geweest zijn, maar ik kan me niet herinneren dat er echt een conflict met iemand was, nee.'

Halvor haalde de klassenfoto tevoorschijn en liet zijn vinger quasi toevallig bij Bredal uitkomen.

'Ook niet met hem hier, bijvoorbeeld?'

'Nee, nee, nee! Knut Iver was een van de leiders van de groep. Als Bjarne de leider was, kun je zeggen dat Knut Iver zijn rechterhand was. Het is geen toeval dat hij op deze foto naast Bjarne staat. Knut Iver was eigenlijk de enige van hen die ik echt niet aardig kon vinden. Hij leek af en toe zonder meer slecht, en ik denk dat ze hem niet voor niks "De Kraker" noemden. Bovendien was hij duidelijk het minst geïnteresseerd in school,' zei Dalberg.

Halvor slaagde erin zijn verbazing te verbergen en wilde juist weer een vraag stellen toen Dalberg eraan toevoegde: 'Ik geloof trouwens dat Knut Iver echt op het verkeerde pad is geraakt. Ik meen zelfs te hebben gehoord dat hij een tijdje in de gevangenis heeft gezeten.'

Halvor pakte de klassenfoto en vroeg Dalberg de andere leden van de groep aan te wijzen.

'Vidar Steffensen en Nikolai Pedersen, of Steffen en Nikko, voor zover ik me herinner,' zei Dalberg met zijn wijsvinger op de foto. 'Ik heb ze allebei nog weleens als volwassene ontmoet en ze leken goed terecht te zijn gekomen. Nikolai heeft een antiquariaat hier vlakbij, aan het St. Olavsplass, en Vidar werkt bij een reclamebureau, geloof ik.'

'U hebt dus ook nooit grote conflicten tussen die vijf onderling meegemaakt?'

'Nee, niet meer dan stoeien, zoals jongens van die leeftijd zo vaak doen.'

Dalberg keek Halvor aan. 'Denken jullie dat de moorden op Bjarne en Anders iets te maken kunnen hebben met het feit dat ze samen op school hebben gezeten?'

'Daar houden we rekening mee, maar voorlopig proberen we alleen maar een zo breed mogelijk beeld te krijgen. Misschien hebben we later nog meer vragen aan u.'

'Dat is prima, natuurlijk. Maar als u het goedvindt, zou ik nu liever gaan. Ik moet een roman van vijfhonderd bladzijden interessant proberen te maken voor mijn leerlingen: *Misdaad en straf.* Hij wees op een paperback die half uit de zak van zijn jas stak. 'Die titel past hier nu toch wat wrang bij, vrees ik.' Hij glimlachte somber.

Halvor onderscheidde de naam Fjodor Dostojevski boven aan het omslag, en glimlachte terug. Dalberg was kennelijk niet iemand die terugschrok voor een uitdaging. Het verbaasde hem trouwens dat het niet in hem opkwam de leraar tegen te houden. Een leraar verloor blijkbaar nooit zijn autoriteit, zelfs niet tegenover de politie.

*

Het was bijna twaalf uur en Bastian zat in een auto aan de westkant van de Uelandsgate, twintig meter van De River. Het irriteerde hem hevig dat Halvor Speciale Operaties er niet toe had kunnen bewegen om de flat al vanaf dinsdagavond, toen ze de taipan hadden gevonden, te laten bewaken. In dat geval hadden ze gegarandeerd geweten waarom het licht aan was. Nu moesten ze wachten tot het arrestatieteam de flat in ging en Bredal arresteerde, als hij daar tenminste was.

Door de telefoon had Halvor duidelijk gemaakt dat hij hoopte dat er een gewone, ongewapende patrouille naar Bredals flat zou gaan. Als de politie met de hele santenkraam kwam, zou de souteneur ongetwijfeld begrijpen dat ze hem voor meer zochten dan alleen voor het niet verschijnen in de rechtszaal. Uit de gegevens die ze over Bredal hadden, bleek dat hij doorgaans ook niet met vuurwapens rondliep. Meestal waren zijn vuisten, of hooguit een knuppel, meer dan genoeg voor zijn dagelijks werk.

Maar officier van justitie Cecilie Kraby was het niet met Halvor eens. Voor haar stond de veiligheid voorop. Bastian zag de auto van het arrestatieteam uit de Kirkevei komen en weer uit zicht verdwijnen, de Pontoppidansgate in. Onderweg kwamen ze langs de auto met agenten van Speciale Operaties, die de flat vanaf de andere kant, waar de entree was, in de gaten hielden.

Hij voelde het aanhoudingsbevel en het huiszoekingsbevel in zijn zak branden. Hij wist dat de auto vlak bij de muur, een paar meter van Bredals trapopgang, zou parkeren, zodat Bredal hem niet vanuit zijn ramen kon zien. Ze zouden op een andere bel dan die van Bredal drukken om hem niet te waarschuwen dat ze eraan kwamen.

Er trilde iets in Bastians zak. 'Ze zijn naar binnen,' luidde het sms'je. Hij wachtte met de verrekijker voor zijn ogen. Er verstreek een minuut en toen nog een. Plotseling zag hij dat er nog een lamp werd aangedaan en kon hij binnen de gestalten van politiemensen onderscheiden. Zijn telefoon ging.

'Ze zijn nu in de flat. Hij is leeg.'

'Oké. Ik kom eraan.'

Bastian liep snel door de Uelandsgate en rondom de oude binnenplaats. Bij de ingangsdeur hield een agent in volle uitrusting de wacht.

'Tja, niks aan de hand hier,' zei hij. 'Het was een standaarddeur die naar binnen openging, dus we hebben de stormram gebruikt. Een makkie.'

Bastian keek hem aan. 'Ik ga gauw even naar boven. Zouden jullie een paar minuten iets verderop kunnen gaan staan? Het is mogelijk dat Bredal juist opduikt terwijl wij hier zijn, en dan is het misschien goed als er iemand met een wapen in de buurt is.'

'Wij moeten naar een nieuwe opdracht, maar als je wilt kan ik Uniform wel vragen de deur te beveiligen als wij weg zijn. Ik neem aan dat er een eenheid onderweg is.'

'Dat zou mooi zijn. Dankjewel,' zei Bastian.

De ME'er knikte en zei iets in de politieradio. De rest van het arrestatieteam stond in de gang toen Bastian bovenkwam.

'Het filter in het koffiezetapparaat is nog lauw,' zei een van de gehelmde mannen.

'Interessant,' zei Bastian en hij knikte om zijn dank te betuigen. Hij wist dat hij op het plaatsdelictteam moest wachten, dat sporen moest verzamelen, maar hij kon de verleiding om naar binnen te gaan niet weerstaan. De mensen van het arrestatieteam hadden toch al met hun zware laarzen door de flat gestampt. De deur klapte achter hem dicht en hij was alleen. Bastian wist niet precies wat hij zocht, maar de flat was klein en hij zou er zo doorheen zijn. Buiten stonden nog bewakers, die hem zouden waarschuwen als iemand de flat binnenging. Hij begon in de keuken. Het koffiefilter leek inderdaad nog maar pasgeleden te zijn gebruikt en er waren ook nog sporen van water in de gootsteen. Afgezien daarvan was de flat veel mooier en opgeruimder dan Bastian op basis van zijn kennis over Bredal had verwacht. Het aanrecht was netjes schoongemaakt en de muren zagen er nog fris geverfd uit. Op de tafel stond zelfs een plantje. Hoewel de bloemen slap hingen, zat er nog wel leven in. In de kleine woonkamer stond een driezitsbank tegen de ene lange muur en een ladekastje tegen de andere. Tegen de korte muur naast het raam naar de straat, op een tafeltje, stond... een glazen bak. Bastian begreep onmiddellijk wat dat was en liep ernaartoe. Onderin lag een dun laagje boomschors, in een hoek kon hij ontlasting zien liggen.

Hij wist dat hij nu zeker hoorde te wachten op de technische recherche. Door zijn pas verworven kennis over het houden van slangen kon hij echter niet nalaten een blik in de vriezer onder de koelkast te werpen. Hij trok plastic handschoenen aan, deed de deur open en vond al in de tweede la wat hij zocht. Helemaal bovenin, netjes ingepakt in plastic zakjes, lag een aantal muizenlijkjes. Bastian huiverde.

Hij ging weer naar de keuken en ditmaal bekeek hij het ogenschijnlijk lege schrijfblok dat op het aanrecht lag nauwkeuriger. Hij pakte het op en hield het in het licht van het raam. En jawel, hij kon een afdruk zien van iets wat geschreven was op het vel papier dat nu weg was. Hij tilde het bovenste vel voorzichtig op van het vel daaronder en hield het tegen het licht. Hij kon verbazend duidelijk zien wat Bredal een keer op het voorste vel had geschreven. *Vargvei 56, links van Dalsvei* stond er. Bastian sloeg het in zijn geheugen op en legde het schrijfblok toen voorzichtig terug op het aanrecht.

Hij wilde juist zijn mobiele telefoon pakken toen die hem voor was en begon te trillen. Hij keek naar het sms-bericht. KOMT IEMAND AAN stond er. Bastian ging gauw naar de voordeur. Maar voordat hij daar was, sloeg de deur beneden dicht en hoorde hij voetstappen op de trap. Shit! Geen kans om weg te komen voordat die voetstappen boven waren. Hij hield zijn linkeroog voor het kijkgat in de deur. Een paar tellen later zag hij een man van middelbare leeftijd met donker haar op zich af komen. Vlak voordat hij Bastian in de ogen kon kijken, draaide de man naar rechts en liep verder de trap op. Bastian haalde opgelucht adem. Hij hoorde boven zich een deur open en dicht gaan en wachtte een paar minuten. Toen ging hij de trap op en klopte op de deur boven de flat van Bredal. Dezelfde man deed open. Bastian stelde zich voor en toonde zijn legitimatie.

'Bredal hierbeneden is een mogelijke getuige in een zaak waar wij mee bezig zijn en het is van groot belang dat we zo snel mogelijk met hem praten. Hebt u hem de afgelopen dagen gezien?'

'Ik heb al zeker een week niets van hem gehoord of gezien, behalve dat ik hem vanmorgen voor dag en dauw thuis hoorde komen. Ik dacht eigenlijk dat hij op vakantie was naar Zuid-Europa of zo, maar ik weet het eigenlijk niet. Bredal is niet iemand die zijn buren op de hoogte houdt.'

'Oké. Dank u wel. Als u hem ziet, hoeft u niet tegen hem te zeggen dat we hem willen spreken.'

'Nee, hoor, ik zeg hem amper gedag, dus dat is geen probleem,' antwoordde de man. Hij keek de rechercheur even aan. 'Is hij gevaarlijk?'

Bastian wist niet goed hoe hij daarop moest reageren. Uiteindelijk zei hij: 'Niet voor mensen hier in de flat.'

Terwijl hij naar beneden ging, belde hij Halvor en vertelde zijn verhaal. Hij was enthousiast: 'We kunnen vast wel DNA-sporen in die bak vinden die bewijzen dat het dezelfde slang is als die nu bij onze reptielenexperts is. Je zult de TR wel al gewaarschuwd hebben. Misschien kun je ze vragen om met voorrang een monster te nemen uit die bak?'

Bastian kwam het flatgebouw uit en zag de witte pakken al een paar meter voor zich. 'Hij had in een hoek gepoept, dus ik zal de collega's vragen meteen een beetje veilig te stellen, dan neem ik dat mee naar het bureau. Op weg daarheen kan ik ook even bij het Reptielenpark langsgaan en daar een beetje van de slang meenemen, dan hebben we ze allebei binnen een of twee uur bij Forensisch,' zei Bastian.

'Prima,' zei Halvor. 'Nu hebben we zoveel over Bredal dat we moeten overwegen een opsporingsbericht naar de media te sturen. Het nadeel is natuurlijk dat hij er dan achter komt waarom we hem zoeken, en dan graaft hij zich vast nog dieper in. Ik zal het met de officier opnemen zodra ik op het bureau ben.'

15

Donderdag 21 september 2006

Het antiquariaat aan het St. Olavsplass was een van de aantrekkelijkste die Halvor ooit had gezien. Het was er licht en niet zo stampvol als bij de meeste branchegenoten. Maar de aangename geur van oude boeken was er net zo overheersend. De vrouw achter de toonbank paste bij de sfeer: ze was eind twintig, zag er precies intellectueel genoeg uit, maar produceerde evengoed een verkoopbevorderend glimlachje toen de beide rechercheurs binnenkwamen. Eigenlijk was ze best knap, dacht Halvor: lang, donker, een beetje bleek en een beetje mystiek. Bovendien bestudeerde ze hem nadrukkelijk van top tot teen, terwijl ze zijn vrouwelijke collega als lucht behandelde. Hoe verkoopbevorderend dat laatste was, viel nog te bezien. Vanuit zijn ooghoek zag hij dat Kristine er niet blij mee was dat ze over het hoofd werd gezien.

Halvor kreeg nog een stralende glimlach voorgeschoteld toen hij zich voorstelde en vroeg of Nikolai Pedersen er was.

'Nee, Nikolai is vandaag in de winkel in Frogner. Hij was vorig weekend op een vlooienmarkt en is nu als een bezetene aan het catalogiseren. Moet ik hem even hierheen laten komen?'

Haar stem was een beetje hees en tamelijk sexy. Er zat ook iets van een zangerig dialect doorheen, dacht Halvor. Ergens uit het noorden, de kust van Helgeland?

'Nee, dank u. Geef ons het adres maar, dan rijden we er wel heen.' Halvor wist dat ze Nikolai sowieso zou bellen om te vertellen dat de politie naar hem had gevraagd, maar het zou hen te lang ophouden als ze dat deed terwijl Halvor en Kristine nog in de winkel waren.

'Heeft Nikolai iets verkeerds gedaan?' Ditmaal was haar glimlach een beetje ondeugend, alsof ze het wel aantrekkelijk vond dat iemand een beetje van het rechte pad afweek.

'We hebben geen reden om dat te denken...' begon Halvor, maar hij werd onderbroken door een enigszins rood aangelopen Kristine: 'Kent u hem goed?'

Ze werd beloond met een korte, ongeïnteresseerde blik. 'Hij is mijn vriend.' Ze wendde zich weer tot Halvor. Met half geloken ogen en een stem die nog lager zonk, vroeg ze: 'Verder nog iets?'

Met een demonstratieve blik opzij naar haar collega draaide Kristine zich met een ruk om en ging weg. Halvor bedankte voor de informatie en werd door Nikolais vriendin vergezeld naar de deur. Hoewel hij wist dat ze met hem flirtte, kon hij het niet laten zich om te draaien toen de deur achter hem dichtging. Hij ving nog een glimp op van haar wiegende heupen voordat de deur dichtviel.

Halvor draaide zich naar Kristine toe met een zalvende glimlach om zijn lippen.

'Beetje aangebrand vandaag?'

Kristine snoof. 'Die daar eet mannen voor het ontbijt en is totaal nergens anders in geïnteresseerd. Als we haar een keer moeten verhoren, wil ik dat doen – alleen!'

Halvor grijnsde inwendig, maar was verstandig genoeg om dat niet te laten zien. Hij meende wel te begrijpen waarom Kristine zo verontwaardigd was: het had Andersen bijna drie jaar gekost om te ontdekken dat er een hoofd zat op dat mooie lichaam, waarvoor de meeste van zijn rechercheurs hun nek bijna verdraaiden als ze haar nakeken in de gangen van het bureau.

Op weg naar Frogner bespraken ze wat Bastian had gevonden in de flat van Bredal. 'De man heeft op beide plaatsen delict sporen achtergelaten, en hij moet toch weten dat wij zijn mobiele nummer hebben. Ik zou hem in elk geval niet hebben ingehuurd als ik iemand nodig had gehad om een karweitje uit te voeren dat het daglicht niet kon verdragen,' zei Kristine.

'Ik ook niet, maar daar heb ik nog veel meer redenen voor. Geraffineerde criminaliteit is nooit Bredals sterke punt geweest – voor zover wij weten, tenminste. De sporen die hij heeft achtergelaten zijn echter onopvallend. We hadden ze over het hoofd kunnen zien. Voorlopig hebben we nog geen idee waar hij mee bezig is of wat zijn motief kan zijn geweest. Het is niet onmogelijk dat hij het in opdracht van iemand doet, maar zelfs voor Bredal gaat het misschien wat ver om tegen betaling oude vrienden uit de weg te ruimen...'

Hij zweeg even en concentreerde zich op een gedachte. Kristine hield wijselijk haar mond.

'Het is natuurlijk niet ondenkbaar dat Dahl en Rossvik allebei betrokken waren bij een geheim prostitutienetwerk, misschien wel met minderjarigen, te oordelen naar de foto in Rossviks portefeuille. Misschien is er iets misgegaan bij de verdeling van het geld of zo, of misschien was De Kraker bang dat ze ontdekt zouden worden. Op de een of andere manier moeten we bewijzen dat die drie na hun schooltijd contact met elkaar hebben gehouden.'

'Of we moeten Bredal te pakken krijgen,' zei Kristine.

'En we moeten Bredal te pakken krijgen,' corrigeerde Halvor. 'Ik heb Bastian trouwens gevraagd uit te zoeken waar die wegen zijn die de schoft had opgeschreven. Dat moet toch vrij snel gaan als je de elektronische kaartenbestanden erop naslaat. We mogen toch hopen dat dat resultaat oplevert.'

Ze stopten voor de winkel in de Nordraaksgate. ANTIQUARIAAT PERKAMENT stond er met grote letters op de etalageruit geschilderd. De zaak zag er splinternieuw uit, maar het belletje dat rinkelde toen ze over de drempel stapten, klonk ouderwets en passend bij de branche. De muren en planken waren pas gewit en zowel het geluid als de lichtheid van de ruimte deed Halvor denken aan de scientologykerk in Londen, waar hij een paar jaar geleden naar binnen was gelokt voor een gratis persoonlijkheidstest. Uit de test was gebleken dat Halvor enorme problemen had in zijn leven, die hij onmogelijk zelf aankon. Ze hadden hem dringend aangeraden een serie heel dure cursussen te gaan volgen.

'Hai, ik kom zo,' werd er vanachter de toonbank geroepen. Kristine was de collectie al aan het bestuderen. Halvor wist dat ze, net als hij, van lezen hield. Ze hadden zelfs dezelfde voorliefde voor middeleeuwse literatuur, wat ook bleek uit het boek dat ze van de plank haalde: een prachtige uitgave van *Tristan en Isolde*.

'De moeite waard,' was Halvors commentaar.

'Ik heb het al gelezen,' zei Kristine terwijl ze hem bleef aankijken, 'maar ik heb nog nooit een mooiere uitgave gezien dan deze.'

Heel even vroeg Halvor zich af of ze soms iets anders bedoelde, maar toen werden ze onderbroken doordat er vanuit de achterkamer een middelgrote man met een bolle buik en een wijkende haargrens tevoorschijn kwam.

Met zijn ene hand legde hij drie boeken op de toonbank en vervolgens krabde hij met zijn andere hand door zijn kleine plukje donker haar.

'Nikolai Pedersen is de naam. Ik ben bezig de boeken van de vlooienmarkt in Ruseløkka, vorig weekend, te sorteren. Een goudmijntje,' constateerde hij handenwrijvend en met een glimlachje.

'Jullie zijn van de politie, neem ik aan? Maria heeft een paar minuten geleden gebeld.'

Halvor glimlachte terug. 'Dat klopt. U weet misschien waarom we hier zijn?'

'Niet helemaal, moet ik toegeven. Een paar weken geleden heb ik wel een parkeerboete gekregen, maar die is allang betaald. En de Oslose politie stuurt toch vast geen twee mensen om parkeerboetes te innen?'

'Nee, dat lukt de gemeente heel goed zonder onze hulp. Maar de moord op Bjarne Rossvik hebt u misschien wel meegekregen?'

'O ja, jesses! Uit wat er in de kranten staat, maak ik op dat het wel een boek van Agatha Christie lijkt... Maar toch snap ik niet helemaal waarom u naar mij toe komt. Ik heb Bjarne vroeger wel goed gekend, maar het is al heel lang geleden dat we voor het laatst contact hebben gehad.'

Halvor gaf Pedersen een grove schets van de zaak, zonder melding te maken van de rol van Bredal, en legde uit dat ze hadden ontdekt dat er een nauwe band bestond tussen de beide slachtoffers. 'Er zijn nog andere factoren die erop duiden dat er hier een lijn terug kan lopen naar vroeger. Ik heb begrepen dat u met Rossvik en Dahl een groepje vormde op de basisschool. Ik zou graag willen dat u ons iets meer over dat groepje vertelt.'

'Op zoek naar de verloren tijd, zeg maar? Tja, ik kan wel iets vertellen over de basisschool, maar daarna valt er niet veel meer te zeggen. Ik geloof niet dat er jongens zijn die daarna nog contact hebben gehouden,' zei Pedersen.

Hij vertelde dat ze al in het begin van de basisschool bevriend waren, maar dat ze pas een hechte groep waren geworden toen ze allemaal in de zevende klas zaten. Maar van toen af waren ze samen, onder leiding van Bubbel. Ze gingen samen van en naar school, spijbelden samen, vierden samen feest, gingen samen op vakantie, zaten samen op een hobbyclub en deelden samen hun eerste kratje bier.

'Áls er al anderen bij onze groep hadden willen komen, was dat onmogelijk geweest. Alles draaide om ons vijven. Ik denk dat het niet erg gezond was geweest als we zo waren doorgegaan. We waren niet tegen iedereen even aardig, maar ik kan me niet voorstellen dat iemand ons daar twintig jaar later nog over zou lastigvallen, als jullie dat soms denken.'

'Waren er ooit onderlinge conflicten in de groep?'

'Nooit. Weleens een scheldpartij – we waren jongens – maar we steunden elkaar toch door dik en dun. We waren ons er toen waarschijnlijk niet van bewust, maar ik geloof dat ik me eraan onttrokken heb omdat het gewoon te dichtbij kwam. Op de middelbare school kregen we andere interesses. Toen waren er meisjes in het spel en we gingen naar andere plaatsen. De anderen voelden het ook zo, voor zover ik weet.'

'We gaan ook een praatje maken met Vidar Steffensen. Hebt u na de lagere school nog contact met hem gehad?'

'Op de middelbare school zijn we nog wel een paar keer bij elkaar geweest, maar we gingen naar verschillende scholen en zijn op den duur uit elkaar gegroeid. Toen ik bij Defensie eenmaal met Russische les was begonnen, heb ik met geen van hen contact meer gehad, behalve één keer met Steffen. Dat was toen ik zeven jaar geleden mijn antiquariaat begon. Ik had gehoord dat hij iets in de reclame deed, en ik vond hem bij het reclamebureau van Leo Burnett. Hij heeft me wat adviezen gegeven over hoe we ons moesten profileren. Ik weet niet waar hij nu is. Leo is een paar jaar geleden natuurlijk roemrucht aan zijn eind gekomen. Over valhoogte gesproken – van de tweeëntwintigste verdieping van het Postgebouw!'

'En Knut Iver Bredal, oftewel De Kraker?'

'Ik heb geen idee wat hij doet, al vermoed ik dat dat nou niet meteen een eerlijke baan zal zijn. Hij was de enige van ons die de middelbare school niet heeft afgemaakt.'

'Waarom denkt u dat hij niet helemaal op het rechte pad is gebleven?'

'Dat zei Steffen toen ik hem destijds sprak. Hij was De Kraker een keer tegengekomen in een tippelstraat in de stad. Bredals ogen stonden niet goed en hij was zo stoned dat hij Steffen haast niet herkende.'

'Iets heel anders: heeft Steffen een gezin, voor zover u weet?'

'Ik geloof dat hij een vrouw heeft en een of twee kinderen, maar het kan zijn dat ik me vergis.'

'En u?'

'Nee...' Hij glimlachte. 'Ik ben nog niet zover, maar ik hoop dat het nu niet lang meer duurt. Jullie hebben Maria op het St. Olavsplass ontmoet, dus... Daar heb ik niet alleen een werkrelatie mee, om het zo maar te zeggen.'

Kristine slaagde er niet in voor Halvor te verbergen dat ze haar ogen ten hemel sloeg.

'Zo wordt met het lokaas van uw leugen deze karper der waarheid gevangen,' zei Halvor plotseling.

'Geef me een paar tellen,' zei Pedersen. Hij draaide zijn ogen omhoog en keek naar het plafond. 'Dat moet iets uit *Hamlet* zijn. Polonius of zo. Uit de hertaling van André Bjerke, denk ik zo?'

'Klopt!' Halvor glimlachte geïmponeerd.

'Het is een van de zeer weinige citaten die ik om de een of andere reden in mijn hoofd heb.'

'Ik ben ook geen citatenjager, maar ik kan mensen achteraf wel heel goed koppelen aan dingen die ze gedaan hebben.'

'Dus zo werken jullie bij de politie: de waarheid met leugens vangen?'

'Helaas is daar erg weinig ruimte voor. We zijn aan alle kanten gebonden aan regels voor behoorlijk gedrag. Maar daar staat tegenover dat we over een heleboel hulpmiddelen beschikken die Polonius niet had.'

'Dat wil ik graag geloven,' grijnsde Pedersen.

'Eén vraagje nog: weet u hoe Bubbel aan zijn bijnaam kwam?'

Pedersen grijnsde opnieuw. 'Dat had eigenlijk niks met zijn lichaamsomvang te maken. Een van ons had op de kleuterschool een keer zeepsop in zijn melk gegooid. Hij hoestte, proestte en nieste zeepbellen in het rond. Ik denk dat we dat geen van allen ooit nog vergeten.'

Kristine rekende het boek af, ze bedankten Pedersen en vertrokken.

‘Wat denk je?’ vroeg Halvor toen ze eenmaal in de auto zaten.

‘Als die jongens de afgelopen jaren contact met elkaar hebben gehad, is het duidelijk dat meneer Pedersen niet van plan is ons dat te vertellen. Laten we maar eens kijken wat we uit Vidar Steffensen krijgen,’ zei Kristine.

‘Tja. Als ze nog steeds zo loyaal zijn als toen, is het nog maar de vraag of we van hem iets anders zullen horen,’ antwoordde Halvor.

*

Vidar Steffensen stond hen bij de receptie op te wachten toen ze aankwamen. De val vanaf de twee verdiepingen die Leo Burnett hoog boven in het Postgebouw had gemaakt, was inderdaad enorm geweest. Het gigantische kantorencomplex in de wijk Skullerud huisvestte zeker vijftig bedrijven, en het had lang geduurd voor ze het kleine, onaanzienlijke bordje met de naam ‘Generatorene AS’ hadden gevonden.

Steffensen zag er bleek en flets uit. Zelfs een glimlachje kon dat niet verhullen. Halvor vroeg zich af wat de reden hiervoor zou kunnen zijn. De man was gekleed in een zwarte coltrui, een grijs jasje en een donkere spijkerbroek. Zijn donkere, halflange haar completeerde het creatieve, semi-intellectuele uiterlijk dat bijna het uniform van de reclamewereld was geworden.

Op weg naar Steffensens kantoor stopten ze bij de koffieautomaat, waar Halvor en Kristine allebei voorzien werden van een macchiato. Ze mochten plaatsnemen in twee mooie gastenstoelen. Halvor meende dat Birgitte hem ooit eens had verteld dat die voor heel veel geld in Denemarken werden geproduceerd. Steffensen had duidelijk geen zin in een gezellige babbel, dus Halvor bedankte hem eerst dat hij hen zo snel kon ontvangen.

‘Ik wil de politie graag van dienst zijn, maar ik heb niet veel tijd. Over een goed uur heb ik een gesprek met de hoofdarts in het ziekenhuis waar mijn zoon ligt, en ik wil liever niet te laat komen. Ik ben eigenlijk alleen maar op mijn werk om een paar afspraken af te zeggen en om mijn collega’s te vertellen dat ik een poosje niet kom werken.’ Hij glimlachte weer, bijna verontschuldigend.

‘Dat begrijp ik. We zullen u niet lang ophouden. Mag ik vragen wat uw zoon mankeert?’

'Hij heeft hersenvliesontsteking, waarschijnlijk als gevolg van een tekenbeet. Het was een heel beangstigende ervaring. Hij zakte gisteren op zijn kamer zomaar in elkaar...' Steffensens stem zakte weg en Halvor zag geen reden om hem te dwingen hier langer dan nodig over door te gaan.

'Komt het weer goed?'

Steffensen knikte. 'Alles wijst erop dat het een milde vorm van hersenvliesontsteking is. Maar de gevolgen kunnen ernstig en langdurig zijn. Hoofdpijn, spierpijn, slapheid, slechte eetlust, zulke dingen. Hij kan een paar weken niet naar school en ik wil thuis zijn zodra hij uit het ziekenhuis komt. Hij zal zijn vader en moeder nu een tijdje echt nodig hebben.'

Halvor knikte dat hij het begreep. Hij zou hetzelfde doen, wat Andersen er ook van zou vinden. Op een foto midden op Steffensens bureau zag hij, naar hij aannam, het hele gezin: een lieve, blonde vrouw die enigszins aan Birgitte deed denken, een meisje van een jaar of zeven met bloemen in haar haar en een iets oudere jongen die sprekend op zijn vader leek.

'Is hij negen?'

'Ja.'

Halvor dacht even aan zijn eigen zoon en wat hij zou voelen als dit Ole was overkomen. Hij moest vanavond met Birgitte bespreken dat ze hun kinderen op teken moesten controleren. Daar dachten ze anders nooit aan. En hij moest nog naar die blauwe plek vragen.

Halvor zag dat Kristine ongeduldig werd en legde Steffensen kort uit waarom ze hier waren. De beide rechercheurs kregen de bevestiging van Steffensens ontmoeting met De Kraker, en dat die zich daarbij had gedragen alsof hij onder de drugs zat. Halvor deed een schot voor de boeg: 'Heeft Bredal er toen iets over gezegd dat hij nog contact had met Dahl en Rossvik?'

Steffensen keek verbaasd. 'Had hij nog contact met hen, dan?'

Halvor schudde zijn hoofd. 'Niet dat we weten, voorlopig.'

'Nee, hij heeft daar helemaal niks over gezegd. Toen ik naar de anderen vroeg, leek het eigenlijk meer alsof hij niet wist over wie ik het had. Zoals gezegd: hij leek nogal in de war,' zei Steffensen.

Verder kwam de beschrijving die de reclameman van de vriendenclub gaf bijna opzienbarend sterk overeen met die van Pedersen.

'We waren waarschijnlijk niet beter of slechter dan de meeste groepjes jongens. Maar er was een ongewoon sterke loyaliteit tussen ons. En we hielden onze mond over wat we uitspookten. We waren echt bloedbroeders, met messen en al. Niets kon ons scheiden – toen.'

'Toen... Betekent dat dat er later iets tussen jullie kwam?' vroeg Kristine.

'Nee, hoor, we groeiden gewoon uit elkaar toen we eenmaal op de middelbare school zaten, zoals zo vaak gebeurt. Ik denk dat we allemaal de behoefte hadden om ons los te maken, om een andere omgeving te leren kennen. Een soort ontworstelingsproces of zo.'

'Hebben jullie ooit iets onwettigs gedaan?'

'In dat geval zou ik het toch niet aan de politie vertellen?' Steffensen glimlachte. 'Niets waarvoor we in de gevangenis hadden kunnen komen, in elk geval. Kwajongensstreken vooral. Bijvoorbeeld toen we Dalberg op de wc opsloten door het slot aan de buitenkant vast te zetten. Hij kwam er uiteindelijk uit door over het scheidingswandje te klimmen en hij kwam twintig minuten te laat in de les. Hij is, geloof ik, nooit meer naar het leerlingentoilet gegaan.'

Halvor keek weer naar het familieportret op Steffensens bureau. 'Statistisch gezien is uw gezin compleet, zie ik?'

'Met één van elke soort, bedoelt u? Ja, we zijn tevreden, hoor. Er zullen er waarschijnlijk niet meer komen.'

'En de reclamebranche levert nog voldoende op, ondanks de dood van Leo Burnett?'

'Jazeker, in elk geval genoeg om van rond te komen. Ik weet trouwens niet hoe lang ik nog in deze branche blijf werken. Ik begin behoefte te krijgen om volwassen te worden, iets zinvols met mijn leven te doen, voorlopig weet ik nog niet wat. Een wat vroege midlifecrisis, zou je kunnen zeggen.'

Halvor keek op zijn horloge en besloot dat ze de man niet zouden beletten zijn afspraak met de dokter te halen. Ze zouden later wel weer eens met hem praten. Hij bedankte voor de informatie en wenste Steffensens zoon beterschap.

De ontmoeting met Steffensen had niet veel nieuws opgeleverd, maar Halvor had sterk het gevoel dat de man iets had verzwegen. Hij was, net als de meeste reclamejongens, sympathiek en prettig in de omgang en was oprecht en ontroerend bezorgd om zijn zoon, maar er was toch iets wat niet klopte. Uit de gesprekken met Dalberg, Pedersen en Steffensen was onmogelijk een motief te destilleren waarom Bredal sommige leden van zijn vroegere vriendenclub om het leven zou willen brengen. Naar Halvors idee betekende dat ofwel dat ze iets achterhielden wat er toen gebeurd was, ofwel dat Bredal en in elk geval de twee vermoorde mannen ook na de middelbare school nog contact gehad hadden. Halvor vroeg zich af hoe het verder zou gaan en hoopte dat er vandaag iets uit het onderzoek van de anderen was gekomen.

*

Om halfvier zaten ze met zijn allen om de kleine vergadertafel op Halvors kantoor. Halvor en Kristine hadden al een presentatie gegeven van wat ze in de loop van de dag te weten waren gekomen. Dat ging snel. Meretes verslag was zoals gewoonlijk kort, maar goed en volledig. Voor zulke situaties gebruikte ze uitdrukkingen die eerder thuishoorden in schriftelijke verslagen, maar Halvor trok zich daar maar zelden iets van aan. Het was altijd op z'n ergst wanneer Merete haar verslag net had geschreven, en dat was nu kennelijk het geval.

'Toen ik bij Boekenvreugd arriveerde, werd ik eerst ontvangen door de directeur. Zij verklaarde dat Dahl een goede verkoper was geweest, hoewel hij de verkooplijst al enkele maanden niet meer had aangevoerd. Hij wisselde telefonische verkoop en colportage af en verdiende een kleine veertigduizend kronen per maand. De directeur wist weinig over Dahls privéleven en verwees mij naar zijn naaste collega's. Op de gang sprak ik een man, Karsten Tvedt, die nu en dan samen met Dahl langs de deuren ging. Hij verklaarde dat Dahl gespecialiseerd was in oudere dames, aan wie hij grote, twaalfdelige werken verkocht. Niet zelden stierven de dames voordat ze de hele serie hadden ontvangen. Tvedt voegde daaraan toe dat Dahl zich in het bedrijf een reputatie had verworven doordat hij ooit de serie *Zo voed je je kind op* had verkocht aan een demente negentigjarige dame met een minimuminkomen, zonder man en kinderen. Tvedt beweerde ook dat Dahl vreselijk chagrijnig werd toen er al na twee delen iemand van de sociale dienst kwam om het contract op te zeggen.'

'Aardige kerel,' merkte Hans Petter op, maar Merete negeerde hem.

'Geen van zijn collega's heeft iets van belang verteld over Dahls privéleven, maar hij was niet echt ongeliefd en ik heb niets ontdekt wat een motief zou kunnen zijn voor een ernstig misdrijf. Een paar van zijn collega's vonden het raar dat hij geen echt goede baan had gevonden, omdat hij hoe dan ook een behoorlijk goede verkoper was. Voorts is het me niet gelukt verband te leggen met Rossvik of Bredal. Laatstgenoemde was in geen van de archieven te vinden. Wel heb ik Birger Schram gevonden, die elf jaar geleden een kunstboek had gekocht. Maar daarbij stond Dahl niet als verkoper genoteerd. Ten aanzien van het inkomende telefoontje voor Dahl, gisteren: dat kon helaas niemand van de receptie zich herinneren.'

'Dank je wel, Merete. Zo te horen heb je degelijk werk geleverd,' zei Halvor, een gaap onderdrukkend. 'Het volgende wat je kunt doen, is het checken van zijn persoonlijke financiële situatie. Als hij tegen de veertigduizend kronen per maand verdiende, moet hij iets met dat geld gedaan hebben of op zijn minst een flinke spaarrekening hebben. Zo'n klein flatje in een slechte buurt kan geen vermogen hebben gekost of duur in het onderhoud zijn geweest. Misschien had hij gokschulden en kwam Bredal geld opeisen.'

Hans Petters onderzoek bij de moeder van Rossvik in Ås had ook geen doorbraak in de zaak opgeleverd. Zijn vader was tien jaar geleden overleden aan een hartaanval, maar Rossvik voelde zich kennelijk verantwoordelijk voor zijn moeder, in elk geval financieel. Mevrouw Rossvik was duidelijk trots op alles wat haar zoon had gepresteerd en had Hans Petter de badkamer en de keuken laten zien, die allebei met geld van Rossvik junior waren opgeknapt. Ze wist ook niets bijzonders meer over de andere vier leden van de groep, behalve dat het 'fijne jongens' waren, die vaak bij hen over de vloer kwamen. 'Verder beklaagde ze zich erover, zoals zoveel moeders van die leeftijd, dat Bjarne haar zo weinig bezocht. Volgens haar kwam hij maar drie of vier keer per jaar naar Ås, inclusief kerstavond. Overigens denk ik dat ze nog steeds in een soort shock verkeert. Het leek alsof het nog niet echt tot haar is doorgedrongen dat haar zoon er niet meer is. Ze praatte steeds over hem in de tegenwoordige tijd. Hij had ook geen broers of zussen, dus nu blijft ze alleen achter.'

'En de foto?' vroeg Halvor.
'Dat wist ze niet goed. Ze dacht dat ze die jongen weleens gezien had, maar ze kon hem niet plaatsen, niet in tijd en niet in plaats. Sorry,' zei Hans Petter en hij hief zijn handen.
'Oké. Maak maar een paar kopieën voor ons allemaal. Ik wil hem aan de leraar en aan de twee vrienden laten zien. Het is misschien een wilde gok, maar ik heb nou eenmaal het gevoel...'
Een buitengewoon vruchteloze dag, dacht Halvor, en hij vestigde zijn hoop op Bastian, die tot dusver de enige was die zich nuttig had gemaakt. De jonge agent schetste snel wat hij had gevonden in Bredals flat, en dat zorgde in elk geval voor enige opwinding in het team.
'Bredal moet ofwel ongelofelijk dom zijn geweest ofwel ongelofelijk zelfverzekerd, als hij zoveel bewijsmateriaal open en bloot in zijn eigen flat laat liggen,' zei Merete.
'Te oordelen naar wat we nu van hem weten, is hij dat allebei,' merkte Kristine op.
Halvor vroeg of Bastian al had uitgevonden waar die twee wegen lagen.
'Nog niet. Ik heb een stuk of zes, zeven Vargveien gevonden en geprobeerd die te combineren met een Dalsvei, maar dat is nog niet gelukt. En ik geloof dat ik ze nu wel ongeveer allemaal heb gehad.'
Plotseling kwam Halvor op een idee.
'Hoe heetten die wegen ook weer, zei je?'
'Vargvei en Dalsvei.'
'Kristine zei dat Bredal af en toe zijn toevlucht zocht in Zweden. Heb je de Zweedse kaarten er al op nagekeken?'
'O, shit.' Bastian kreeg een kleur. 'Dat ik daar zelf niet aan gedacht heb. Bredal heeft de namen natuurlijk in het Noors opgeschreven, maar het kan evengoed Vargväg en Dalsväg zijn. Ik kijk het meteen na.'
Het duurde maar tien minuten, toen was Bastian alweer terug. 'Ik heb die combinatie van wegen gevonden aan de zuidkant van het Vänernmeer. En de Vargväg heeft een nummer 56.'
'Oké. Zoek uit wie daar het hoofd van de politie is. Bel Robert Willander van de Rijksrecherche in Stockholm maar en doe hem de groeten van mij. Dan gaat het waarschijnlijk sneller. Als je de

commissaris of iemand anders daar op kantoor te pakken krijgt, vraag dan of iemand zo snel mogelijk een discreet kijkje op dat adres kan nemen. En vraag of ze mij daarna mobiel bellen.'

'Is al bijna gebeurd,' zei Bastian en hij vertrok weer.

Halvor was blij dat híj op het idee was gekomen om Bastian te vragen Zweden te checken. Dat verleende de onderzoeksleider een zeker bestaansrecht op een dag die tot nu toe net zo zwaar en somber was geweest als de klassieke herfstdag buiten.

Toen hij in de garage kwam, was het al kwart over vier, en hij ontdekte algauw dat hij een flink probleem had. Het verkeer in de Oslogate stond stil, en over een halfuur sloot de naschoolse opvang. En voordat hij daarheen kon, moest hij Hans nog uit de crèche halen. Het zweet brak hem uit. Na vijf minuten vond hij de oplossing. Als hij ooit uit de Oslogate geraakte, moest hij proberen via de Konowsgate bij de Ekebergåsen te komen en daar via de bebouwing omhoog zigzaggen. Dan moest hij weliswaar een bord met 'verboden in te rijden' trotseren, maar dat moest nu maar even.

Eindelijk stond hij voor het rode licht op het kruispunt met de Dyvekesvei. Het licht sprong op groen, Halvor racete over het kruispunt en overschreed algauw de maximumsnelheid. Hij scheurde de Konowsgate in over de trambaan, zonder de rotonde rond te rijden. Eerste strafpuntje, dacht hij. De auto gleed een paar keer door op het natte wegdek. Toen kwam het verbodsbord en het tweede strafpuntje. Hij racete de steile helling op, rondde de bocht en vloog bijna recht op een wagen van de geüniformeerde politie. Hij kon nog net remmen en herkende Berentzen van de verkeersdienst. Hij stond naast de auto met een politiebordje te zwaaien. Halvors hart klopte in zijn keel. Laat hem me niet aanhouden, ik heb geen tijd, dacht hij. Hij wilde juist het raampje naar beneden doen en Berentzen vragen de bekeuring per post op te sturen, toen ze oogcontact kregen. De agent zag kennelijk de gepijnigde blik in Halvors ogen. Hoe dan ook, Berentzen keek even snel om zich heen en wuifde Halvor toen langzaam door. Maar hij keek niet vriendelijk.

Halvor haalde het, maar ditmaal was Hanne het enige kind dat er nog was, en de laatste leidster had haar jas al aan en stond in de deuropening te wachten. Hij had zich al de slechtste vader van de wereld gevoeld toen hij de crèche binnen was gerend, de spullen van Hans in zijn rugzak had gesmeten en hem schreeuwend mee naar buiten had gedragen. Het enige wat Halvor verbaasde, was dat er ondertussen niet ook nog een Zweedse commissaris had gebeld.

Dat gebeurde nu wél. Halvor draaide zich om op de voorbank en hield een sussende vinger voor zijn lippen in de richting van de kinderen op de achterbank. Zoals gewoonlijk legde Hans dat uit als een uitnodiging om te gaan klieren. Hij boog zich naar Hanne toe en begon met zijn rechtervuist op haar hoofd te meppen. Hanne zette het onmiddellijk op een gillen.

'Ogenblikje graag,' zei Halvor in de telefoon en hij vervloekte zichzelf vanwege het feit dat hij nog altijd niet wist hoe je het geluid van de microfoon zachter moest zetten. Hij draaide zich om en keek de schreeuwende kinderen met zijn meest smekende blik aan. Toen schoot hem het stilteteken te binnen dat ze op de crèche gebruikten, en hij maakte met twee vingers het victorieteken. De kinderen werden onmiddellijk rustig, alleen Hanne snikte nog wat na. Hoe kregen ze dat op die crèche toch voor elkaar? Halvor pakte de telefoon weer op.

'Met Heming.'

'Ik dacht dat de Tweede Wereldoorlog in Noorwegen voorbij was,' hoorde hij aan de andere kant van de lijn in het Zweeds.

*

Tegen het eind van de middag hadden de drie kinderen om de een of andere reden bedacht dat ze de strijdbijl even moesten begraven en ze waren in plezierige samenwerking begonnen aan een hut in de oude appelboom. Die leverde sowieso maar twee appels per jaar op, dus dat was een zeer acceptabele prijs voor een paar ogenblikken pais en vree. Hij was van plan geweest om op de bank uit te rusten met de avondeditie van het dagblad *Aftenposten* terwijl de kant-en-klare lasagne in de oven stond, maar het lukte hem niet zich te concentreren. De Zweedse commissaris had gemeld dat er geen teken van leven was in het vakantiehuisje op Vargväg 56. Via de officier van justitie had Halvor de Zweedse politie verzocht deze locatie onder voortdurende observatie te houden. Bastian was in een dienstauto op weg erheen en zou er over een paar uur zijn.

Halvor voelde daarom een sidderende spanning in zijn lijf, maar bleef zich toch ook steeds afvragen wat ze in deze zaak over het hoofd zagen. Wat kon toch in vredesnaam Bredals motief zijn?

Ze hadden nog steeds niets gevonden wat wees op recente contacten tussen Bredal en de twee slachtoffers. Als dat zo bleef, moest het motief ergens in het verleden liggen, of de moorden moesten in opdracht van iemand zijn gepleegd. Maar als dat zo was, zou Bredal dan echt ingestemd hebben met de moord op twee oude vrienden, zelfs al kreeg hij er nog zoveel geld voor? Of hadden de drugs en de criminaliteit hem zo gesloopt dat oude loyaliteit geen betekenis meer voor hem had? En als hij in opdracht had gewerkt: van wie en waarom?

'Hé, dromer! Waar heb je de kinderen gelaten?' Birgitte stond glimlachend in de kamerdeur, haar blonde haar was los en hing half voor haar ogen. Daardoor zag ze er ondeugend en sexy uit. Hij had geen idee hoe lang ze daar al naar hem had staan kijken. Haar slechte zin van de vorige avond was als sneeuw voor de zon verdwenen. Halvor begon zich te verheugen op het moment dat de kinderen in bed zouden liggen.

*

Kristine liep zacht door de donkere gang, met de vertrouwde geur in haar neus. In de wetenschap dat ze alleen op de afdeling was, volgde ze haar eerste ingeving en deed ze de deur van het kantoor open. Het was leeg, bijna steriel, zoals altijd. Op het bureaublad lag een eenzame Bic-pen en aan de bureaulamp hing een sleutelhanger met een foto van hem en de kinderen. Er was ruimte genoeg voor zijn geur.

Ze ging in de stoel achter het bureau zitten en vroeg zich voor de zoveelste keer af of het iets te betekenen had dat Birgitte niet op de foto stond. Ze boog voorover en deed iets wat ze nog nooit eerder had gedaan: ze keek in zijn laden. Er zat niets interessants in, alleen kantoorbenodigdheden. Ze keek naar de archiefkast in de hoek maar zette dat uit haar hoofd. Daar zaten de zaken in die hij onder zijn verantwoordelijkheid had gehad. Niets interessants.

Ze plantte haar ellebogen op het schrijfblad en legde haar hoofd in haar handen. Ze wierp een blik op de lichten van het huis van bewaring – de enige lichtbron waardoor ze iets kon zien in de kamer – en vroeg zich af waarom ze hier eigenlijk zat. Waarom voelde ze zo'n grote behoefte aan zijn nabijheid? Zou dat anders zijn geweest als hij niet zo'n goede rechercheur was geweest? Was het de leermeester om wie ze zoveel gaf, of de man? Was het die typische mengeling van hardheid en zorgzaamheid die ze niet uit haar hoofd kon krijgen?

Hij kon heel nukkig en lastig zijn. Als hij iets in zijn hoofd had, was het soms bijna onmogelijk om hem daarvan af te brengen. Ze wist dat zij de enige was die dat af en toe voor elkaar kreeg, en daar was ze trots op. Hij vergiste zich weleens, maar dan corrigeerde hij dat onmiddellijk en hij had er geen moeite mee sorry te zeggen. Maar in het algemeen had hij gelijk, zonder dat hijzelf of anderen konden uitleggen hoe dat kwam. Dat maakte hem tot zo'n verdomd goede rechercheur.

Onder haar linkerelleboog voelde Kristine een randje. Ze keek omlaag en zag het enige stuk dat altijd op zijn bureau lag: een lijst met belangrijke interne telefoonnummers van de Oslose politie. Ze tilde het glanzende plastic mapje op en haalde het papier eruit. Ze verschoot toen ze recht in de ogen keek van wat Birgitte moest zijn. Ze stak gauw haar hand uit en deed de bureaulamp aan. De vrouw was blond, en mooi op een wat ouderwetse manier. Ze zat glimlachend aan een tuintafel van donker teakhout, omgeven door lentegroen gras en twee paar kinderhanden die paardenbloemen in haar haar aan het vlechten waren. Door haar laag uitgesneden topje en het vogelperspectief van de camera kwam het spleetje tussen haar borsten extra goed uit.

Kristine boog zich over de foto en bestudeerde het gezicht van de vrouw. Er waren lachrimpeltjes aan weerszijden van de ogen te vermoeden, maar ook sporen van strengere lijnen boven de neuswortel. Kristine deed de bureaulamp uit en legde de telefoonlijst terug. Toen stopte ze de foto in de binnenzak van haar dunne leren jasje. Hoewel de temperatuur haast tot het vriespunt gedaald was, besloot ze lopend naar haar huis in Majorstua te gaan.

Toen ze over het St. Olavsplass liep, brandde de foto tegen haar borst en ze stond op het punt om om te draaien. Wat zou hij doen als hij ontdekte dat de foto weg was? Hij zou haar niet verdenken, dat wist ze. Ze kon de foto morgen terugleggen. De vraag wat het nu precies betekende dat ze hem meegenomen had, zat haar meer dwars. Toen ze over de Bogstadvei omhoog liep, liep ze achter een hinkende man die een uitgerolde slaapzak over zijn schouders had geslagen, kennelijk op zoek naar een portiek of een bankje. Toen ze thuiskwam, rilde ze van de kou en haar neus was verstopt. Maar de geur van Halvor was weg.

16

Vrijdag 22 september 2006

De groene cijfers op de wekkerklok gaven 02:13 aan. Halvor had juist een woest gevecht achter de rug met de vuurspuwende draak uit het boek waaruit hij Hanne voor het slapengaan had voorgelezen en voelde zich nog rondom verschroeid.

Hij ging rechtop zitten en vroeg zich af waar hij nu toch wakker van was geworden. Toen hoorde hij het geluid weer: zijn mobieltje. Hij sprong uit zijn bed, rende de trap af en begon in zijn jaszakken te zoeken. Hij drukte op het knopje.

'Met Halvor!'

Aan de andere kant hoorde hij Bastian heel zachtjes zeggen: 'Sorry dat ik je wakker maak, maar ik sta nu voor de hut. Er is net licht aangedaan in de kamer.'

'Zien jullie beweging?'

'Nee, de gordijnen zijn dicht. Mijn Zweedse collega hier vraagt of we naar binnen moeten gaan.'

Halvor dacht na terwijl hij naar de woonkamer liep en in een luie stoel ging zitten.

'Als hij denkt dat hij genoeg mensen heeft en als ze ervaring hebben met dit soort dingen, vind ik het goed. Maar ik denk niet dat het verstandig is om aan te bellen, als ik het zo mag zeggen.'

'Er is een patrouille onderweg hierheen. Dan zijn er vier Zweden en ik. Dat moet genoeg zijn, ook al moet ik op de achtergrond blijven,' zei Bastian.

'Oké. Ik blijf wakker. Bel me als jullie binnen zijn.'

Er verstreek een dik halfuur. Halvor bladerde door de *Aftenposten* waar hij de vorige dag niet aan toegekomen was. Toen ging zijn telefoon weer.

'Het is hier doodstil. Geen mens te zien.'

'En dat licht dan?'

'Een tijdklok. Die loopt niet goed en heeft het nu negen uur 's avonds. Hij was ingesteld om om acht uur aan te gaan.'

'Verdomme! Krijgen we die ellendeling dan nooit te pakken?'

'We hebben een deur ingetrapt, dus we krijgen hier ook nog een rekeningetje voor,' zei Bastian.

'*Never mind.* Doorzoek het huisje grondig of er onlangs nog iemand is geweest en bekijk het perceel als het licht wordt. Het adres kan betrekking hebben op een schuilplaats daar. Kijk of er onlangs iets opgegraven is, doorzoek de houtschuur enzovoort. Doe het snel en discreet, met mensen op alle mogelijke toegangswegen. Als jullie dat gedaan hebben, hoop ik dat onze Zweedse collega's het huis nog een poosje in de gaten willen houden.'

'Ik zal zien wat ik kan doen. Maar ik durf mijn politiepenning erom te verwedden dat hier al maanden niemand geweest is. Overal ligt stof en dode vliegen, en het ruikt zo muf als wat...'

'En vraag je Zweedse collega's alles in het werk te stellen om uit te vinden wie de eigenaar van het huisje is,' onderbrak Halvor hem geïrriteerd. Toen beheerste hij zich. 'Je hebt goed werk gedaan, Bastian. Het is niet jouw fout dat die man een geestverschijning aan het worden is. Hoe dan ook, gebruik de dag van morgen goed en bel me als je iets interessants hebt.'

*

De vergadering was afgelopen. De hoofdcommissaris, de commissaris en de officier van justitie waren geen van drieën erg onder de indruk van de voortgang van het onderzoek en ze hadden vraagtekens gezet bij het feit dat Halvor Bastian naar Zweden had gestuurd.

'Dat adres kan wel al heel lang geleden op dat papiertje zijn gezet. Het is helemaal niet zeker dat Bredal van plan was daarheen te gaan,' had commissaris Andersen opgemerkt.

Halvor had geantwoord dat hij dat besefte. 'Maar op dit moment hebben we niet zoveel sporen om te volgen. Ik heb met de centrale en met Speciale Operaties gesproken, en niemand van hen heeft ook maar één persoon weten op te diepen die Bredal de afgelopen week heeft gesproken. En ik geloof dat ze nu toch wel hebben gepraat met alle bronnen die ze hebben.'

Toen hadden ze de mogelijkheid besproken dat Bredal naar een heel andere plek, waar ook ter wereld, was gegaan. Besloten werd dat ze hem via Interpol zouden laten opsporen. Bovendien werden landen waarmee de verdachte een speciale band had, zoals de Dominicaanse Republiek, waar een paar van de meisjes uit Bredals stal vandaan kwamen, gewaarschuwd.

*

Halvor zat zich nog aan zijn bureau achter zijn oor te krabben, toen de interne telefoon ging.

'Spreek ik met Petter Solberg, de rallyrijder?'

Halvor herkende de stem van Berentzen en kromp ineen op zijn stoel. Hij legde uit wat er aan de hand was en zei dat het hem erg speet dat hij zo'n ervaren agent in een lastige situatie had gebracht.

'Goed, dan zal ik de zaak vergeten. Maar probeer de volgende keer wat eerder van je werk te vertrekken. Als het nog een keer gebeurt, maak ik er werk van – zonder pardon.'

*

De hele dag door bleven er vervelende berichten binnenkomen. Bastian had niets anders te melden dan dat de eigenaar van het vakantiehuisje een bankdirecteur uit Stockholm was, die nog nooit met de politie in aanraking was geweest. Meretes inspanningen bij de buren van Anders Dahl hadden ook niets opgeleverd. Niemand had iets gezien of gehoord of wist iets bijzonders over hem. De politie had wel een stuk of tien, twaalf meldingen binnengekregen over verdachte personen die in de buurt gezien waren rond de tijd dat Dahl moest zijn gewurgd, maar geen van die waarnemingen was vlak bij de trapopgang van het slachtoffer geweest. Een oudere dame had Dahl wel thuis zien komen, maar toen was hij alleen. Hans Petter had nieuwe pogingen gedaan bij Dyneland AS en bij Birger Schram, maar ook hij had geen doorbraak te melden. En Kristine had zich ziek gemeld.

Halvor had zich geconcentreerd op de taipan. Hij had uitgevonden dat die in Australië thuishoorde en dat het weliswaar de giftigste slang ter wereld was, maar dat hij zelden mensen doodde, omdat hij zo verstandig was zich verre van die soort te houden. Elders in de wereld waren er maar weinig exemplaren, en geen enkele dierentuin of museum had er een als vermist opgegeven. Ze waren ook wel op de zwarte markt te vinden en bij een paar gothicmetal- en reptielenfanatici die ze stiekem hielden, maar dat waren er maar heel weinig en dat was niet gebonden aan bepaalde landen.

Halvor rekte zich uit in zijn stoel en hoopte op een doorbraak. Toen ging de telefoon. Het was het hoofd van de technische recherche.

'Forensisch belde net. De huid- en bloedresten op de ketting zijn maar van twee mensen: Anders Dahl en Knut Iver Bredal. Er is geen twijfel over wie we moeten hebben. Denk je dat jullie hem al gauw te pakken krijgen?'

Halvor zei nogal bruusk dat hij het met de conclusie van de ander eens was en hing op. Toen rinkelde zijn mobieltje. Hij herkende het nummer van Kristine.

'Ben je ziek? Lig je in bed?' Hij vroeg het strenger dan hij bedoelde.

'Ja, maar mijn neus zit zo vol dat ik toch niet kan slapen. Dus ik zit maar een beetje voor mijn computer te suffen. Voor de aardigheid heb ik eens wat gegoogeld op Birger Schram.'

'En?'

'Ik zie dat hij een paar dagen geleden in zijn hoedanigheid van mode-expert in de *Aftenposten* heeft gestaan in verband met een zogeheten dansmodeshow op de Spikersuppa tijdens het Oslo Herfstfestival. Er staat ook een foto van Schram bij, met het Koninklijk Paleis op de achtergrond.'

De Spikersuppa, het evenementenplein midden op de Karl Johansgate, kende Halvor natuurlijk wel, maar het festival en de show zeiden hem niets.

'Ja, en?' Uit chagrijn voegde hij eraan toe: 'Bekent hij in dat interview dat hij Bjarne Rossvik heeft vermoord?'

'Ha, ha,' zei Kristine zonder een spoor van humor in haar stem. 'Het interessante is de dag waarop dit allemaal is gebeurd, namelijk zaterdag 16 september.'

Het begon Halvor te dagen. 'Ja, maar toen was hij toch in Parijs?'

'Precies. Hoe hij het klaarspeelt om op twee plaatsen tegelijk te zijn is een raadsel. Voor mij althans,' voegde ze er een beetje zuur aan toe.

'Geweldig, Kristine. Sorry dat ik zo hatelijk deed. Ik zal het meteen laten uitzoeken. Heb je trouwens koorts?'

'Boven de negenendertig, en barstende koppijn.'

'Dan zet je nu je pc uit, spuit je neus vol met neusspray en gaat naar bed. Laat Schram maar aan ons over.'

*

Kristine deed wat haar gezegd was en zette de pc uit. Maar ze ging niet naar bed. Ze nam twee paracetamolletjes en bleef met een kop thee en onder een plaid zitten in de enige luie stoel die ze had. Hoewel ze er eigenlijk een hekel aan had niet op het bureau te zijn nu ze misschien een doorbraak hadden, dacht ze niet meer aan de moordzaak.

De foto lag ondersteboven op de drie slijterijkratten die, met een kleedje eroverheen, haar salontafel vormden. Ze hoopte dat Halvor het te druk had om uitgerekend vandaag onder zijn schrijfblad te kijken.

Ze had een hekel aan irrationaliteit. Dat was een eigenschap die ze af en toe aantrof – en verachtte – bij collega's. Hoe ze dan zelf, na vijf jaar, nog altijd kon hopen dat Halvor zijn vrouw en drie kinderen zou verlaten om opnieuw te beginnen, was waarschijnlijk een groter raadsel dan hoe Schram zich op twee plaatsen tegelijk kon bevinden.

Het maakte totaal geen verschil dat Halvor was begonnen wat wijdere truien te dragen om te camoufleren dat hij een buikje had ontwikkeld. Voor de eerste keer in haar leven vond ze nu dat wat extra gewicht een man wel charmant kon staan. Ze kon er ook goed mee leven dat hij veel te vaak over zijn kinderen praatte.

Een paar keer had ze hoop gekregen. Zoals toen de afdeling Geweldsdelicten kerstfeest had gevierd in het Ekebergrestaurant – op eigen kosten, wel te verstaan – en Halvor drie keer met haar had gedanst. Doordat hij bezweet was van het dansen, was zijn geur nog nadrukkelijker geweest, en ze had haar hoofd op zijn schouder gelegd zonder dat hij zich terugtrok. Toen het licht begon te flikkeren en de mensen om hen heen het hadden over een afterparty, had ze hem in zijn ogen gekeken en gezegd dat hij er verschrikkelijk sexy uitzag in die bloes. Hij had zijn ogen een paar intense seconden lang op en neer laten glijden over haar ultrastrakke jurk, en voor het eerst had ze het gevoel dat Halvor haar uitkleedde. Toen had hij gezegd: 'Jij anders ook, zeg.'

Een slechter tijdstip om te zeggen dat je naar huis ging, kon je onmogelijk bedenken. En toch had hij dat gedaan.

*

Eindelijk een soort doorbraak. In elk geval iets om op door te gaan. Terwijl Halvor zich begon af te vragen hoe het mogelijk was dat Schram Rossvik had vermoord op een plaats waar Bredal zijn vingerafdrukken had achtergelaten, ging de telefoon voor de derde keer in vijf minuten. Nu was het weer de interne telefoon, en hij greep de hoorn.

'We denken dat we Bredal gevonden hebben,' zei iemand. Halvor schoot rechtop in zijn stoel. 'Waar?'

'In een baai een paar honderd meter ten zuiden van het strandbad van Ingierstrand. Iemand in de patrouille die hem vond, heeft op straat veel met Bredal te maken gehad, en hij meent hem te herkennen.'

'Dood?'

'Zeker weten. En het lijkt erop dat hij al een tijdje in het water heeft gelegen ook.'

'Dat bestaat niet! Dat kan hem niet zijn. We hebben toch heel verse biologische sporen van hem!'

'Kom zelf maar kijken.'

'Dat doe ik.' Zelfs met de hoorn nog in zijn hand kreeg Halvor zijn jas aan, maar de ander was nog niet uitgesproken.

'Er is trouwens iets vreemds met het lijk.'

'Zeg op!'

'De linkerduim ontbreekt.'

17

Augustus-oktober 1982

Kris zweeg nog steeds, maar hij was in elk geval weer begonnen met glimlachen, zij het niet meer zo vaak als vroeger. Het ging vrij goed met vragen waarop hij kon knikken of zijn hoofd schudden. Zijn moeder zei dat ze wat hoop kreeg dat hij op een dag weer zou gaan praten, ook al hadden de bezoeken aan de dokter en de psychiater tot dusver nergens toe geleid.

'Hij lijdt waarschijnlijk aan wat wij noemen een posttraumatisch stresssyndroom. Als we erachter komen wat het veroorzaakt heeft, krijgen we hem waarschijnlijk ook wel weer aan het praten. Zo niet, dan kunnen we alleen maar hopen dat het in de loop der tijd overgaat,' had de psychiater gezegd. Hij vroeg de moeder van Kris om goed in de gaten te houden of Kris tekenen van angst vertoonde, en in welke situaties.

De school begon weer. Ze waren bijna de hele zomervakantie bij opa en oma in Kristiansand geweest. Zijn moeder had gehoopt dat de ontmoeting met zijn opa, die altijd Kris' favoriet was geweest, hem weer aan het praten zou brengen.

Kris was inderdaad niet van de zijde van zijn bijna tachtigjarige opa geweken, maar er was in die vier weken nog geen zuchtje over zijn lippen gekomen. Maar één goed ding had het bezoek wel opgeleverd: een fonkelnieuwe fiets met een racestuur, tien versnellingen en een snelheidsmeter, ter vervanging van de oude van zijn vader, die vorige herfst op school gestolen was. Kris had hem een paar maanden later op het voetpad naar school teruggevonden. Het zadel, de wielen, het stuur en de ketting waren eraf gesloopt. Op het frame was met witte verf SUKKEL geschreven. Kris had zijn moeder niet verteld dat hij de fiets gevonden had.

Dus toen zijn opa de nieuwe, donkerblauwe Gitane uit de schuur achter het huis tevoorschijn had gehaald, was Kris' glimlach groot en oprecht geweest. Thuis had hij een lange bedankbrief geschreven.

De school begon weer. Kris fietste er elke dag heen en zette zijn fiets goed op slot met een ketting en een hangslot. Hij voelde zich vrij en onoverwinnelijk als hij uit school de heuvel af racete, en was binnen tien minuten thuis. Af en toe voelde hij de ogen van Bubbel, De Kraker en de anderen op zich gericht als hij zijn fiets aan de fietsenstalling vastmaakte, maar ze kwamen nooit naar hem toe.

Op een donderdag begin september, tijdens het avondeten, kwam zijn moeder met groot nieuws, ook al presenteerde ze het alsof het niet veel voorstelde.

'Ik ben heel goed bevriend geraakt met een man op mijn werk die Arnfinn heet. Ik dacht dat het misschien gezellig zou zijn als hij morgen met me mee naar huis komt. Vind jij dat goed?'

Kris bleef heel stil zitten. Hij keek alleen maar omlaag naar zijn bord. Hij voelde de ogen van zijn moeder op zich gericht. Toen hief hij zijn hoofd, keek in haar ogen en knikte. Hij glimlachte.

'Fijn!' zei zijn moeder blij. 'Je vindt hem vast heel aardig.'

*

Arnfinn was toen niet blijven slapen, maar dat deed hij nu steeds vaker. Kris mocht hem graag. Hij was groot, had donker haar en een baard en leek net een grote teddybeer. Zijn gulle lach schalde vaak en lang door het huis. Kris hield van die lach en ook van Arnfinns Trøndelagse dialect. Bovendien zag hij dat zijn moeder het fijn vond als Arnfinn er was.

En toen was het maandag 4 oktober. Kris en zijn moeder zaten weer te eten. De voorgaande zaterdag waren zij en Arnfinn uit eten geweest. Kris was al naar bed gegaan voordat ze thuiskwamen, maar hij hoorde hun vrolijke stemmen in de gang. De ochtend daarna had hij gemerkt dat er iets veranderd was tussen hen. Ze waren altijd al lief voor elkaar geweest, maar nu zaten ze bijna de hele tijd aan elkaar. Kris had er niets op tegen.

Arnfinn was de vorige avond naar huis gegaan, maar Kris vond zijn moeder nog steeds anders. Toen ze tegenover hem aan tafel zat, bloosde ze zoals Kris nog nooit eerder had gezien. Ze had ook tranen in haar ogen, maar niet van verdriet – dat wist hij zeker. Hij begreep dat ze iets wilde vertellen. Ze haalde diep adem.

'Kris. Ik ben in verwachting. In april krijg je een broertje of zusje.'

Kris knikte en glimlachte weer.

*

Drie jaar geleden had Kris voor het laatst een verjaardagsfeestje voor vriendjes gegeven. Dat was op een vrijdag en ze hadden Gunnar en alle jongens uit de klas uitgenodigd. Bijna allemaal waren ze die middag verkouden. Alleen Gunnar en nog twee jongens kwamen. De volgende maandag waren ze allemaal weer op school.

'Ben je je luizen weer kwijt?' vroeg Arne in de eerste pauze. Hij was niet op Kris' verjaardag geweest, maar leek zelfs geen neusverkoudheidje meer te hebben.

Kris had hem verschrikt aangekeken. 'Ik heb helemaal geen luizen gehad!'

'Dat zei Andy,' antwoordde Arne. Hij bleef een paar meter bij Kris vandaan en keek hem uitdagend aan.

Daarna had Kris nooit meer iemand uit zijn klas voor zijn verjaardag uitgenodigd. Tegen zijn moeder zei hij dat het hem niet kon schelen, dat hij het genoeg vond met de grote mensen. Hij ging ook niet naar verjaardagen van anderen en gooide de uitnodigingen weg voordat hij thuis was.

Dit jaar wilde zijn moeder zijn verjaardag vieren met een reisje met de boot naar Kopenhagen. Ze zouden de vrijdag voor zijn verjaardag vertrekken en op zijn veertiende verjaardag zelf terugkomen: maandag 25 oktober.

Arnfinn zou meegaan. Kris had vanuit zijn eigen kamer gehoord hoe ze in de woonkamer plannen zaten te maken.

'We komen zaterdagochtend aan. Dan kunnen we eerst langs een paar babywinkels, en 's avonds kunnen we in Nyhavn gaan eten. Ik weet trouwens al wat we voor Kris kunnen kopen,' had zijn moeder gezegd, en toen was ze zachtjes gaan praten en had hij alleen nog maar wat gemompel gehoord.

De dag voordat ze weggingen, was Dalberg ongewoon goedgemutst. Tijdens het vijfde uur kregen ze een wiskundeproefwerk terug dat hij 'het beste aller tijden' van de klas noemde. Bovendien had hij Kris voor het eerst sinds zijn zwijgen voor het bord durven roepen. Daar moest hij de ene som na de andere oplossen. Dat ging best goed. Hij hoorde wel wat gemompel achter zich, maar concentreerde zich alleen op het bord en het krijt.

Het laatste uur hadden ze ook wiskunde. Toen Kris de klas in kwam, leek die ongewoon leeg. Toen begreep hij waarom: Bubbel, Andy, De Kraker, Steffen en Nikko waren er geen van allen. Dalberg vroeg of iemand wist waar ze waren. Niemand gaf antwoord. Dalberg schudde zijn hoofd en noteerde iets in het klassenboek.

Na de les hield Dalberg hem even tegen. 'Ik zou zo graag willen dat je weer kon praten. Je bent geweldig goed in alle vakken, maar nu krijgen we problemen om je voldoendes te geven voor mondeling Noors en Engels,' zei hij.

'We kunnen je vast wel een soort vrijstelling voor de beoordeling geven als je een doktersattest inlevert. Maar het zou natuurlijk nog beter zijn als dat helemaal niet hoefde,' zei hij en hij glimlachte bemoedigend. Kris knikte en ging naar buiten. De rest van de klas was niet meer te zien.

Hij haalde zijn fiets van het slot, controleerde routineus de remmen en de banden en trapte zich op gang. Hij racete de eerste heuvel af en verheugde zich al op de S-bocht vlak na Borhaugen. Hij verbeeldde zich dat het gevoel dat hij kreeg als hij zijn fiets in de bocht gooide ongeveer hetzelfde was als wanneer je op een motor reed.

Hij remde voor de eerste scherpe bocht af tot twintig kilometer per uur en helde diep opzij. Toen hij uit de bocht kwam, trok hij zijn fiets weer recht. Te laat zag hij wat er op de weg lag. Terwijl zijn fiets over de planken vol spijkers raasde, hoorde hij hoge plofjes. Hij remde met beide handen. De fiets viel opzij, zijn heup sloeg op het asfalt en hij gleed over de weg naar beneden, recht op de brandnetelstruiken in de volgende bocht af.

Kris probeerde weer op de been te komen, maar zijn heup deed vreselijk zeer. Hij hoorde gerammel op de weg en hij hoorde iemand lachen, maar hij durfde niet om te kijken. Uiteindelijk lukte het hem om op te staan.

De fiets lag aan de kant van de weg, een meter achter hem. Hij zag er niet goed uit. Beide banden waren lek, het stuur was verbogen en een van de trappers was eraf. Kris strompelde naar zijn fiets en boog voorover om hem op te pakken. Hij kreeg zijn rug daarna maar amper weer recht. Leunend op de fiets liep hij zachtjes verder de heuvel af.

18

Vrijdag 22 september 2006

De dode man lag op zijn buik, aan het eind van een helling onder aan de weg, op een kale rots. De patrouille had het gebied helemaal tot aan de weg afgezet en er waren geen journalisten in de buurt. De mensen van de TR liepen op het terrein rondom het lichaam.

Halvor bekeek de dode, die geheel gekleed was, maar overdekt met wier en algen. Onder aan het ene been had zich zelfs al een hoopje schelpen vastgezet. Het gemillimeterde haar deed beslist aan Bredal denken en dat stevige lichaam kon ook best van hem zijn. Halvor zag maar de helft van het gezicht; de rest lag naar de rots gekeerd. Maar zelfs als het omhoog had gelegen, was het gezicht in zijn huidige toestand, opgeblazen en met allerlei wondjes, niet met honderd procent zekerheid te herkennen geweest.

Halvor bekeek de linkerhand van de dode. Waar de duim had moeten zitten, stak een kort botje uit de hand. De huid en het vlees eromheen waren rafelig, waarschijnlijk doordat krabben en vissen ervan gegeten hadden. Halvor dacht aan broodjeaapverhalen over makreel die mensenvlees zou lusten. Hij wendde zich af en wenkte de arts.

'In verband met een zaak waar we bij Geweldsdelicten mee bezig zijn, is het van belang dat we snel een zo duidelijk mogelijke indicatie hebben wie de dode is. Kunnen we in zijn zakken kijken zonder dat we iets verstoren? Een portefeuille zou bijvoorbeeld al heel mooi zijn.'

De arts knikte en boog zich over de dode heen. Het jasje lag half opengeslagen naast het lichaam en de arts voelde aan de buitenkant van de zakken. Toen hij het jasje aanraakte, gleed het wat omhoog over de rug van de dode, zodat er een bult in een van zijn achterzakken zichtbaar werd.

'Ik dacht dat niemand meer zoiets in zijn kontzak droeg, maar blijkbaar vergis ik me,' zei de dokter terwijl hij Halvor de zwarte leren portemonnee eruit liet halen. Halvor maakte hem voorzichtig open. Links binnenin zat hij vol plastic kaartjes. In een vakje van doorzichtig plastic aan de andere kant lachte een foto van Knut Iver Bredal Halvor vanaf een rijbewijs toe. Hij deed de portemonnee weer dicht, stopte hem in een bewijszakje en bekeek de dode nog een keer. Het gevoel van sympathie dat hij normaal zou hebben gehad, was volkomen afwezig.

'Deze neem ik mee,' zei hij tegen een van de technici en hij hield het zakje omhoog. Het zat hem een beetje dwars dat de portemonnee en daarmee de identiteitsbewijzen niet door de moordenaar meegenomen waren en hij vroeg zich even af of Bredal de portemonnee in de zak van iemand die op hem leek had gestopt.

De dokter staarde nog steeds naar het lichaam. Toen wees hij naar de onderkant van een van de benen. Om het onderbeen waren vage sporen te zien van iets wat daar bevestigd was geweest. 'Het ziet eruit alsof iemand hem ergens aan vastgebonden heeft. Mogelijk om hem onder water te houden. Maar later heeft het touw toch losgelaten, misschien?'

Halvor knikte bedachtzaam. Als het de bedoeling was geweest dat het lichaam voor altijd onder water zou blijven, kon dat verklaren waarom een moordenaar die alles goed doordacht had zich niet bekommerde om het weghalen van een portemonnee met identiteitsbewijzen. Op de terugweg belde Halvor Hans Petter en hij vroeg hem en Merete over vijftien minuten op zijn kantoor te zijn.

'De kaarten moeten opnieuw geschud worden,' zei hij in het toestel.

*

In zijn hoofd liep Halvor nog eens alles door wat ze wisten. Niet alleen omvatte deze zaak nu drie moorden, maar ze hadden hier ook te maken met een moordenaar die veel tijd en energie had gestoken in het op een dwaalspoor brengen van de politie. Halvor vreesde dat dat betekende dat hij of zij nog niet klaar was. Het voordeel dat ze misschien hadden, was dat het lijk van Bredal veel eerder boven water was gekomen dan kennelijk de bedoeling was geweest.

Bovendien hadden ze een element van onzekerheid in de verklaring die Birger Schram had afgelegd. Het leek er sterk op dat hij in Noorwegen was geweest op de dag dat de slang naar alle waarschijnlijkheid was achtergelaten in die kast in het Vestkantbad, ook al had Halvor zelf de boardingkaarten gezien die bewezen dat Schram twee dagen eerder uit Noorwegen was vertrokken. Was hij voor één dag teruggekomen en daarna weer naar Parijs vertrokken? Was er een andere verklaring? Als Schram de dader was, paste dat heel slecht bij Halvors steeds sterker wordende gevoel dat de moorden te maken hadden met de vriendschap tussen de vijf jongens op de Skibakkenschool. Hadden ze iets te verbergen waarover Pedersen en Steffensen niet wilden praten? Of hadden ze wél contact gehouden maar wilden ze dat om de een of andere reden geheimhouden, en zou het motief in een recentere gebeurtenis liggen? Zou de moordenaar het slachtoffer van een groep pedofielen zijn?

Van de vijf had er maar één vrouw en kinderen gekregen, wat niet bepaald overeenkwam met de statistieken voor zevenendertigjarige mannen. Was er in dat geval een groep waar Schram in paste? Halvor besloot alle IT-specialisten waarover de politie beschikte, in te zetten om de pc's van Schram en de drie doden uit te spitten. Als ze de laatste tijd contact hadden gehad, dan zouden daar sporen van te vinden moeten zijn in hun pc's of op internet.

En dan was er nog de vraag over politiebescherming. Het was misschien niet ethisch verantwoord, maar als Steffensen en Pedersen nu voor hun eigen leven gingen vrezen, kon hij hen met een belofte over politiebescherming wellicht onder druk zetten om meer over hun verleden te vertellen. Het was beslist een poging waard, en hij hoefde geen dreigende taal te gebruiken. Als hij de overwegingen van de politie goed beschreef, hadden ze misschien genoeg aan een hint.

In dat geval moest het vanavond gebeuren, voordat een van zijn chefs op het idee kwam dat ze politiebescherming moesten hebben, waardoor Halvor zijn kleine blufspelletje niet meer kon spelen.

De laatste vijf minuten onderweg naar het politiebureau bedacht hij een opzetje. *Met het lokaas van de leugen*, dacht hij, en even was hij heel tevreden over zichzelf.

*

Terwijl hij de trappen op liep, belde hij Birgitte. De ernst van de zaak was nu ook bij haar volledig doorgedrongen, dus hij werd vrijgesteld van zijn gezinsverplichtingen. Maar hij beloofde dat hij de volgende dag mee zou gaan als ze met zijn schoonouders en de kinderen naar het bos zouden gaan en dat hij zijn opgespaarde vrije dagen zou opnemen zodra hij de kans kreeg.

'Ik heb de kinderen beloofd dat we morgen een pijl en boog gaan maken en gaan boogschieten. Dat kun jij beter dan ik,' zei Birgitte.

Hans Petter en Merete zaten al op zijn kantoor. Bastian werd ieder moment terug verwacht uit Zweden, maar hij zou in principe eerst naar huis gaan om de slaap in te halen die hij de afgelopen dagen had gemist. Halvor dacht erover om hem toch op te roepen, maar besloot nog even te wachten.

Halvor lichtte zijn plan toe en verdeelde de taken. Hans Petter en Merete zouden Nikolai Pedersen voor hun rekening nemen, en hijzelf zou naar het huis van Vidar Steffensen gaan. Hij besloot onderweg daarheen Dalberg, de leraar, nog eens op te zoeken.

*

Het eerste wat Halvor deed toen hij bij Dalberg in diens flat aan de Fredensborgvei was, was de foto uit de portefeuille van Bjarne Rossvik tevoorschijn halen. De reactie die dat opleverde, was onverwacht hevig.

'Jezus!' De leraar sloeg zijn handen voor zijn gezicht en wreef in zijn ogen. Toen hij weer opkeek, was zijn gezicht bleek. 'Die geschiedenis heb ik geprobeerd te verdringen. Erger ben ik als leraar nooit tekortgeschoten.'

'Hoe bedoelt u?'

'Kris zat bij Bjarne en de anderen in de klas. In het begin van de achtste klas heeft hij zelfmoord gepleegd. Ik had moeten begrijpen dat er iets aan de hand was, ik had iets moeten doen om het te voorkomen.'

Er liep een rilling over Halvors rug en hij kreeg het heel koud. Hij wachtte af.

'Kris was een heel leuk joch. Goed op school en hartstikke lief. Maar hij had thuis problemen. Zijn moeder deed haar best, maar ik geloof dat hij zijn vader ontzettend miste. Die is omgekomen bij een auto-ongeluk, geloof ik, toen Kris nog in de onderbouw zat.'

Halvor haalde de klassenfoto van klas 7B uit zijn zak om hem opnieuw aan Dalberg te laten zien. Toen zag hij voor het eerst wat er helemaal op het laatst, na die lange lijst namen, stond: *Kris Løchen was niet aanwezig toen de foto werd genomen.* Dalberg knikte.

'Ik geloof dat hij ziek was toen die foto werd genomen. Ik weet niet meer wat hem mankeerde.'

'Hebt u enig idee waarom Bjarne die foto als volwassen man in zijn portefeuille zou kunnen hebben?'

'Absoluut niet. Kris had niet veel vrienden – in elk geval niet dat ik wist – en hoorde zeker niet bij het groepje van Bubbel. Ik had soms eerder het gevoel dat ze niet zo aardig voor hem waren.'

'Waarom?'

'Niet om iets concreets, eigenlijk. Ik merkte alleen een paar keer dat ze op het schoolplein heel dicht langs hem heen liepen en dat Kris daarna nog stiller was dan normaal. Alsof ze iets tegen hem gezegd hadden. Maar ik heb ze nooit iets verkeerds zien dóén.'

'Hebt u daar met Kris weleens over gesproken?'

'Ik heb hem herhaaldelijk gevraagd of hij het naar zijn zin had op school, en hij zei altijd ja. Ik ben gewend dat mijn leerlingen me bijna alles vertellen en ging er eigenlijk van uit dat Kris dat ook zou doen als er iets niet in orde was. Maar toen hij stopte met praten, had ik hem en de klas toch steviger moeten aanpakken... Ik had er rekening mee moeten houden dat hij geen vrienden had.'

'Stopte met praten?'

'Kris stopte in de loop van de zevende klas met praten. Op een dag kwam hij op school en zei gewoon niets meer. Noch ik noch iemand anders kon een woord uit hem krijgen. Hij heeft echt geen woord meer gezegd tot... ja, tot aan zijn dood.'

'Maar hij is wel onderzocht door de jeugdgezondheidsdienst?'

'Jazeker, maar de schoolverpleegster kreeg het ook niet voor elkaar. Hij werd doorverwezen naar een psychiater en ik heb heel vaak met zijn moeder gesproken, maar niets leek te helpen. We hoopten allebei dat het na de zomervakantie beter zou gaan, maar toen hij weer op school kwam, zei hij nog steeds niets. Eigenlijk dacht ik dat de oorzaak in de thuissituatie lag. Hij had immers zijn vader verloren, en zijn moeder kreeg een nieuwe vriend rond de tijd dat hij stopte met praten.'

'Dus u hebt het in de klas nooit besproken?'

'Jawel, de eerste keer meteen toen hij niets meer zei. Toen heb ik zijn klasgenoten gevraagd aardig voor hem te zijn, omdat hij waarschijnlijk met praten was gestopt omdat hij iets akeligs had meegemaakt. Toen hij na de zomervakantie nog steeds niet praatte, heb ik ook nog gevraagd of iemand in de klas wist wat hem was overkomen.'

'En?'

'Niemand zei iets. Ze schudden alleen hun hoofd. Er was er maar één die zijn hand opstak en zei dat ze aardig zouden zijn. Ik weet niet meer wie.'

Halvor dacht na. Dit moest iets betekenen. Waarom zou de foto van een dode klasgenoot in 's hemelsnaam in de portefeuille van Rossvik zitten? Een klasgenoot met wie hij amper een woord wisselde en die vierentwintig jaar geleden was overleden.

'Hoe is Kris eigenlijk gestorven?'

'Op de veerboot naar Denemarken, *of all places*. Zijn moeder en haar vriend hadden hem mee naar Denemarken genomen om zijn verjaardag te vieren. Alles wijst erop dat hij vrijwillig overboord is gesprongen. Ze lagen te slapen toen hij verdween. Toen ze wakker werden, lag er in hun hut een afscheidsbrief op tafel. Ik geloof dat de zaak wel is onderzocht, maar dat dat nooit iets heeft opgeleverd. Kris is ook nooit gevonden, voor zover ik weet.'

*

Onderweg naar Steffensen kreeg Halvor het bericht dat de vader van Bredal het lijk aan het Ingierstrand als zijn zoon had geïdentificeerd. Daarmee hadden ze een betrouwbare identificatie, en Halvor dacht dat hij nu wist hoe hij Steffensen moest aanpakken.

Hij had sterk het gevoel dat het kwintet op de een of andere manier iets te maken had met de zelfmoord van Kris, en dat dat iets was waar ze niet graag over praatten. Toen hij Hans Petter en Merete belde om hun te vertellen wat hij van Dalberg had gehoord, vroeg hij hun dezelfde tactiek te volgen. Ze spraken af dat ze elkaar op de hoogte zouden houden.

De twee rechercheurs stonden al in de hal van de flat waar Pedersen woonde. Thuis in zijn grote villa in Stabekk was Steffensen de vriendelijkheid zelve. Zijn dochter zat braaf naar het kinderprogramma op tv te kijken, en zijn vrouw was bij hun zoon in het ziekenhuis.

'Het gaat steeds beter met hem, dus het ziet ernaar uit dat hij maandag thuiskomt. Dat is een hele opluchting – en dat is nog zacht uitgedrukt. En we zullen heel goed op hem passen...'

Steffensen glimlachte, nam Halvor mee naar buiten naar een veranda die uitkeek op de tuin en bood hem een stoel aan. Daar wachtte Halvor totdat Steffensen hem een mok koffie had gebracht en de verandadeur achter zich dicht had gedaan. Halvor had alle sympathie voor wat de man en zijn gezin op dit moment te verwerken hadden, maar besloot toch recht op zijn doel af te gaan. Met enig cynisme kon je het ook als een voordeel beschouwen dat de man al enigszins uit zijn evenwicht was als hij met de nieuwe situatie geconfronteerd werd.

'Drie uur geleden hebben we Bredal in de fjord gevonden. Hij had daar al een tijdje gelegen.'

Steffensen kromp ineen op zijn stoel. Even leek het alsof er alleen maar een leeg omhulsel op de stoel lag. Toen hij zich weer oprichtte, was zijn gelaatskleur een stuk bleker dan een paar seconden daarvoor.

'Dat bestaat niet,' bracht hij ten slotte zo zwak uit dat Halvor bijna niet verstond wat hij zei.

'Het bestaat helaas wel,' zei Halvor neutraal. 'We wachten nog op het sectierapport, maar alles wijst erop dat ook hij is vermoord. En het is zeer waarschijnlijk dat achter alle drie de moorden dezelfde dader zit.'

Steffensen schudde zijn hoofd. 'Dat bestaat niet,' herhaalde hij.

'Jawel,' zei Halvor, en hij probeerde Steffensen weer tot de werkelijkheid terug te brengen. 'Dat betekent dat drie van de groep van vijf waarvan ook u deel uitmaakte, in een week tijd zijn vermoord. Wij vragen ons nu natuurlijk af of we de twee die nog leven politiebescherming moeten geven...'

Nu was Steffensen weer bij de les. Hij keek Halvor aan en knikte aarzelend. Halvor begaf zich op glad ijs. '... maar dat is voorlopig moeilijk voor ons, omdat u noch Pedersen ons een motief hebt kunnen geven waarom iemand juist u iets zou willen aandoen.'

'Het kan toch zijn dat die andere drie samen iets hebben uitgespookt?'

'Voor zover we nu weten, is dat niet erg waarschijnlijk. We hebben in elk geval niets gevonden wat erop wijst dat ze na de basisschool nog iets met elkaar te maken hebben gehad.'

Steffensen zweeg. Halvor vervolgde: 'U weet heel zeker dat jullie vroeger samen niets gedaan hebben wat iemand een motief geeft om jullie om te brengen?' Steffensen staarde over het hek van de veranda naar iets in de verte. Halvor wachtte, maar er kwam geen antwoord. Hij besloot dat dit het moment was, stak zijn hand in zijn zak en haalde de foto van Kris tevoorschijn.

Hij hield hem Steffensen voor, heel dichtbij.

'En hoe zit het met hem?'

Opeens stootte Steffensen met zijn knie tegen het tafeltje tussen hen in, waardoor zijn koffiemok omviel en de koffie over zijn benen viel. Hij leek de warme koffie niet te voelen maar bleef stokstijf zitten. Toen fluisterde hij verbitterd, alsof hij het tegen zichzelf had: 'Ik wist dat we er ooit voor zouden moeten boeten. Ooit zou Kris een ernstige bedreiging voor ons worden.'

Halvor wachtte af.

Toen vervolgde Steffensen: 'Ik snap alleen niet hoe. Hij is al vierentwintig jaar dood!'

Halvor geloofde eigenlijk zelf niet in wat hij suggereerde, maar hij kon zich toch niet inhouden. 'Zijn lichaam is nooit gevonden,' zei hij.

19

Vrijdag 22 september 2006

Steffensen gooide alles eruit waarmee hij nu al vierentwintig jaar rondliep. Hij vertelde over de adder in het bos, over de zogenaamde ophanging, over de verjaardagsboycot en over de 'fietsongelukken'. Tijdens zijn verhaal liepen de tranen hem over de wangen.

'Maar de laatste keer was ik er niet bij. Dalberg had de hele klas laten beloven dat we aardig tegen Kris zouden zijn nu hij niet meer sprak. Toen de andere vier planken met spijkers neer wilden leggen, weigerde ik mee te doen. Misschien was dat het begin van het einde van onze vriendschap. Het was in elk geval de eerste stunt waar we niet alle vijf bij aanwezig waren,' vertelde hij.

Halvor hoorde een zekere zelfrechtvaardiging in wat Steffensen zei. Dat was begrijpelijk, zelfs al behoorde datgene wat de man zojuist verteld had tot de ergste pesterij waarvan Halvor ooit had gehoord. 'Stunt', zoals Steffensen het had genoemd, leek Halvor daarvoor niet de juiste woordkeus. Niet zo vreemd dat Kris een reactie had gehad, ook al was stoppen met praten niet echt een goede oplossing. Maar ja, wat wist een dertienjarige jongen in 1982 van crisispsychiatrie?

'Hebben jullie veel gesproken over de zelfmoord van Kris?'

'Nooit. Dat is misschien nog het gekste van alles. Ik denk dat we alle vier wisten dat *wij* hem daartoe gebracht hadden, maar niemand van ons durfde erover te praten. Daarna werd het nooit meer hetzelfde. Vroeger konden we over bijna alles praten, maar de zelfmoord van Kris maakte daar een eind aan. Alles wat we samen deden, werd op de een of andere manier onecht, en we begonnen uit elkaar te glijden. Ik denk dat we diep vanbinnen wisten dat we geen contact meer met elkaar wilden hebben toen we na de negende klas naar de middelbare school gingen. In feite heb ik sindsdien geen van de anderen meer gesproken, totdat ik De Kraker op straat tegenkwam en Nikko een paar jaar geleden belde, zoals ik al verteld heb.'

Steffensen zweeg. Er stond zoveel pijn in zijn ogen dat Halvor bijna medelijden met hem kreeg.

Halvor stond op en vroeg waar het toilet was. Het kinderprogramma was nog bezig. Toen hij de wc weer uit kwam, pakte hij zijn mobieltje en ging voor de voordeur staan, aan de andere kant van het huis. Merete nam op toen de telefoon drie keer was overgegaan.

'Pedersen geeft toe dat hij bij Kris in de klas zat, maar ontkent dat ze iets met zijn zelfmoord te maken hadden. Hij vertoonde ook geen bijzondere reactie toen ik hem de foto liet zien. Hij haalde misschien iets sneller adem, meer niet,' zei ze.

Halvor gaf haar een korte versie van wat Steffensen had verteld en vroeg haar Pedersen daarmee te confronteren. Toen hij weer op de veranda kwam, had de reclameman zich hersteld. Halvor had nog een heel stel vragen.

'Waarom werd Kris uitgekozen als slachtoffer?'

'Dat weet ik eigenlijk niet. Heb ik nooit goed over nagedacht, denk ik. Het zal wel een optelsom van de gebruikelijke factoren zijn geweest waarom iemand gepest wordt. Kris had geen gewone vrienden, hij was een beetje klunzig en veel te aardig. Bovendien was hij heel slecht in alles wat op sport leek en was hij het lievelingetje van de meester. Van die dingen.'

'Heeft hij nooit aan een volwassene verteld wat er gaande was?'

'Ze hebben ons er in elk geval nooit op aangesproken. Maar hij had wel een soort beschermer, iemand met wie hij altijd van school naar huis ging. Ik weet niet of die misschien iets wist.'

'Wie was dat?'

'Hij heette Gunnar en zat een klas hoger dan wij. Hij wist wel iets. Een paar dagen na de zelfmoord kwam Bubbel tenminste op school met twee blauwe ogen. Toen we vroegen wat er gebeurd was, zei hij alleen maar "Gunnar". Meer kregen we er niet uit. Maar sindsdien bleven we bij Gunnar uit de buurt.'

Weer merkte Halvor dat er een rilling over zijn rug liep. 'Weet u nog hoe Gunnar verder heette?'

'Nee. Maar dat moet voor jullie niet moeilijk te achterhalen zijn. Denkt u dat hij...?'

'Het is in elk geval de moeite waard om met hem te gaan praten. Zijn er nog anderen die volgens u de behoefte zouden kunnen hebben om Kris te wreken?'

'Dat zou dan iemand moeten zijn die weet wat er toen gebeurd is. Wij hebben er nooit meer iets over gehoord, dus eerlijk gezegd weet ik niet wie er weet van zou kunnen hebben. Ik heb wel gehoord dat hij een afscheidsbrief heeft geschreven. Misschien dat zijn moeder...' Steffensen maakte zijn zin niet af.

Halvor bracht opnieuw de politiebescherming ter sprake. Ze spraken af dat Steffensens vrouw en dochter een paar dagen naar oma zouden gaan, die slechts een paar honderd meter verderop woonde. Een politieman zou bij Steffensen blijven, waar hij ook heen ging. Als Steffensens zoon thuiskwam, zouden ze de zaak opnieuw bekijken.

'Ik denk niet dat het ideaal is te midden van dit alles ook nog een ziek kind thuis te hebben, maar we hebben geen keus. Het is toch het belangrijkste voor uw zoon dat hij een levende vader heeft.'

Steffensen knikte en Halvor stond op om weg te gaan. Hij had nog maar één vraag: 'Had een van jullie het speciaal op Kris gemunt of hebben jullie hem gezamenlijk als slachtoffer uitgekozen?'

Steffensen dacht na. 'Bubbel nam meestal wel het initiatief, geloof ik. Wij liepen eigenlijk gewoon achter hem aan.'

'Wist u dat Rossvik homo was?'

De reactie liet er weinig twijfel over bestaan dat Steffensen daar niet van op de hoogte was.

'Meent u dat? Nou ja zeg, de verrassingen zijn de wereld nog niet uit. Bubbel was altijd de stoerste van ons, degene die het verst wilde gaan. Ik had nooit gedacht dat hij homo was – maar dat zegt misschien meer over de waanideeën en vooroordelen waarmee mensen zoals ik rondlopen.'

Het werd weer stil. Ten slotte zei Halvor: 'Over ongeveer een halfuur komt een patrouillewagen u ophalen. Voordat u politiebescherming krijgt, moet u op het bureau een uitvoerige verklaring afleggen. Gebruik dat halfuur om nog eens na te denken over wat u hebt gedaan en waar u bent geweest, met name de afgelopen weken.'

Hij zette de bandrecorder uit en ging weg, Steffensen in gedachten verzonken achterlatend. Zelf kon hij de blauwe plek van Ole niet uit zijn gedachten zetten.

20

Zaterdag 23 september 2006

Nikolai Pedersen had uiteindelijk gesmeekt om politiebescherming. Merete en Hans Petter hadden hem zo diepgaand met details van Steffensens verhaal bestookt dat hij niet langer ontkende. Van de waardigheid van de antiquaar was nog maar weinig over toen hij alle gruwelijke streken had uitgebraakt die ze met Kris hadden uitgehaald.

'Godverdomme, wat een bende,' had Hans Petter uitgebracht toen Halvor, Merete en hij de vorige avond onderling een klein beraad hadden gehouden. Daarna hadden ze het nog een keer overgedaan in de verhoorruimtes, waar ze alles opnieuw met Pedersen en Steffensen hadden doorgenomen. En vervolgens hadden de drie rechercheurs bedacht welke strategie ze vanaf maandagochtend zouden volgen. Halvor had de politiebescherming verder geregeld en de hoofdcommissaris gevraagd zich ervoor in te zetten dat de sectie van Bredal zo snel mogelijk plaatsvond.

Nu probeerde hij zijn gedachten te ordenen, terwijl hij afwezig het boogschieten van zijn kinderen volgde. Er was iets waar hij geen vinger achter kreeg, iets wat hem getroffen had toen hij bij Steffensen was. Iets met de manier waarop de moorden waren uitgevoerd... Hij liep alle feiten in gedachten nog eens systematisch door, maar het hielp niet.

Zijn gedachten werden onderbroken toen hij zag dat alle drie de kinderen vlak bij de schietschijf op de grond hurkten. Vanaf de plek waar hij zat kon Halvor niet zien wat hun aandacht had getrokken, dus hij stond op en liep erheen. Op de grond zag hij een hagedisje. Hans stak een stompe pijl uit – de enige pijlen waarmee hij als driejarige mocht schieten – en raakte het ene pootje van het reptiel aan. De hagedis bleef heel stil zitten en probeerde duidelijk te doen alsof hij een takje was.

'Ze zijn familie van de slangen, zoals adders en zo,' zei Hanne wijsneuzig. Ze zaten nog maar net op school of ze kregen al een andere kijk op de natuur, dacht Halvor.

Ole was echter helemaal niet onder de indruk. 'Nietes. Adders zijn slangen, hagedissen zijn reptielen,' zei hij stellig.

Hanne keek boos en wilde iets zeggen. Halvor zag een ruzie aankomen, dus hij bemoeide zich ermee: 'Jullie hebben allebei een beetje gelijk. De hagedis is familie van iets wat lijkt op een slang maar het niet is, namelijk de blindslang. Maar de blindslang is eigenlijk een hagedis, hoewel hij geen poten heeft.'

Hanne en Ole keken hem allebei sceptisch aan. 'Hoe weet je dat, papa?' vroeg Ole.

'Dat heb ik gelezen.' Toen bedacht hij dat hij in datzelfde artikel nog iets had gelezen. 'Weten jullie trouwens hoe je het verschil kunt zien tussen een blindslang en een gewone slang?'

Hanne schudde energiek haar hoofd en leek benieuwd. Haar humeur was zichtbaar aan de beterende hand, omdat papa haar gedeeltelijk gelijk had gegeven.

'Net als de andere hagedissen heeft de blindslang oogleden. Die hebben slangen niet.'

Zelfs Ole leek nu enigszins onder de indruk van zijn vaders kennis. Halvor wilde juist doorgaan, toen het plotseling tot hem doordrong. Nú begreep hij waarom Rossvik en Dahl op zulke verschillende manieren waren vermoord!

'Hij gaat ervandoor,' zei hij tegen de kinderen, wijzend naar de hagedis. Meteen gingen de kinderen het dier achterna tussen de bomen. Zelf ging hij terug naar zijn plaats en schonk nog een kop koffie in.

Steffensen had verteld dat de groep eens een levende adder op Kris had willen gooien nadat ze hem vastgebonden hadden.

Dat zou kunnen verklaren waarom de moordenaar een slang had gebruikt om Rossvik om te brengen. Er waren immers duizenden gemakkelijkere manieren om iemand van het leven te beroven. Zijn gedachten gingen verder: de fietsketting om de hals van Dahl moest verwijzen naar wat er vlak voor de fatale tocht met de veerboot was gebeurd, toen ze planken vol spijkers op de weg hadden gelegd en de fiets van Kris voor de tweede keer hadden vernield.

De moordenaar betaalde het kwintet domweg met gelijke munt, maar dan nog veel beestachtiger dan wat Kris had moeten verduren. Zíj werden niet alleen maar bíjna vermoord. Als Halvors theorie klopte, zou de sectie van Bredal aantonen dat ook hij met zijn leven had moeten boeten op een manier die een parallel met het verleden trok. Als Halvor nog een beetje onzeker was geweest, was dat nu wel ineens voorbij. Hij was er volkomen van overtuigd dat wat er met Kris was gebeurd ten grondslag lag aan dit alles.

De belangrijkste taak van de rechercheurs was nu om te ontdekken wie iets wist over wat het vijftal met Kris had gedaan. Ze moesten beginnen met Gunnar. Halvor wilde ook heel graag weten wat er in de afscheidsbrief van Kris aan zijn moeder had gestaan. Als hij geluk had, zou hij dat in de archieven van de politie zelf vinden. Zo niet, dan moesten ze het haar onmiddellijk zelf vragen. Hij vertrouwde erop dat zo'n brief wel bewaard werd.

Even ging hij door op de wilde gedachte die al tijdens het gesprek met Steffensen in hem was opgekomen. Stel dat Kris niet was omgekomen toen hij overboord was gesprongen? De boot bevond zich niet zo heel erg ver van de Zweedse kust toen het gebeurde. Dat had hij al gezien toen hij het rapport van destijds las. Stel dat hij ergens in Zweden aan land was gekomen en daar had gewacht op een geschikt moment om terug te slaan? Of misschien had hij zich aan boord verstopt totdat de boot aankwam en was hij stiekem aan land gegaan in Denemarken? Halvor vond dit een bijna onmogelijk idee. Hoe zou een dertienjarige Noorse jongen naar Zweden of Denemarken kunnen gaan en daar vierentwintig jaar leven zonder ontdekt te worden in de toch door en door gereguleerde samenleving in die twee landen? Maar hij wist ook dat ze alle mogelijkheden moesten onderzoeken. In gedachten noteerde hij daarom dat ze contact moesten opnemen met de Zweedse en Deense politie om te horen of ze ooit een zaak hadden gehad met een onbekende jongen die op een herfstdag in 1982 uit het niets was opgedoken.

'Wat is er met je?' vroeg Birgitte.

Halvor keek verbaasd op. 'Zei je iets?'

Birgitte glimlachte. 'Je zat in jezelf te praten. Beetje te veel gewerkt soms, de laatste tijd?'

Halvor stond op en kuste haar op haar wang. Hij voelde haar

borsten onder haar trui toen hij haar tegen zich aan drukte. 'Sorry. Maar nu ben ik er weer helemaal,' zei hij. Hij pakte haar bij de hand en keek naar de kinderen.

Ole worstelde met een nieuw stuk touw dat als pees voor zijn boog moest dienen. Halvor liep naar hem toe en streelde hem over zijn zere wang.

'Zal ik je even helpen, Ole?'

De jongen keek blij op. Hij gaf de veel te zware stok en het veel te slappe touwtje aan zijn vader. Het eerste wat Halvor deed, was een dubbel touw aanleggen. Terwijl hij daarmee bezig was, vroeg hij zo neutraal mogelijk: 'Wat heb je met je wang gedaan?'

Het antwoord kwam iets te snel: 'Niks. Ik ben gevallen.'

'Hoe kwam dat?'

'Op school. Ik viel en toen kwam ik met mijn hoofd tegen een bank.'

Van de kleine aarzeling vóór het antwoord gingen Halvors antennes trillen, maar hij knikte alleen.

Ole gebruikte de korte stilte niet om er nog iets over te zeggen, en Halvor maakte de boog af. De nieuwe pees leek het te kunnen houden. Hij besloot niet door te graven, maar hij zou Ole de komende tijd beslist goed in de gaten houden.

Hij gaf de jongen zijn boog terug. Toen hij zich omdraaide, zag hij een pijl voorbijvliegen in de richting van de provisorische schietschijf die een paar meter verderop stond.

'Geweldig schot, Hanne!'

Halvor was onder de indruk. Het zesjarige meisje was er op de een of andere wonderlijke manier in geslaagd de kromme, wilgenhouten pijl midden in de roos te planten.

*

Halvor had net de pap opgezet toen zijn mobiele telefoon ging. Hij zag nog net dat Birgitte geïrriteerd keek en zei toen in het toestel: 'Ik kom eraan.'

Hij verbrak de verbinding, zette zich schrap en keek Birgitte aan. 'Het duurt hooguit een uurtje,' zei hij en toen bedacht hij hoe hij de pil – letterlijk – kon verzachten. 'We hebben geen rode siroop meer, hè?'

Geen reactie van Birgitte. Hij vervolgde: 'Dan kan ik die meteen meenemen.'

Birgitte draaide zich bruusk om en marcheerde naar haar ouders, die in de kamer zaten.

*

De vier hoekpalen waren diep in de grond geslagen. Er was niets bijzonders aan te zien: het waren dikke, rechte takken die van zo ongeveer elke boom in het bos hadden kunnen komen. Boven aan elke hoekpaal zaten, naar buiten wijzend, twee à drie centimeter lange takken. Waarschijnlijk om te voorkomen dat Bredal zich los zou kunnen maken door de touwen over de bovenkant van de hoekpalen te trekken, dacht Halvor. Er waren weliswaar geen touwresten te zien, maar het hout was ingesleten op een manier waarop touw dat deed.

'We hebben monsters genomen van de grondsoort, dus als hij hier heeft gelegen, zullen we daar zeker bewijzen van vinden,' zei de technische rechercheur die hem gebeld had.

De plek was slechts een paar honderd meter verwijderd van waar Bredal was gevonden, boven op de heuvel aan de andere kant van de Ingierstrandvei. Het was niet erg ver van het dichtstbijzijnde huis, en als Bredal had geschreeuwd, was het vreemd dat ze tot dusver niemand hadden kunnen vinden die iets ongewoons had gehoord.

Als hij hier tenminste vermoord was, zoals Halvor geneigd was te geloven, en niet dichter bij de zee. Zelfs op deze moeilijk begaanbare bosgrond was het geen bovenmenselijke prestatie om een tachtig kilo zwaar lijk tweehonderd meter achter je aan naar beneden te trekken – zeker niet voor een man. De grootste uitdaging was waarschijnlijk geweest om ongezien de weg over te steken, maar hier was niet noemenswaardig veel verkeer, dus als je het op het juiste tijdstip deed, was het risico niet groot.

Hij wendde zich weer tot de technicus en wees naar de weg beneden. 'Ik wil dat jullie deze helling heel goed onderzoeken. En jullie moeten ook de weg checken, bijvoorbeeld op bloedsporen. Ik denk dat hij hier naar beneden is gesleept, over de weg heen, en toen in het water is gegooid, in de buurt van waar we hem hebben gevonden. En die vinger moet ook ergens afgekapt zijn.'

'We hebben al wat gebroken takken en zo gevonden die erop kunnen wijzen dat je gelijk hebt, maar in de loop van de avond werken we de hele helling systematisch af. Bovendien komen er over een uur duikers.'

Halvor had zelf om duikers gevraagd. Als Bredal in de fjord was gegooid en had vastgezeten aan iets zwaars om hem onder water te houden, zouden duikers daar sporen van moeten kunnen vinden. Als er een paar maanden verstreken waren sinds hij erin was gegooid, was het moeilijker geweest. Dat hij hooguit negen dagen in zee had gelegen, gaf Halvor enige hoop dat er nog iets van belang kon worden gevonden.

'Oké, hou me op de hoogte,' zei hij.

Op weg naar huis reed hij bij een supermarkt langs om wat sap en snoepgoed te kopen. Toen hij thuiskwam, had de rest van de familie de pap juist op. Maar Halvor zelf kreeg in elk geval rode siroop bij wat er nog van over was.

*

Na veertien uur slapen was de koorts gezakt tot iets boven de 38. Toen ze wakker werd, had ze het gevoel dat ze niet meer bij het onderzoeksteam hoorde. Dat was een gevoel waar Kristine niet van hield. Dus ze slikte twee paracetamols, nam een douche en werkte twee boterhammen met jam naar binnen. Met de tweede kop koffie van de dag in haar hand belde ze Halvor. Hij ging er uiteindelijk mee akkoord dat zij Birger Schram zou ondervragen, maar ze moest beloven dat ze meteen daarna weer naar bed zou gaan.

Ze had diezelfde middag met Schram afgesproken in de Champagneria aan de Frognervei. Op weg daarheen dacht ze weer aan Halvor. Hoe hij het toch voor elkaar kreeg om alles goed te laten verlopen, was haar een raadsel. Iedere dag bracht hij de kinderen naar de crèche of haalde hij hen daar op, hij maakte het eten klaar, deed het huishouden en de was en smeerde lunchpakketjes voor de kinderen. Kristine had de indruk dat hij meer dan zijn deel van de huiselijke taken op zich nam. In elk geval wist de man ongewoon goed welk wasmiddel je het best voor welke stof kon gebruiken. Beter dan zij in elk geval. Maar waar ze nog het meest van onder de indruk was, was waarschijnlijk dat hij die kennis ook nog met anderen durfde te delen. Ze had in de kantine van de politie nog nooit een andere man het verschil tussen groene zeep en Dreft horen uitleggen.

Zijn mannelijke trekjes liet Halvor op andere manieren zien. Dat Andersen het goedvond dat Halvors gezin zo'n grote plaats in zijn leven innam, was bijvoorbeeld heel bijzonder. Zelf was de baas van de afdeling Geweldsdelicten een van de laatste nog levende macho-dinosaurussen van de dienst, en het was niet makkelijk voor een vrouw om indruk op hem te maken. Van mannen eiste Andersen daarentegen dat ze zich volledig door hun werk lieten opslokken en dat ze liever gingen scheiden dan dat ze minder aandacht aan hun werk schonken dan hij nodig vond.

Halvor was de enige die hij niet regelmatig met degradatie bedreigde. Kristine dacht dat daar twee redenen voor waren: in de eerste plaats het oplossingspercentage van Halvor en zijn team en in de tweede plaats het feit dat Andersen wist dat Halvor zich niets aantrok van zijn dreigementen. Halvor stak namelijk niet onder stoelen of banken wat hij zou kiezen als het mes hem op de keel werd gezet. Het was ongelofelijk, maar daar legde Andersen zich bij neer, hij wilde zijn beste rechercheur domweg niet kwijtraken.

Kristine herinnerde zich nog vooral die keer dat Andersen Halvor op de gang, in het openbaar, had uitgescholden omdat hij de dag daarvoor om vier uur een vergadering met de commissaris had verlaten, de geplande eindtijd. Toen Andersen uitgeschreeuwd was, was Halvor zonder een woord te zeggen in zijn kantoor zijn spullen gaan pakken, terwijl Andersen wegliep. Na een minuutje was de baas teruggekomen en had hij quasi toevallig in Halvors kantoor gekeken. Toen was hij naar het koffieapparaat gegaan, had twee koppen koffie meegenomen en was bij de inspecteur naar binnen gegaan. Hij had de deur zorgvuldig achter zich dichtgedaan.

Daarna waren er nog dagenlang prints van personeelsadvertenties van particuliere veiligheidsbedrijven uit de printer tegenover het kantoor van Andersen gekomen. Na dat incident had Kristine Andersen nooit meer iets negatiefs over Halvor horen zeggen. Ze bewonderde haar directe chef ook daarom, ook al betekenden zijn kortere werkdagen dat de anderen meer moesten doen. Maar geen van hen had een gezin, dus ze hadden geen reden tot klagen. Waarschijnlijk was het voor Halvor erger dan voor hen. Hij durfde hun nauwelijks te vragen om over te werken; meestal moesten ze dat zelf aanbieden.

Kristine dwong zichzelf te denken aan wat ze eigenlijk moest doen. Ze was aangenaam verrast door de plek die Schram had voorgesteld om elkaar te ontmoeten. De Champagneria lag maar enkele tientallen meters verwijderd van de plaats waar zijn vriend een paar dagen eerder was vermoord. Maar misschien had hij die plek gekozen omdat hij daar zijn verdriet beter kon verwerken en probeerde hij zijn normale leven weer op te pakken – dat zeggen psychiaters immers altijd? De plek paste overigens goed bij Schram. Het was een van de meer trendy gelegenheden in 'het nieuwe Noorwegen', het Noorwegen dat overliep van welvaart en dure drankjes. Je kon in de Champagneria ook goedkope bubbelwijn krijgen, maar Kristine had sterk het gevoel dat dat niet de doorsneebestelling was.

Schram zat op een bankje voor de Champagneria te wachten. Bij die houten banken, die erom bekendstonden dat ze tonnen gewicht konden verdragen, leek de vedergewicht Schram extra nietig. Toch had Kristine geen moeite hem te herkennen aan de hand van Halvors beschrijving. Ze stelde zich voor en ging naast Schram zitten. Ze stelde vast dat hij misschien ooit in dat colbertje en de Gant-trui eronder had gepast, maar dat was dan wel al even geleden.

Kristine bracht het gesprek voorzichtig op de dood van Schrams vriend. Zodra ze Bjarne ter sprake bracht, begon Schram te trillen, bijna te klappertanden zelfs. Het was zonnig en heel warm voor september, dus aan de temperatuur kon het niet liggen.

Toch wenkte ze de ober en vroeg ze om een plaid.

Schram stopte zichzelf goed in en trok de plaid zo hoog op dat alleen zijn hoofd en zijn hals nog zichtbaar waren. Kristine kreeg bijna een soort moedergevoel voor hem, maar besefte dat ze juist nu moest toeslaan.

'Waarom hebt u ons de waarheid niet verteld?'

Schram keek verschrikt op en begreep duidelijk niet wat ze bedoelde. 'Waar hébt u het over?'

'U zei dat u vorige week zaterdag in Parijs was, maar u was hier in Oslo, nietwaar?'

'Nee...' Hij leek even in de war. 'Ik... ik ben van donderdag tot woensdag in Parijs geweest. Waarom twijfelt u daaraan?'

'Omdat u in de *Aftenposten* geïnterviewd bent in verband met het Herfstfestival in de Spikersuppa die zaterdag.'

'O, dát...' Hij ontspande zichtbaar. 'Ik heb het interview niet gezien. Het is telefonisch afgenomen terwijl ik in Parijs was, ziet u.'

'Ja, maar hoe kon u dan reageren op een dansmodeshow die u niet had gezien?'

'Die heb ik de week daarvoor gezien. Weliswaar in een besloten voorstelling voor de modebranche, maar dat was meer dan genoeg om er commentaar op te kunnen geven.'

Het begon Kristine duidelijk te worden. Toch vroeg ze: 'Maar er stond toch ook een foto van u in de Spikersuppa in de *Aftenposten*?'

'Uit het archief. Ze vroegen of ze al een foto van me hadden, en toen heb ik gezegd dat ze er een van hetzelfde festival van vorig jaar hadden.'

Schram zag er moe en belabberd uit, en Kristine begreep dat ze hem maar beter met rust kon laten. Weer kreeg ze dat moedergevoel, maar ze wist dat ze hem met nog één ding moest confronteren. Ze trok langzaam een enveloppe uit haar binnenzak en haalde de foto eruit. De kopie was iets groter dan het origineel, maar ze hield hem nog even met de achterkant naar Schram.

Ze zei: 'We hebben de spullen doorzocht die Bjarne bij zich had. Er is vooral een foto waar we vragen over hebben. Mag ik u die laten zien?'

Schram knikte. Kristine draaide de foto om.

'Ach, die...'

Schram trok de plaid een stukje naar beneden en begon aan de rode draadjes ervan te trekken terwijl hij zijn vingers bestudeerde.

Hij zag er teleurgesteld uit, alsof hij had gehoopt dat het een foto van Bjarne en hem was.

'Die foto heb ik een paar jaar geleden in zijn portefeuille gevonden. Ik vond het maar niks en werd ook wel een beetje jaloers. Bovendien werd ik bang dat Bjarne van jonge jongens hield, dat hij misschien pedofiel was. Dus ik begon erover tegen hem. Hij werd woedend en vroeg waarom ik in zijn portefeuille snuffelde.'

'Heeft hij het niet uitgelegd?'

'Ja, uiteindelijk wel. Hij gaf toe dat het de eerste jongen was op wie hij verliefd was geworden, maar dat die al jaren dood was. Hij was dus geen bedreiging voor mij, zei hij. En hij verzekerde me ook dat hij geen pedofiel was. Toen ik vroeg of hij de foto uit zijn portefeuille wilde halen om mij een plezier te doen, keek hij me alleen maar aan en stopte de foto weer terug. Ik heb die foto vaak door de wc willen spoelen, maar dat durfde ik toch niet. Hij was zó kwaad.'

Schram verzonk in gedachten. Toen ze opstond om afscheid te nemen, werd ze duizelig. De koorts kwam weer terug en ze nam nog een pilletje. Onderweg naar huis nam ze contact op met de redactie van de *Aftenposten* en kreeg de bevestiging van Schrams verhaal. Dus nu waren ze weer even ver. Behalve dan dat ze nu wist dat Bjarne Rossvik stiekem verliefd was geweest op het slachtoffer van de bende waarvan hij destijds de leider was.

21

Maandag 25 september 2006

Halvor liep twee meter achter Kristine en keek met genoegen naar de zachte vormen die heen en weer golfden onder het korte groene jasje dat ze altijd aanhad als ze veldwerk deden. Hij was bepaald niet ongevoelig voor Kristines vrouwelijkheid en hij had ook meer dan een vaag vermoeden van haar niet-beroepsmatige belangstelling voor hem, maar het kostte hem niet veel moeite die te weerstaan. Zijn besluit stond vast: hij had voor Birgitte en hun drie kinderen gekozen. Verder was het een kwestie van zelfdiscipline, een eigenschap die hij royaal meende te bezitten. De beste manier om afstand tot Kristine te bewaren, was zo snel mogelijk weg te zijn als ze te dichtbij kwam.

Op het werk was het bijna nooit een probleem om iets anders te vinden om zich op te concentreren, en hij was blij dat Kristine weer beter was. Ze hadden iedereen nodig, vooral iemand met haar rationaliteit en haar vermogen om verbanden te leggen. Daarmee woog ze goed tegen hemzelf op, want hij werkte meer intuïtief en niet zo planmatig.

Hij zocht Kristiansen. De onderzoeker van de plaats delict had aangeboden om hen bij te praten over wat ze in de loop van het weekend hadden gevonden, en Halvor en hij gaven er de voorkeur aan dat op de plek zelf te doen. Halvor had er een hekel aan foto's te bestuderen. Daarop ontbrak zo ongeveer alles wat hij nodig had om zijn werk goed te kunnen doen: lucht, wind, overzicht, sfeer... Hij moest zich in kunnen leven in de psyche van een dader, proberen te voelen wat hij of zij kon hebben gevoeld.

De tent van de technische recherche was weggehaald en ze hadden bericht gekregen dat ze vrij rond mochten lopen, zonder bang te hoeven zijn dat ze sporen vernielden. De hoekpalen stonden nog stevig in de grond onder de grote den. De enige verandering was dat er spoortjes van vingerafdrukpoeder te zien waren op de plaats waar ze in de bodem staken.

Waarom had de dader deze plek uitgekozen?

Halvor meende te begrijpen waarom hij palen had gebruikt: die hadden er ook gestaan toen Kris onvrijwillig met de adder had moeten kennismaken. Maar waarom juist hier? Waarom niet wat verder van de bewoonde wereld? Toch had navraag in de buurt dit weekend merkwaardig genoeg niets opgeleverd. Niemand had iets gehoord en niemand had iets gezien, al had dat wel gemoeten. Als hij bijgelovig was geweest, had hij kunnen denken dat een geestverschijning van Kris dit allemaal had gedaan. Geluidloos, onzichtbaar...

Kristiansen ging aan de zuidkant van de palen staan en begon te vertellen: 'Het slachtoffer heeft zo gelegen, met zijn hoofd naar mij toe. Bij die paal...' Hij wees. '... hebben we veel bloed gevonden. Dat kan erop duiden dat zijn duim daar is afgehakt. Daardoor kunnen we ook nagaan hoe het lichaam moet hebben gelegen. Die veronderstelling wordt ondersteund door ongewone dingen die we op de grond hebben gevonden: gebroken takken en zo. We zijn er dus zeker van hoe het slachtoffer lag.'

'Hij moet dus op zijn buik gelegen hebben,' zei Kristine.

'Precies. Dat verbaasde ons aanvankelijk wel, maar we weten het heel zeker. Bovendien,' vervolgde Kristiansen, 'hebben we afdrukken gevonden van een rechthoekig voorwerp dat onder zijn hoofd moet hebben gelegen. Wat dat was, weten we niet zeker, maar we hebben blauw plastic gevonden op een steen eronder, dus ik gok dat het een of andere plastic box is geweest. Maar daar zou ik mijn hoop niet te veel op vestigen, want er is veel plastic op de wereld. Maar het beetje dat we gevonden hebben is doorgestuurd voor analyse.'

'Vingerafdrukken?' vroeg Halvor.

'Daar moeten we ook niet te veel van verwachten. Het is moeilijk om goede afdrukken te vinden op het onbewerkte hout van deze palen. We hebben een paar stukjes gevonden die waarschijnlijk wel gebruikt kunnen worden om bepaalde daders uit te sluiten, maar niet om iemand met zekerheid te identificeren.'

'DNA?'

'We hebben wel wat gevonden waar het Rikshospital waarschijnlijk iets aan heeft, maar het is niet zeker of dat ook van andere mensen dan Bredal is. Nog meer vragen?'

Niemand zei iets, en Kristiansen wenkte Kristine en Halvor met zich mee naar de weg. Ondertussen praatte hij door. 'Het lijk is hier naar beneden gesleept, en nu wordt het interessant: in die boom daar hebben we blauwe wolresten gevonden van een muts of een trui, te oordelen naar de hoogte van die tak boven de grond. Het is onwaarschijnlijk dat die resten afkomstig zijn van de dode en het klopt heel goed met de manier waarop de dader moet hebben gelopen als hij Bredal met zich meesleepte.'

Het viel Halvor op dat Kristiansen consequent 'hij' zei als hij het over de dader had, en hij begon te begrijpen waarom. Niet veel vrouwen zouden sterk genoeg zijn om een grote man als Bredal bijna honderd meter over zulk oneffen terrein te trekken. Ook voor de moord op Dahl was kennelijk heel wat fysieke kracht nodig geweest. Ook Halvor dacht stiekem aan een mannelijke dader.

Ze waren inmiddels bij de weg. Daar wees Kristiansen op een kleine, donkere vlek die met tape was gemarkeerd, en hij constateerde droog: 'Bloedsporen.'

Ze waren nu in de buurt van de kust en Halvor zag een merkwaardig cementen ding op een rots staan. Het had een kwart van de omvang van een traditioneel betonblok, maar was niet zo glad van vorm en leek meer op een emmer. Uit het boveneind stak een dikke ketting met aan het eind daarvan een hangslot.

'Dat is het pronkstuk van wat de duikers hebben gevonden: het gewicht dat de moordenaar heeft gebruikt om het lijk onder water te laten zakken. Als we geluk hebben en de dader heeft het zelf gemaakt, vinden we misschien haar of ander DNA-materiaal in het cement. Het blok gaat nu naar het laboratorium, dus als het goed is duurt het niet lang voordat we meer weten.'

'Heb je een theorie over hoe het lijk van die ketting losgeraakt is?' vroeg Halvor.

Kristiansen grijnsde. 'Daar hebben we mazzel mee gehad. Het ziet ernaar uit dat de dader het hangslot domweg niet hard genoeg heeft aangedrukt, zodat het slot niet goed vastzat. Een paar golven en wat stroming of een ijverige visser die dacht dat hij flink beet had – meer was er niet nodig om het lijk los te maken,' zei Kristiansen.

De ervaren plaatsdelictonderzoeker keek naar het water, dat in kleine golfjes krachteloos tegen de rots kabbelde.

'De duikers hebben het cementblok zo'n tien meter van de kust op bijna zes meter diepte gevonden. Er loopt hier een heel diepe geul langs de kust. Dat wijst erop dat de dader bekend was met dit deel van de fjord. Misschien komt hij hier vaak vissen. Hoe dan ook, die geul loopt daar naar de kust...' Hij wees naar een steile rots die een meter of vijftien uit het water stak, rechts van de rots waar ze zelf op stonden. 'En daarvandaan heeft hij het lijk met het cementblok eraan gewoon in het water gerold. Heel simpel,' besloot Kristiansen zijn verhaal.

*

Het eerste wat Halvor vond toen hij de pc op zijn werkkamer aanzette, was een heel kort mailtje van Andersen: 'Naar mijn kamer komen – NU!' Normaal gesproken zou Halvor een paar minuten gewacht hebben om de schijn op te houden, maar hij had nu sterk het gevoel dat het verstandig was om de order meteen uit te voeren.

Nog voordat hij goed en wel op de deur geklopt had, klonk er al een scherp 'ja!' uit de kamer. Halvor ging naar binnen en zag een rood aangelopen Andersen. De aanval is de beste verdediging, dacht Halvor: 'Ik kom juist terug van een inspectie van...'

'Het kan me geen barst schelen wat voor inspectie je hebt gedaan. Wat ik me afvraag is waarom de Rijksrecherche in godsnaam met jou wil praten! Als deze zaak de mist in gaat doordat jullie bij het onderzoek iets strafbaars hebben uitgehaald, dan kun je die advertenties van bewakingsbedrijven weer opzoeken, dat kan ik je verzekeren! Als je daar tenminste werk kunt krijgen met de referenties die je van mij meekrijgt.'

Als Andersen een verhoogd risico op een hartinfarct had, zou hij er nu een moeten krijgen, dacht Halvor. Hoewel hij alle vertrouwen had in zijn eigen onderzoek, begon hij toch wat angstig te worden.

'Zeiden ze waarover...'

'Ik weet nog geen barst! Ik kreeg er net een telefoontje over van de korpschef, voordat die naar een directievergadering ging. In de vergadering van twee uur vanmiddag zal ik wel meer horen,' zei hij chagrijnig.

'Heus, chef, ik kan me geen enkele reden voorstellen waarom ze met me willen praten.'

'Nee, nee. Ik hoop dat het een routinezaak is, als er bij de Rijksrecherche al zoiets bestaat. Hoe dan ook: ze laten er zoals gewoonlijk geen gras over groeien en komen morgen uit Hamar hierheen. Je moet om tien uur bij hen zijn in kamer 232 en je hebt voorlopig de status van getuige. Meer weet ik voorlopig niet. Je kunt gaan.'

Terwijl Halvor het kantoor uit ging, hoorde hij Andersen nog mompelen: 'Geweldige timing voor zoiets.' Halvor vroeg zich af of het helemaal waar was dat hij geen idee had wat 'zoiets' was, zoals hij Andersen had verzekerd. Hij begon een angstig voorgevoel te krijgen waar de Rijksrecherche hem over zou willen spreken. Die dienst onderzocht zaken waarin politiemensen werden verdacht van van alles, van plichtverzuim tot corruptie. Het was geen prettig idee in die categorie te zijn beland, zeker niet als je bedacht hoe Andersen de nadruk had gelegd op 'voorlopig'.

*

Toen hij weer in zijn eigen kantoor zat, probeerde Halvor zich te concentreren op iets waar hij wat aan had, en hij begon een prioriteitenlijst te maken van mensen met wie ze moesten praten. Bovenaan stond Gunnar. Daarna kwamen de moeder van Kris en haar geregistreerde partner. Nu Bredal en Schram waren afgevallen, waren dit voorlopig de enige mensen met een soort motief.

Bastian werkte zijn pas verworven Zweedse informatie uit en had voor de zekerheid de opdracht gekregen uit te zoeken of er in het najaar van 1982 in het buurland een zwijgende jongen van dertien à veertien jaar was opgedoken. Hij keek alsof hij het nou niet bepaald een spannende opdracht vond, want geen van de rechercheurs geloofde in die theorie.

Merete en Hans Petter gingen op bezoek bij de moeder van Kris, en Kristine en hij namen Gunnar voor hun rekening. Omdat hier sprake was van potentiële verdachten, was het goed om met zijn tweeën te gaan voor het geval het ooit nodig zou zijn om tegenover een rechtbank aan te tonen dat alles correct verlopen was.

Maar voordat ze gingen, wilde Halvor met Forensisch praten. Hij draaide het nummer van de afdeling en kreeg Christensen meteen te pakken.

'Bredal heeft zijn laatste adem in de buitenlucht uitgeblazen, want er is geen teken van water in de longen, maar er zijn geen sporen aan de hals. Hij heeft wel een paar stevige bloeduitstortingen en zelfs een deuk in zijn nek, wat erop wijst dat hij daar een flinke klap heeft gehad, maar dat is niet de doodsoorzaak geweest. Als iemand hem om het leven heeft gebracht, moet dat gebeurd zijn doordat hij of zij zijn neus en mond dicht heeft gehouden. Hij heeft ook een heleboel kleine wondjes in zijn gezicht. Daar heb ik voorlopig nog geen goede verklaring voor, maar ik heb organisch materiaal in een van de wonden gevonden dat ons misschien een aanwijzing kan geven.'

'En waar denk je aan?'

'Uit wat ik over de plaats delict weet, leid ik af dat iemand zijn hoofd ergens in heeft geduwd waardoor hij geen adem meer kon halen. Wat dat is geweest, weet ik dus nog niet, maar het is zeker geen kussen geweest. Het slachtoffer heeft bovendien een heleboel wondjes aan de binnenkant van zijn handen. Op basis van wat ik verder gehoord heb, kan het heel goed zijn dat de dader vlak voor of na Bredals dood een fietsketting tussen zijn handen door heeft gehaald.'

Christensen pauzeerde even en zei toen: 'Nog één ding: de duim lijkt er met een bijl of zo'n soort gereedschap af te zijn gehakt.'

*

'Wat weten we eigenlijk over Gunnar Vedal?' vroeg Halvor toen ze van de Ring 3 afsloegen.

'Volgens Merete houdt hij zich al jaren bezig met noodhulp via Buitenlandse Zaken. Hij heeft een vrouw en een kind van acht en is momenteel eigenlijk gestationeerd op de ambassade in Malawi. Maar hij is nu een paar weken in Noorwegen in verband met een grote internationale conferentie over kinderen met psychologische problemen in ontwikkelingslanden. Als ik het goed begrepen heb, gaat hij over een paar dagen terug naar zijn gezin.'

'Twee weken in Noorwegen? Zonder zijn gezin? Interessant,' zei Halvor.

Ze zwegen. Halvor registreerde even hoe Kristines lange, sierlijke vingers het stuur in een lichte greep hielden. Toen verzonk hij in gedachten. Waar was Bredals hoofd in geduwd? Hij vermoedde dat het antwoord te vinden was in de pesterijen die Kris had ondergaan en nam in gedachten nog eens systematisch door wat Steffensen hem had verteld.

Toen ze Vinderen passeerden, had hij het. Hij pakte zijn mobieltje en toetste het nummer van Forensisch in. Weer nam Christensen meteen op.

'Kan het zijn dat Bredals hoofd in een kist met aangestampte sneeuw is geduwd? Kan dat bij zijn verwondingen passen?' vroeg hij.

Het was even stil. Toen, twijfelend, kwam er: 'Dat is op zich geen gek voorstel, maar voor zover ik weet heeft het al een halfjaar niet meer gesneeuwd.'

'Maar sneeuw kun je desgewenst in een vrieskist bewaren.'

'Dat kan zeker, al zou ik daar voorlopig niet alles aan willen ophangen. Maar dat is nou jóúw zaak,' zei Christensen.

Halvor bedankte hem en verbrak de verbinding. Als hij gelijk had, betekende dat dat ze te maken hadden met een moordenaar die zijn daden al lang van tevoren had gepland.

*

Halvor dacht nog steeds aan sneeuw toen ze de bochtige weg naar de beroemdste skischans van de wereld op draaiden. De laatste keer dat hij hier was geweest, was bij het skifeest voor kinderen tijdens de Holmenkolldag, eind maart. Een stralend zonnige dag met papsneeuw. Ole had zich voor de eerste keer door de lange Elgløypa, de elandloipe, geworsteld, terwijl zijn zusje Hanne voor de laatste keer de Bamseløypa, de teddybeerloipe deed.

Er waren verschillende redenen waarom Halvor zich die dag nog goed herinnerde. Het was een pure idylle totdat de kinderen allebei hun prijs kregen: een zakje met genoeg snoep voor twee weken. Ole propte gewoontegetrouw alles in één keer naar binnen en prikte vervolgens zijn skistok hard in Hannes bips uit wraak omdat ze hem 'stom' had genoemd. De rit naar huis met de metro was een helletocht, met een dochter die tranen met tuiten huilde en beweerde dat ze niet kon zitten, en een zoon die kwaad was omdat hij twee dagen huisarrest had gekregen. Halvor had bijna niet op durven kijken, uit angst een bekende tegen te komen, maar hij had wel gemoeten toen ze op Majorstua moesten overstappen.

Halvor was net over de kier tussen de wagon en het perron gestapt, toen er een leeg bierflesje tegen zijn hoofd vloog. De klap was zo hard dat het halve perron zich omkeerde. Het had hem even geduizeld, maar hij had zich staande weten te houden en had nog net de rug van de dader gezien, die zich een weg door de mensenmenigte baande. Helemaal zeker wist hij het niet, maar hij had toch een sterk vermoeden wie het was geweest: een voormalige informant die dacht dat Halvor hem als bron had opgeblazen. Dat de man zichzelf had verraden toen hij in een roes van amfetamine al te luidkeels had staan praten bij een politiepost, wilde er niet bij hem in. Hoe dan ook, de man had de represailles zonder blijvende schade overleefd, en daar had hij blij om moeten zijn.

Met twee kinderen in het gekrioel op het metrostation Majorstua was Halvor blij dat de voormalige informant zijn wilde straatleven kennelijk had hervat. Als de man door jarenlang drugsgebruik niet ernstig was verzwakt, was de Eerste Hulp waarschijnlijk Halvors volgende halte geweest. Maar de klap was toch wel zo hard geweest dat Halvor de metro had opgegeven en in de rij voor de taxi's was gaan staan.

Hij had bewondering voor de stoïcijnse rust van zijn vrouw toen hij en de kinderen thuis in Manglerud uit de taxi rolden: hij met bebloed hoofd, Hanne met een grote scheur in haar splinternieuwe skibroek en Ole met een gezicht als een oorwurm. 'Misschien moet ik volgend jaar toch maar meegaan naar de Holmenkolldag,' had Birgitte gezegd. Door een mist van zweet en bloed zag hij haar schalkse blik, en ook daarom hield hij van haar. En zeker toen ze in de twintig minuten die volgden een schuimverband had aangebracht op Hannes bult, haar broek had genaaid, Halvors wond had schoongemaakt en hem onder de douche had geholpen, en Ole weer aan het lachen had gekregen. Op dat moment had Halvor heel duidelijk gevoeld dat Birgitte het enige stabiele punt in zijn leven was.

De laatste keer dat hij hier geweest was zonder dat er sneeuw lag, moest zo'n zestien, zeventien jaar geleden zijn. Toen zat hij op de politieschool en rende hij nog fanatiek om in topvorm te blijven. De langste hardlooprondjes begonnen op het kruispunt in Majorstua en gingen via Grefsenkleiva, Trollvann en Tryvann terug naar het startpunt. Hij was nog altijd de lucht van natte sparren en bosbessenstruiken en het heerlijke gevoel van de douche na afloop niet vergeten.

Af en toe was hij tijdens deze rondjes even aangegaan bij het Holmenkollen Park Hotell om een spaatje te drinken voordat hij de heuvels weer af ging.

Toen was Halvor al net zo onder de indruk van de vikingachtige drakenstijl en de overweldigende nationaalromantiek die het meest prestigieuze hotel van Noorwegen uitstraalde als nu, nu Kristine bij het hotel voorreed.

Binnen in het hotel regeerde echter de moderne techniek. Hoewel er 222 kamers waren, had de receptie maar een paar tellen nodig om Vedals naam te vinden, hem te bellen en hun de weg naar zijn kamer te wijzen. Toen ze aanklopten, ging de deur zo snel open dat het leek alsof Gunnar Vedal er vlak achter had staan wachten. Hij deed een stap opzij, gaf hun een hand en wees naar een klein bankstel naast een van de bedden.

'Willen jullie een kop koffie?' vroeg Vedal. Halvor knikte en nam de man in zich op toen hij via de huistelefoon koffie bestelde. Hij was iets kleiner dan Halvor, ongeveer een meter tachtig, maar stevig gebouwd. Hij had duidelijk geen schoudervullingen nodig om zijn colbertje te vullen. Hij zag er ook veel ouder uit dan zijn achtendertig jaar. Zijn haargrens was nog niet ver geweken, maar zijn haar was bijna helemaal grijs. Veel te grijs voor zo'n jonge man.

Toen Vedal had opgehangen, vroeg Halvor of hij even van het toilet gebruik mocht maken. De badkamer was heel klein en Halvor keek goed rond terwijl hij een plas deed. Op een plankje naast de spiegel stond een bruine toilettas. In een groot whiskyglas op de wastafel stonden een tandenborstel en tandpasta. Verder waren er weinig persoonlijke spullen te zien. Een heel gewone hotelbadkamer, dacht hij. Hij had meer verwacht van het Holmenkollen Park Hotell.

Hij ging terug naar Vedal en Kristine. Ze gingen helemaal op in een gesprek over Afrika. Hij wist dat Kristine daar in haar jeugd met haar ouders, die in de zending zaten, had gewoond. Ze zwegen toen Halvor binnenkwam. Hij kwam meteen ter zake en vertelde beknopt dat ze met Vedal wilden praten in verband met een zaak die voorlopig – dat laatste woord benadrukte Halvor – drie moorden omvatte. Toen hij de namen van de vermoorde mannen noemde, zag Vedal er geschokt uit. Halvor maakte voorlopig geen melding van Kris.

'Ik heb die jongens allemaal gekend. Het was een soort bende van vijf. Denkt u dat die andere twee ook gevaar lopen?'

'Dat is nog te vroeg om te zeggen, maar we kunnen het zeker niet uitsluiten. Hoe goed kende u die vijf jongens?'

'Tja... wat zal ik zeggen? Ik denk eigenlijk dat anderen hen veel beter kennen dan ik. De leraar en hun klasgenoten, bijvoorbeeld.'

'We zouden het op prijs stellen als u iets meer zou kunnen vertellen over uw relatie met hen.'

Vedal leunde achterover in de stoel waarin hij zat. Toen nam hij kennelijk een besluit en kwam weer naar voren.

'Eerlijk gezegd kende ik hen geen van allen goed. We groetten elkaar, dat was eigenlijk alles. Maar ik weet wel dat ze voor een andere jongen in hun klas, Kris, echte kwelgeesten waren. Hij woonde naast ons en we liepen vaak samen naar school en terug – nou ja, totdat hij zelfmoord pleegde...'

'Zelfmoord?'

'Ja. Dat moet geweest zijn in de herfst van het jaar dat ik in de negende klas zat en zij in de achtste. Hij is van de veerboot naar Denemarken gesprongen. Zijn moeder en haar vriend vonden later een afscheidsbrief in hun hut.'

Vedal zweeg. De beide rechercheurs wachtten.

'Ik weet heel zeker dat die zelfmoord een gevolg was van het gepest door dat stel. Toen Kris dood was, heb ik hun leider, Bubbel, een lesje geleerd. Hij gaf uiteindelijk toe dat ze allerlei idiote dingen met Kris hadden gedaan. Ze hadden bijvoorbeeld een keer gedaan alsof ze hem aan een boom ophingen...'

Vedal hield in en wierp een zijdelingse blik op de twee rechercheurs. Toen zei hij: 'Maar dat weten jullie zeker al?'

Die vraag verraste Halvor. 'Waarom zegt u dat?'

'Omdat ik anders niet goed begrijp waarom jullie bij mij zouden komen. Er zijn minstens vijftig mensen die die jongens beter kenden dan ik. De enige reden dat jullie toch naar mij toe komen, moet zijn dat jullie weten wat er met Kris gebeurd is en dat jullie denken dat die moorden iets met hem te maken hebben,' zei Vedal. Het was geen vraag, het was gewoon een constatering.

De rechercheurs waren overrompeld. Halvor bedacht dat de man ofwel heel intelligent was ofwel de moordenaar, en in dat geval zou het ontzettend dom zijn om te zeggen wat hij net gezegd had. En er was niet veel dat erop duidde dat de moordenaar dom was.

Halvor besloot over te gaan op een andere strategie. Hij glimlachte vriendelijk en zei: 'Wat u zegt, is ons niet geheel onbekend, nee. Maar het is belangrijk voor ons dat u zo veel mogelijk vertelt over wat ze Kris aangedaan hebben zonder dat u zich afvraagt wat wij al weten. Wilt u dat doen?'

Dat deed Vedal, en weer moesten Halvor en Kristine de details over het gepest aanhoren. Vedal vertelde ook dat hij Bubbel na de zelfmoord van Kris een pak slaag had gegeven. Toen hij klaar was, vroeg Kristine hem te vertellen waar hij woensdag was geweest, de dag voor de moord op Anders Dahl, het weekend daarvoor en de dagen dáárvoor, en wie hij bij die gelegenheden had ontmoet. Vedal antwoordde grondig en uitvoerig en gaf aan wat hij niet zeker wist.

'Als u denkt dat ik het was, hebt u het mis. Ik heb die zaak achter me gelaten toen ik Bubbel die keer in '82 in elkaar had geslagen.'

Halvor geloofde hem niet. Daarvoor herinnerde Vedal zich de details veel te goed.

22

Oktober 1982

Gunnar stapte door de eerste sneeuw van de winter en voelde zich verschrikkelijk terneergeslagen. De vorige dag was de rector in alle klassen geweest om te vertellen wat er met Kris gebeurd was. De rest van de dag was zijn klas ongewoon rustig geweest. De school had de vlag halfstok gehangen en alle bijna tweehonderdvijftig leerlingen hadden een brief van de rector mee naar huis gekregen.

Hij wilde snel het portiek in glippen, maar stopte even bij de brievenbussen. Post voor hem? De enigen die hem weleens schreven, waren zijn oma in Høyanger en een meisje dat hij de afgelopen zomer tijdens het voetbaltoernooi in Karlstad in het zwembad had ontmoet. De enveloppe werd nat van de sneeuwvlokken, en hij ging gauw naar binnen. Hij scheurde hem open zodra hij de deur achter zich dicht had gedaan. Het was een brief van één kantje en hij was van Kris. Gunnar ging op een stoel in de gang zitten.

Ås, 22 oktober 1982

Hoi Gunnar,

Als je dit leest, weet je waarschijnlijk al dat ik er niet meer ben. Zo niet, dan spijt het me dat je daar op deze manier achter komt. Jij was voor mij datgene wat het dichtst bij een vriend komt. Daarom ben jij de enige aan wie ik dit kan vragen: wil jij in de gaten houden wat Bubbel en zijn bende doen? En wil je me beloven dat je het aan de ouders of aan de leraar vertelt als je ziet dat ze iemand pesten? Voor mij was dit de enige uitweg, maar ik wil niet dat ze nog anderen

op hun geweten krijgen. Ik heb er nooit met mijn moeder of met iemand anders over gepraat, want zij had het al moeilijk genoeg na de dood van mijn vader. Nu heeft ze een lieve vriend en een baby in haar buik. Het is het beste voor haar als ze mijn vader en mij kan vergeten.
Wil je dus nooit met iemand over deze brief praten? Vooral niet met mijn moeder of Arnfinn. Toen ik gestopt was met praten, dacht ik dat het voorbij was. Maar dat was niet zo. Ik denk dat wat ik nu gedaan heb voor mij de enige manier was om het te laten ophouden.

Groeten, Kris

*

Gunnar wachtte Bubbel een paar honderd meter vanaf diens huis op. Daar was hij meestal alleen. Vandaag ook. Gunnar zag de brede gestalte van Bubbel over de grindweg waggelen, nieuwsgierig onder zijn engelenhaar uit kijkend.
Toen hij nog maar een paar meter van hem verwijderd was, zei Gunnar: 'Wat hebben jullie met Kris gedaan?'
Bubbel stopte en keek Gunnar onschuldig aan. Gunnar meende echter toch iets van onzekerheid in zijn ogen te zien. 'Niks. Hij heeft het zelf gedaan. In zee springen, bedoel ik.'
Gunnar deed een stap naar voren en gaf Bubbel een klap midden op zijn bolle linkerwang. Bubbel deinsde terug.
'Ik vraag het nog maar één keer: wat hebben jullie met Kris gedaan?'
Bubbel spuugde. Een rode vlek op de grond. De tranen verzamelden zich in zijn ooghoeken voordat ze langzaam over zijn wangen naar beneden begonnen te biggelen.
'Hij kon verdomme ook nergens tegen. We hebben alleen maar een paar keer geintjes met hem uitgehaald.'
'Waarom is hij opgehouden met praten? Wat hebben jullie met hem gedaan in het bos?'
Bubbel zag er teleurgesteld uit. 'We wilden alleen maar een beetje klooien. Doen alsof we hem ophingen aan die boom. Stelde niks voor. Het touw hing aan een dun draadje dat meteen knapte toen

ik de stoel onder hem wegtrapte. We konden toch niet weten dat hij het serieus zou nemen?'

Bubbel deed een stap naar achteren. Maar met zijn grote lijf was hij gewoon te traag. Gunnar had alle tijd om hem ook een oplawaai op zijn andere bolle wang te geven en gooide de dikkerd toen op de grond. Hij ging schrijlings op Bubbels borst zitten en begon erop los te timmeren. Af en toe stopte hij even om een vraag te stellen of om Bubbel antwoord te laten geven.

23

Maandag 25 september 2006

'Ik kan me niet goed indenken dat hij het heeft gedaan,' merkte Kristine op.

'Waarom niet?'

'Hij had niet hoeven zeggen dat hij begreep waar we op uit waren. Integendeel, hij kon begrijpen dat hem dat in onze ogen nog meer verdacht zou maken. En die man is in elk geval niet dom. Waarom zou hij zichzelf verdacht maken als hij het echt heeft gedaan?'

Halvor wist het net zomin als zijn collega. Het was vierentwintig jaar geleden gebeurd, maar Gunnar Vedal herinnerde zich nog wel erg veel details van het gepest, zeker als je bedacht dat hij dat naar eigen zeggen allang achter zich had gelaten. Dat bracht hij tegen Kristines opmerking in.

'Ik ben het met je eens dat dat raar lijkt,' antwoordde ze. 'Aan de andere kant laat je onderbewuste zoiets misschien niet zo gemakkelijk achter zich. Maar dat hoeft niet te betekenen dat hij nu nog behoefte heeft om er fysiek iets aan te doen. Bovendien viel mij nog iets op: hoeveel details hij ook kende, van dat inzepen met sneeuw wist hij kennelijk niets.'

'Als hij de dader is, zou het ook wel héél stom zijn om toe te geven dat hij echt alle details kent die hem met de moorden in verband kunnen brengen. Dan zou ik net zo doen als hij: net doen alsof ik wel íéts wist, maar niet alles,' zei Halvor.

En hij voegde eraan toe: 'Hoe het ook zij, ik ga SO vragen of ze hem in het oog willen houden. Dat moeten we blijven doen totdat we zijn alibi volledig hebben gecheckt. Bovendien zal ik Christensen vragen zo snel mogelijk nauwkeurig aan te geven wat het tijdstip van overlijden van Bredal was, als dat tenminste kan. Het begint een beetje te dringen, zacht gezegd.'

*

Afgezien van de dagelijkse vergadering bemoeide Andersen zich eigenlijk nauwelijks met wat Halvors team deed. Hij vertrouwde erop dat Halvor en de zijnen op het punt stonden een doorbraak te bereiken en was tevreden over de voortgang. Ondanks de druk van buitenaf – de media hadden de samenhang ontdekt en schreven nu pagina's vol over 'de seriemoorden' – én vanuit de top van de politie, liet hij zich niet opjagen. Zelfs het ministerie van Justitie had iets van zich laten horen, onder meer of ze geld nodig hadden om Amerikaanse deskundigen op het gebied van seriemoordenaars over te laten komen.

Halvor was ondanks alles blij met Andersen. Een van zijn sterkste kanten was juist dat hij goed met druk om kon gaan. Minder blij was hij met de omvang van de zaak in de media en het effect dat dat vervolgens weer had op de politiek en op het ministerie. Hij was er vrij zeker van dat het aanbod om een beroep op Amerikaanse deskundigen te doen om een daderprofiel op te stellen, een gevolg was van vragen van de pers. De journalisten smulden werkelijk van de eerste seriemoordzaak in Noorwegen sinds de Tistedalmoorden, dertien jaar geleden.

Als er één ding zeker was, was het wel dat Halvor nu geen behoefte had aan een daderprofiel. Daarvoor was de samenhang tussen de moorden te sterk en leken ze ook te rationeel beredeneerd. Het leek er niet erg op dat ze 'een gek' zochten en het aantal verdachten was zeer beperkt, althans op basis van wat ze nu wisten. En áls hij al kennis van buiten nodig had, zou hij beginnen met het psychologische team van de landelijke recherche. Dat het ministerie niet wist dat de Noorse recherche zelf over dergelijke kennis beschikte, was helaas geen verrassing voor Halvor.

Merete en Hans Petter kwamen nogal opgewonden binnen. 'We proberen je al een kwartier lang te bellen, maar je bent steeds in gesprek,' klaagde Hans Petter.

'Ik heb met Andersen gebeld om hem bij te praten voor de persconferentie, straks. Wat heeft er zo'n haast?'

'Niks bijzonders, maar ik dacht dat je wel zou willen horen hoe het bij Beate Løchen en Arnfinn Helseth ging...'

Hans Petter zweeg even om de spanning erin te houden. Toen deed hij twee stappen naar voren en gooide een velletje papier op Halvors bureau.

Het was moeiteloos door het plastic mapje heen te lezen, en het was duidelijk al vrij oud. Halvor kon het kinderlijke handschrift gemakkelijk ontcijferen. Het briefje was met potlood geschreven, en op verschillende plaatsen was goed te zien dat er tekst uitgegumd en vervangen was.

Lieve mama,

Dit is een moeilijke brief om te schrijven. Ik weet dat jullie verdriet zullen hebben, maar je moet begrijpen dat het niet jullie schuld is dat ik dit heb gedaan. Jullie komen er wel weer overheen.
Jij was de liefste mama van de hele wereld en ik hoop dat het goed gaat met jou en Arnfinn en de baby. Met mij gaat het niet goed, maar dat komt door dingen waar jullie niets aan kunnen doen. Je moet ABSOLUUT NIET *denken dat wat ik heb gedaan, ermee te maken heeft dat je met Arnfinn samen bent en dat jullie een kind krijgen. Het heeft het juist gemakkelijker voor me gemaakt, want nu weet ik dat er iemand is die op je past en die je een goed leven geeft. Dat verdien je, mama!*
Wat ik nu heb gedaan, heb ik al lang geleden besloten. Het beste wat jullie voor mij kunnen doen, is zo goed mogelijk leven en het kind net zoveel liefde geven als ik heb gehad. Dan zien we elkaar misschien in de hemel, als die er is.

Kus (ook voor Arnfinn) van Kris

Nadat hij de brief had gelezen, zat Halvor nog minutenlang naar het papiertje te staren. Merete en Hans Petter stoorden hem daarbij geen van beiden. Hij dacht aan zijn eigen kinderen, aan Birgitte en hoe verschrikkelijk een bericht als dit voor liefhebbende ouders moest zijn, als het echt zo was dat de moeder zo lief was als deze brief suggereerde.

De brok in zijn keel werd steeds groter, maar uiteindelijk probeerde hij hem kwijt te raken door de stilte te verbreken. 'Geen woord over het gepest, maar je kunt wel zeggen dat er hier veel tussen de regels door staat. In elk geval voor ons, nu we weten wat de achtergrond is,' zei hij.

'Ja, het is duidelijk dat Kris niet wilde dat ze het te weten kwamen. Misschien vond hij dat zijn moeder al genoeg problemen had en wilde hij haar niet nog meer ellende bezorgen,' zei Merete, en Hans Petter voegde eraan toe: 'Hoe dan ook, het ging niet helemaal zoals hij wilde. Hij was pas dertien en begreep waarschijnlijk niet hoeveel ouders van hun kinderen houden. Maar dat weet jij beter dan wij, Halvor. Ik geloof tenminste dat er sinds de dood van Kris niet één dag voorbij is gegaan zonder dat Beate Løchen zich heeft afgevraagd waarom haar zoon dit heeft gedaan – misschien met uitzondering van de laatste vier jaar. En dat het haar veel heeft gedaan is haar aan te zien: ze is maar een jaar of zestig, maar ze ziet er veel ouder uit. Na die gebeurtenis heeft ze het grootste deel van de tijd in de WAO gezeten. En ze heeft nooit meer voet aan boord van een schip gezet.'

Halvor keek op. 'Hoe bedoel je, "misschien met uitzondering van de laatste vier jaar"?'

'In oktober 2002, precies twintig jaar na de zelfmoord, is Gunnar Vedal bij hen geweest, en hij heeft hun verteld van de pesterijen. Hij liet hun ook een brief van Kris zien die hij een paar dagen na de zelfmoord had gekregen. Ze werden woedend en hebben hem het huis uit gezet. Zij en Helseth vroegen zich af waarom hij hun dat in godsnaam niet eerder had verteld of waarom hij niet eerder had begrepen wat er te gebeuren stond. Ze had daar later spijt van, maar ze zegt dat ze er niet toe kon komen weer contact op te nemen met Vedal. Ik geloof dat ze het ook moeilijk te verkroppen vindt dat Kris Gunnar Vedal wel in vertrouwen nam, maar haar niet.'

'Dat is begrijpelijk,' zei Halvor. Hij besloot voor de zoveelste keer dat hij alles zou doen wat hij kon om de relatie met zijn eigen kinderen openhartig te houden.

'Hoe is het met de halfzus van Kris? Die een paar maanden na zijn dood geboren is? Zij moet nu, als ik het goed heb, drieëntwintig zijn. Het kan niet makkelijk zijn geweest op te groeien in een gezin waarop de zelfmoord van haar broer zo'n stempel drukte.'

‘We hebben natuurlijk vragen gesteld over Kari Anne, zoals ze heet, en volgens haar moeder gaat het goed met haar. Ze heeft wel altijd vragen gesteld over haar broer, maar ze hadden haar niet alles verteld. Maar die keer dat Gunnar op bezoek kwam, was ze thuis. Ze mocht niet bij het gesprek aanwezig zijn, maar haar moeder verdenkt haar ervan dat ze het heeft afgeluisterd. In elk geval heeft Kari Anne daarna bijna nooit meer naar haar broer gevraagd.’

‘Tja, dan hebben we nóg een naam voor de lijst van verdachten,’ zuchtte Halvor. ‘Hoewel we gezien de fysieke vereisten voor deze moorden niet meteen aan een vrouw denken. Was Kari Anne thuis toen jullie er waren?’

‘Nee, ze studeert psychologie aan de universiteit van Bergen, en daar woont ze ook.’

‘Hadden ze een behoorlijk alibi?’

‘Ze hebben allebei een bruikbaar alibi voor het enige tijdstip waarvan we tamelijk zeker zijn, dus de moord op Dahl. Ze zijn op woensdagavond met het vliegtuig van halfzeven van Oslo naar Trondheim gegaan voor de vijfentachtigste verjaardag van de moeder van Helseth. Ik kan me niet voorstellen dat een van hen een uur voordat het vliegtuig vertrok Anders Dahl nog gauw even gewurgd heeft of dat ze dat samen nog gauw gedaan hebben.’

‘Het klinkt me niet helemaal onmogelijk in de oren, zeker niet als de dokter zich een paar minuten in de tijd heeft vergist. Zoek dat nog even goed uit, wil je? En neem ook even contact op met Gardermoen om te horen of ze daar ingecheckt hebben. Een beter motief dan die twee heeft niemand. En vraag de politie van Bergen of ze een praatje willen maken met Kari Anne.’

Op weg naar de deur keerde Merete zich om. ‘We hebben nog één interessant puntje gevonden.’

Halvor knikte aanmoedigend en Merete vervolgde: ‘Arnfinn Helseth werkt bij een aannemersbedrijf. Die doen onder andere een project een paar honderd meter hiervandaan, in de Schweigaardsgate.’

‘Gemakkelijk om aan cement te komen, bedoel je?’

‘Gemakkelijk om aan cement te komen,’ herhaalde Merete.

*

Halvor kon zich goed voorstellen dat de moeder van Kris en haar vriend kwaad waren geworden op Gunnar Vedal. Dat was hij zelf ook. Waarom had Vedal niets gezegd over zijn bezoek aan hen? Hij had categorisch ontkend dat hij iemand had verteld dat Kris gepest werd, en hij moest toch hebben beseft hoe belangrijk die informatie was? Bovendien moest hij toch ook hebben begrepen dat de politie er sowieso heel snel achter zou komen? Over de psychologische kant van deze zaak begon Halvor trouwens ook onzeker te worden. Als Vedal de moordenaar was, zou het alleen maar in zijn voordeel zijn geweest als hij er de aandacht op had gevestigd dat er meer mensen waren die van de pesterijen wisten. Aan de andere kant wilde Halvor het verdriet van Kris' moeder niet nog groter maken. Hij begreep het niet. Misschien hadden ze toch hulp van een psycholoog nodig?

Hij wilde bijna Birgitte bellen. Het was wel al bijna tien jaar geleden dat zij haar psychologiepraktijk had opgegeven en bij het ministerie van Volksgezondheid was gaan werken, maar ze was nog altijd zijn beste en ondanks alles betrouwbaarste adviseur in dit soort vraagstukken.

Toen hij naar zijn auto liep, verwierp hij het idee weer. Er was te weinig tijd om Birgitte in te wijden in de hele complexiteit van de zaak. Dat had hij natuurlijk al veel eerder moeten doen. Dus probeerde hij andermaal zo snel mogelijk bij het Holmenkollen Park Hotell te komen. Gunnar Vedal moest nog maar eens opnieuw een verklaring afleggen, en ditmaal in een verhoorkamer.

Hij reed de steile, bochtige weg naar Holmenkollen te snel op en dacht toen aan de geschiedenis met Berentzen. Hij minderde vaart en maande zichzelf tot kalmte. Hij zat niet in een herkenbare politieauto. En het was misschien ook niet zo slim om zo kwaad op Vedal te worden dat de man amper nog zijn mond open durfde te doen.

Toen hij weer voor de lobby van het hotel stond, had hij een strategie bedacht. De receptie kreeg geen gehoor in Vedals kamer en zei dat hij waarschijnlijk naar het seminar van vandaag was. Halvor liet zich de weg naar de vergaderzaal uitleggen en sloop daar voorzichtig naar binnen. Ze zaten kennelijk midden in een toespraak, en niemand leek Halvor op te merken. In het licht van de projector kon Halvor op een scherm het opschrift CHILDREN IN

CRISES lezen, en een vrouwelijke spreker met kennelijk Afrikaanse roots zette op een overtuigende manier nieuwe feiten uiteen over kindsoldaten in Noord-Oeganda.

Er waren zeker vijftig mensen in de zaal, en het duurde even voordat hij ze allemaal had bekeken, want ze zaten met hun rug naar hem toe. Hij zag echter geen reden om het seminar te onderbreken om de man die hij zocht sneller te kunnen vinden.

Vedals grijze haardos was nergens te zien. Voor de zekerheid liet hij zijn blik nog een keer rondgaan, maar met hetzelfde resultaat. Verdomme! Hij kon natuurlijk alleen maar even naar de wc zijn, maar Halvor had sterk het idee dat dat niet het geval was.

Hij sloop de zaal weer net zo stil uit, pakte zijn mobiel en belde Vedal. Geen gehoor. Hij liep terug naar de receptie, ditmaal met zijn identiteitsbewijs in zijn hand.

'Is het mogelijk om Gunnar Vedal intern op te roepen? Het is erg belangrijk dat ik hem zo snel mogelijk te spreken krijg.'

'We hebben geen omroepinstallatie, als u zoiets bedoelt. Maar ik kan wel even met u door het hotel lopen en laten zien waar hij zou kunnen zijn.'

'Mooi,' zei Halvor. Hij wachtte even terwijl de jongeman achter de balie een van zijn collega's vroeg om zijn plaats in te nemen. Toen liep hij met de receptionist mee. Zijn bange vermoedens werden steeds sterker. Toen de hele bezichtiging achter de rug was en niemand ook maar een glimp van Vedal had gezien, was hij bereid om de zaak groots aan te pakken. Hij bedankte de receptionist, diepte zijn telefoon op en belde Kristine.

'Vedal is als van de aardbodem verdwenen, en hij neemt zijn mobiel niet op. Wil jij Cecilie vragen om toestemming om hem via zijn mobiel te lokaliseren, en om een huiszoekingsbevel voor zijn hotelkamer? Geen van tweeën kan een probleem zijn, want we kunnen aantonen dat hij in een moordzaak tegen de politie heeft gelogen. En laat Andersen hier een patrouille naartoe sturen om mensen te vragen of ze Vedal gezien hebben. Zorg dat ze foto's van hem krijgen uit het paspoortenarchief. En verder wil ik graag dat je Buitenlandse Zaken belt om zo veel mogelijk te weten te komen over zijn agenda voor vandaag. Het kan zijn dat hij op het ministerie in vergadering zit.'

'Ik ben al onderweg,' zei Kristine.

Halvor verbrak de verbinding. Hij wist dat hij niet zomaar de hotelkamer van Vedal in kon, maar hij hoopte de zaak toch te kunnen versnellen. De receptionist zat nog op dezelfde stoel als eerder.

'Zeg, ik begin een beetje bang te worden dat Vedal ziek is of zoiets. Zou iemand van jullie misschien even zijn kamer kunnen controleren, alleen maar om te zien of hij er is?'

'Tuurlijk. Als er geen bordje aan de deur hangt, is dat geen probleem. Ik zal meteen een van de schoonmaaksters sturen.'

Halvor bedankte hem en ging naar de gang waarin Vedals kamer lag. Er verstreken dertig seconden. Toen stond er een vrouw in het uniform van het hotel voor hem. Hij glimlachte, zei gedag en kreeg een ietwat gebroken 'daag' terug. De vrouw ontsloot de deur, ging naar binnen en bleef een minuutje weg. Toen ze terugkwam, stopte ze even bij Halvor en zei: 'Daar niet.'

Halvor ging het hotel weer uit. De adrenaline gierde door zijn aderen en hij kon niet stil blijven staan. Hij liep een rondje om het hotel, maar bereikte daar alleen maar mee dat zijn benen nat werden van het hoge gras aan de achterkant. Hij belde Vedal nog eens, maar er werd nog steeds niet opgenomen.

Toen verscheen de eerste patrouillewagen. Halvor gaf zijn twee collega's instructies en stuurde ze het hotel in. De tweede wagen kwam er meteen achteraan. Halvor vroeg de collega's daarvan in de buurt van het hotel rond te rijden en iedereen die ze tegenkwamen te vragen of ze de man op de foto hadden gezien.

Halvor keek op zijn horloge. Het was bijna twee uur. Het was al haast een halfuur geleden sinds hij Kristine had gesproken. Hij belde haar. Bezet. Hij toetste het nummer voor automatisch terugbellen in. Na weer een minuutje merkte hij dat hij rondjes liep voor de hotellobby. Straks zien ze me nog aan voor Dagobert Duck, dacht hij. Toen ging zijn telefoon. Kristine.

'Heb je die gps-gegevens al?'

'Ik krijg ze net binnen. Alles wijst erop dat hij, of in elk geval zijn mobieltje, in de bossen in Nordmarka is. En niet zo ver van het hotel ook, maar een paar kilometer naar het oosten. Ongeveer bij Midtstuen, als je dat wat zegt. Bij de laatste twee telefoontjes was het toestel daar op dezelfde plaats.'

'Heb je een kaart van Nordmarka waar je nu zit?'

'Op het scherm voor me. Als je naar de springschans rijdt en dan rechts stopt, kun je daarvandaan een bospad naar beneden nemen, richting Midtstuen. Dan zit je op minder dan een kilometer van Vedal.'

'Goed zo. Bel me als hij ergens anders heen gaat.'

Een van de agenten uit de patrouillewagen kwam uit de lobby naar Halvor toe. Het was een lange, sterke kerel, die eruitzag als de ideale partner voor een mensenjacht. Halvor had hem al eerder gezien en wist nog dat hij Iversen heette.

'Tot zover nog niks,' zei Iversen. 'Er zijn veel mensen die hem eerder vandaag hebben gezien, maar niemand de afgelopen paar uur.'

'Goed. We denken dat we weten waar hij nu is.' Halvor legde uit dat ze het bos in gingen. Iversen riep zijn collega op, en met zijn drieën reden ze naar de bosweg die Kristine had genoemd. Toen ze uit de auto waren, liep Halvor heel snel, totdat het tot hem doordrong dat het misschien slim was om het iets rustiger aan te doen.

De registratie van mobiele telefoons was niet zo heel precies, dus ze konden maar beter vast om zich heen gaan kijken. De weg liep eerst omlaag. Na een poosje kwamen ze bij een kleine helling en Halvor hoorde het ruisen van een beek of een riviertje. Boven aan het hellinkje zag hij het begin van een houten bruggetje. Toen ze naar boven liepen, konden ze steeds meer van de brug zien. Halvor stopte abrupt toen hij een ronde vlek ontwaarde, aan de andere kant, tegen de reling aan. De beide anderen stopten naast hem.

'Is dat hem?' vroeg Iversen fluisterend.

Halvor knikte. Ze liepen langzaam naar hem toe. Algauw zagen ze dat Vedal met zijn achterwerk op de brug zat, maar dat zijn benen daarbuiten bungelden, een meter boven het water. Zijn hoofd rustte tegen een van de palen van de reling. De man zag er totaal afwezig uit, en Halvor vroeg zich even af of hij soms drugs had gebruikt.

Ze kwamen voorzichtig dichterbij. Pas toen ze zo dichtbij waren dat Halvor zeker wist dat ze hem tegen konden houden als hij zich van de brug af probeerde te laten vallen, zei hij: 'Dag, meneer Vedal.'

De man keek nog steeds niet op. Hij mompelde wat voor zich uit.

Halvor zei zo rustig en vriendelijk als hij maar kon: 'Wilt u dat nog even herhalen?'

'Allemaal mijn schuld... Ik had het door moeten hebben. Ik had er een eind aan moeten maken.'

'Ik weet niet goed waar je het over hebt, Vedal. Sta maar liever op en ga met ons mee. Wij moeten eens even goed praten.'

Vedal maakte geen aanstalten op te staan. Pas toen de twee agenten in uniform hem bij zijn schouders pakten en begonnen op te tillen, werkte hij mee. Ze kregen hem op de been, maar hij zag eruit alsof hij twee ton aan meelzakken op zijn schouders droeg. Iversen wees op de handboeien die aan zijn riem hingen. Halvor schudde zijn hoofd.

Samen liepen ze naar de politieauto. Halvor ging naast Vedal op de achterbank zitten en bleef daar zitten, ook toen Iversen uitstapte om Halvors auto naar het politiebureau te rijden. De hele weg naar de andere kant van de stad was het stil in de auto.

*

Op de trap naar zijn kantoor belde Halvor Birgitte en vroeg of zij de kinderen wilde halen.

'Ik begin te vermoeden dat jij in je eentje het hele politiekorps van Oslo vormt,' zei ze met een lachje. Maar ze klonk niet verwijtend, meer alsof ze grappig probeerde te zijn. 'Maar ik hoop dat het je morgen wel lukt. Dan moeten we de goedkeuring van dat nieuwe vaccin rond hebben.'

'Er moet heel veel gebeuren wil me dat niet lukken,' beloofde Halvor.

'Ik hou van je,' zei Birgitte.

'En ik van jou.'

Hij hing op, en de steen op zijn maag, die hij had gevoeld sinds hij Gunnar Vedal in het bos had gevonden, werd iets lichter. Maar hij zag nog steeds op tegen het verhoor.

*

Toen hij het telefoontje kreeg dat de verhoorkamer klaar was, stond hij onmiddellijk op en botste in de deuropening bijna tegen Bastian op.

'Ik heb bijna de hele dag Zwoors gepraat. Er is absoluut niemand in Zweden die zich iets kan herinneren of paperassen kan vinden over een onbekende jongen die daar eind 1982 opgedoken zou zijn. Ze hebben natuurlijk wel een paar onbekende gezichten binnengekregen, maar dat zijn vooral vluchtelingen zonder identiteitspapieren, en niemand van hen voldoet aan het signalement van Kris. Ik wacht nog op antwoord van de politie van Kopenhagen.'

'Goed zo. Als je bij de Denen ook geen beet krijgt, denk ik dat we die mogelijkheid voorlopig buiten beschouwing kunnen laten. Ga maar met me mee naar het verhoor van Vedal, als je tijd en zin hebt. Het is altijd goed om met zijn tweeën te zijn, vooral als het om iemand gaat die aangeklaagd kan worden in een moordzaak.'

Bastian liep met hem mee. Gunnar Vedal zat alleen in de verhoorkamer en leek een tikkeltje minder gedeprimeerd. Bastian stelde zich voor en Halvor vroeg: 'Wilt u iets drinken? Koffie?'

Vedal knikte, Bastian vulde een politiebekertje en Halvor las alle formaliteiten voor ter ere van de bandrecorder die op de achtergrond draaide. Toen wendde hij zich tot Vedal.

'Dit is een officieel verhoor, meneer Vedal, omdat u getuige bent in het onderzoek naar de moorden op Knut Iver Bredal, Bjarne Rossvik en Anders Dahl. Alles wat u zegt, wordt opgenomen op een dictafoon, en we zullen u naderhand vragen een verklaring te ondertekenen. Dat betekent dat het heel belangrijk is dat uw verklaring zo nauwkeurig en eerlijk mogelijk is. Als u zich niet goed uitdrukt, kan dat betekenen dat u later wordt aangeklaagd wegens het afleggen van een valse verklaring. Hebt u dat begrepen?'

'Ja,' zei Gunnar. Hij keek nauwelijks op van het tafelblad.

Halvor bracht hem langzaam maar zeker vierentwintig jaar terug in de tijd, op bekend terrein voor hen allebei, en vroeg hem zo nauwkeurig mogelijk alles te vertellen wat hij zich herinnerde van de pesterijen. Aanvankelijk ging het moeizaam. Vedal struikelde over zijn woorden en er vielen lange stiltes. Pas toen Halvor iets meer het initiatief nam op basis van wat hij al wist, ging het gemakkelijker.

'Wist u dat Kris gepest werd voordat u Bubbel "een lesje leerde", zoals u het uitdrukte?'

'Nee, eigenlijk niet. Maar ik had het moeten weten. Ik denk dat ik eigenlijk wel voelde dat er iets aan de hand was, maar ik heb nooit geprobeerd het hem te laten vertellen. Kris...' Weer een stilte. 'Ik bedoel, ik merkte wel dat Kris graag met mij bevriend wilde zijn, maar ik...' Gunnar stopte weer en staarde naar een punt tussen Halvor en Bastian in.

'Maar u?'

Toen stroomden de woorden eruit.

'De waarheid is dat ik nooit op zijn toenaderingspogingen ben ingegaan. Ik wees hem af omdat ik laf was. Ik vermoedde dat er iets was, maar in plaats van zijn hand te grijpen toen hij die uitstak, trok ik me terug. Kris had geen vrienden. Ik kwam er vermoedelijk het dichtst bij in de buurt. Maar ik had mijn eigen vrienden en ik was een jaar ouder. Bovendien was ik waarschijnlijk op een leeftijd dat ik het liefst stoere vrienden had. En Kris was niet stoer. Hij was zoekend, onzeker, bang. Pas toen ik die brief van hem kreeg, moest ik toegeven...'

Even leek Vedal bang, alsof hij voelde dat hij iets doms had gezegd. Er viel weer een lange stilte.

'Die brief?'

'Ik moest van Kris beloven dat ik niemand over die brief zou vertellen. Ik kreeg hem... een paar dagen na zijn zelfmoord.'

'Wat stond er in die brief?'

'Hij schreef wat hij had gedaan en vroeg me in de gaten te houden of Bubbel en zijn bende geen nieuw slachtoffer uitkozen als hij er niet meer was. Maar hij schreef niet op welke manier ze hem hadden gepest. Daar kwam ik pas achter toen ik Bubbel een pak slaag gaf. Bovendien wilde Kris dat ik niemand iets over die brief zou vertellen.'

'Hebt u die brief nog?'

Weer een stilte. Toen schudde Vedal zijn hoofd.

'Wilt u alstublieft hardop antwoorden?'

'Nee. Dat wil zeggen... Ik heb hem niet hier. Hij ligt thuis.'

'In Malawi?'

Vedal leek opgelucht. 'Ja.'

Door de manier waarop hij reageerde, twijfelde Halvor aan zijn antwoord, maar hij besloot er voorlopig niet verder op door te gaan. Hij zei alleen: 'Het zou mooi zijn als u hem zo snel mogelijk hier krijgt, met de koeriersdienst van de ambassade of zo. Veel veiliger kan het niet.'

Vedal knikte weer, schraapte toen zijn keel en zei omwille van de microfoon: 'Ja.'

Halvor besloot dat dit het geschikte moment was. 'Toen we u een paar uur geleden in het bos aantroffen, zei u, en ik citeer: "Allemaal mijn schuld." Wat bedoelde u daarmee?'

Weer kreeg Vedal iets afwezigs, alsof hij weer de jonge jongen van destijds werd. Maar Halvor hoefde de vraag niet te herhalen.

'De zelfmoord van Kris, al die moorden... Die zouden niet gebeurd zijn als ik toen maar wat flinker was geweest. Wat minder bang voor wat de anderen van me zouden vinden. Als ik het hem had laten vertellen.' Plotseling, met stemverheffing: 'Dan was die hele ellende niet gebeurd!'

Halvor wachtte tot Vedal bedaard was.

'Eerder vandaag zei u tegen ons dat u niemand iets over het pesten van Kris had verteld. Is dat iets waar u nu op wilt terugkomen of waar u iets aan wilt toevoegen? Ik herinner u eraan dat alles wat u zegt wordt opgenomen.'

Voor het eerst sinds het begin van het verhoor keek Gunnar Vedal Halvor recht in de ogen. Hij keek hem een paar seconden aan en zei toen: 'Dat was niet helemaal waar. Een paar jaar geleden ben ik bij de moeder van Kris en haar partner geweest. Toen ik eenmaal zelf kinderen had, begon ik de dingen een beetje anders te bekijken. Ik dacht gewoon dat het goed voor hen was om te weten waarom Kris had gedaan wat hij deed... om in zekere zin de bevestiging te krijgen dat het niet hun schuld was. Ik heb hun zelfs de brief laten zien.'

'Waarom hebt u dat eerder vandaag niet verteld?'

'Ik denk... Ik denk dat ik dacht dat zijn moeder er zo al genoeg mee te stellen had, dat ik haar niet ook nog eens de politie op haar dak moest sturen. Maar ik had natuurlijk kunnen weten dat jullie toch naar haar toe zouden gaan. Ik weet niet... Ik dacht waarschijnlijk niet helemaal helder.'

'Hoe reageerden ze toen u daar ineens verscheen?'

'Niet zoals ik me had voorgesteld. Beate werd woedend omdat ik het niet eerder had verteld en wilde me meteen nadat ik uitgepraat was de deur uit gooien. En Arnfinn... Die zei niks, hij zat daar maar. Ik geloof eigenlijk dat hij verschrikkelijk kwaad was, maar...'

'Maar?'

'Maar niet op mij, geloof ik.'

24

Dinsdag 26 september 2006

Halvor probeerde een gloeiend hete dubbele macchiato van de plaatselijke Shell-pomp recht te houden zonder een hand van het stuur te halen. Hij begon enorm te verlangen naar een nieuwe auto, en wel om slechts één reden: dat er een behoorlijke bekerhouder in zou zitten.

In zijn hoofd nam hij de gebeurtenissen van de vorige avond nog een keer door. Ze hadden Vedal bijna drie uur verhoord en hem pas laten gaan toen Bastian had uitgevonden dat het alibi dat Vedal had opgegeven voor de tijd van de moord op Anders Dahl klopte. Toen was Vedal met collega-ontwikkelingswerkers uit Zweden en Denemarken uit eten geweest. Het was niet moeilijk geweest om daar de bevestiging van te krijgen. Ze waren vanaf vijf uur bij elkaar gekomen voor een drankje en waren tot na middernacht bij elkaar gebleven. Ook voor de moord op Bredal, waarvan de forensisch geneeskundigen nu hadden uitgerekend dat die waarschijnlijk ergens in de loop van donderdag 14 september of in de nacht naar 15 september was gepleegd, was Gunnars alibi waterdicht: toen was hij met de staatssecretaris naar Londen voor een vergadering over voedselveiligheid in zuidelijk Afrika. Ze waren op donderdagochtend vertrokken – ongeveer op hetzelfde moment als waarop de buurman die journalist was, Bredal uit zijn flat had zien komen – en de volgende dag teruggekomen. Ze waren dus wel gedwongen Gunnar Vedal te laten gaan.

Halvor had de alibicheck aan Bastian overgelaten en was meteen na het verhoor naar huis gegaan. Met een van zijn favoriete gerechten, spinazielasagne, was het warempel een heel gezellig avondeten met het hele gezin geworden. Hoe Birgitte te midden van kinderen, huiswerk en ruzies tijd had gevonden om zoiets op tafel te toveren, was hem een raadsel.

Bij wijze van uitzondering hadden alle drie de kinderen, in elk geval Hanne en Hans, enthousiast verteld wat ze respectievelijk op school en op de crèche hadden gedaan. Hij was in een goed humeur gebleven totdat hij Ole welterusten ging wensen. Hij stond al in de deuropening om de slaapkamer uit te gaan, toen Ole hem terugriep.

'Papa?'

'Ja, jongen?'

'Eirik riep iets naar me toen we vandaag naar school gingen.'

'Welke Eirik?'

'Een van die jongens die me een pil probeerden te geven.'

'O ja, die. Wat wilde hij?'

'Hij zei dat ik maar op moest passen, want er was een aanklacht ingediend tegen mijn vader. Wat bedoelde hij daarmee, papa?'

De rillingen liepen Halvor over de rug. Hij had nog geen tijd gehad om uit te zoeken wat de Rijksrecherche wilde, maar nu werd zijn vage vermoeden werkelijkheid. Over de consequenties daarvan durfde hij op dit moment niet te speculeren. Tegen Ole zei hij: 'Dat is niks om je zorgen over te maken, hoor. Hij wil alleen maar stoer doen.'

'Heb je iets gedaan wat niet mag, papa?'

'Hé, joh... Je vader is toch politieman?'

Halvor probeerde te glimlachen, en troostte zichzelf met de gedachte dat hij voorlopig niet loog. Voorlopig was het nog maar een aanklacht. Daarna zou hij wel zien hoe lang hij nog politieman mocht blijven.

'Papa, kunnen jullie me morgen uit school halen?'

Halvor liep terug naar het bed en ging op de rand zitten. Hij sloeg een arm om Ole heen – dat mocht niet zo vaak meer – en zei: 'Zo vroeg kunnen mama en ik er geen van beiden zijn. Ik zal de ouders van Marius bellen en vragen of je morgen met hem mee mag, dan halen we je daar op. Is dat goed?'

Ole knikte. Halvor deed de lamp op het nachtkastje uit en stond op. Voor één keer liet hij de deur op een kier staan toen hij wegging.

Hij had met een arm om Birgitte heen gezeten terwijl ze naar de laatste aflevering van *24* keken. Maar toen die afgelopen was en ze op weg waren naar de badkamer, hadden ze ruzie gekregen.

'Morgen is een belangrijke dag voor me, en het kan morgenmiddag weleens laat worden. Ik hoop echt dat jij de kinderen kunt ophalen.'

'Ik heb al gezegd dat ik zal doen wat ik kan, maar we zitten met het onderzoek in een heel kritieke fase.'

'Ik zou graag een iets betrouwbaardere belofte hebben.'

'Ja, jezus! Kun je er niet een klein beetje begrip voor opbrengen dat ik een belangrijke baan heb? Ik probeer hier verdomme drie moorden op te lossen!'

Hij zag hoe Birgitte naar hem keek. Haar ogen waren wijd opengesperd en ze had een stap naar achteren gedaan. Hij begreep dat hij had geschreeuwd. Hij greep naar zijn hoofd en liet zijn hand daar. Hij voelde zijn aderen kloppen. Toen hij zichzelf weer onder controle had, hoopte hij dat de kinderen alle drie al sliepen en dat de buren de tv net zo hard aan hadden staan als altijd.

'Sorry. Ik heb het gevoel dat iedereen zich heeft voorgenomen precies op dit moment het uiterste van me te vragen,' zei hij.

Birgitte kwam naar hem toe en legde haar hand op zijn schouder. Haar stem werd zachter. 'Halvor, ik begrijp dat jouw werk je belangrijker lijkt dan dat van anderen. Waarschijnlijk vindt de grote meerderheid van je collega's dat ook, om nog maar te zwijgen van de meeste gewone mensen. Maar eerlijk gezegd denk ik dat dat een ongezond hersenspinsel is. Wat jullie doen is beslist belangrijk, maar het gebeurt toch meestal pas als er iemand dood is.'

'Hoe bedoel je?'

'Ik bedoel dat jullie je niet bezighouden met het voorkomen dat mensen overlijden. Is het niet veel belangrijker om te helpen levens te redden?'

'Ik begrijp nog steeds niet wat je bedoelt,' zei Halvor, maar hij merkte dat hij in het defensief was gedrongen.

'Ik geloof dat je me best begrijpt. Wat ik zeg is dat wij morgenmiddag een nieuw, heel effectief vaccin tegen baarmoederhalskanker moeten goedkeuren en dat ik daar een belangrijke rol in speel. Elk jaar krijgen 270 vrouwen in Noorwegen baarmoederhalskanker. Velen van hen overlijden. Iedere dag dat het vaccin later komt, overlijden daar vrouwen door.'

Halvor had de donkere lijnen in hun enige Perzische tapijt bestudeerd en onder meer gedacht aan spinazielasagne.

Toen hij weer opkeek, zag hij nog steeds een zweempje onzekerheid – hij hoopte dat het geen angst was – in Birgittes ogen. Hij legde zijn hand op zijn hart en zei: 'Ik beloof plechtig dat ik, als ik niet net bezig ben de moordenaar in de boeien te slaan, morgen de kinderen zal ophalen.'

Birgitte was dicht tegen hem aan komen staan en had haar arm om zijn schouders gelegd. 'Ik snap wel waarom ze jou een goede rechercheur vinden. Je bent heel slim. Je moet alleen af en toe eerst even nadenken,' had ze gezegd. Toen hadden ze de gebruikelijke volgorde omgedraaid en waren eerst naar de slaapkamer en toen pas naar de badkamer gegaan.

Later, toen Birgitte in de donkere slaapkamer in zijn armen lag, had Halvor verteld over de Rijksrecherche en over wat Ole in bed had gezegd. Hij was bang geweest dat ze zich van hem af zou draaien, maar dat had ze niet gedaan. Ze was juist heel lang heel stil blijven liggen.

'Ik begrijp wel waarom je dat deed. Psychologisch gezien is het heel makkelijk om de conclusie te trekken dat je het alleen maar deed om Oles kinderparadijs te beschermen, omdat het jouwe destijds kapot is gemaakt. Maar ik hoop dat dit het niet juist erger maakt voor Ole.'

'Ik zal er alles aan doen om dat te voorkomen,' zei Halvor.

'Niet álles, asjeblieft,' zei ze veelzeggend.

'Nee, hoor.' Hij glimlachte in het donker.

'Maar je moet weten dat ik net zoveel van je hou wanneer je bij een bewakingsbedrijf werkt.'

'Ja?'

'Dan is het vast makkelijker voor je om de kinderen aan het eind van de dag op te halen.'

Dat was het laatste wat ze die avond tegen elkaar hadden gezegd. De onzekerheid die hij eerder bij Birgitte had gezien, leek helemaal verdwenen. Toen Halvor eindelijk had besloten haar te vertellen over het grote zwarte gat, was het te laat: ze sliep al.

In de auto op weg naar zijn werk, nog steeds in de laagstaande herfstzon, concludeerde Halvor opnieuw dat hij van zijn vrouw hield. Het verhoor door de Rijksrecherche de volgende dag was er niet aantrekkelijker door geworden, maar hij had in elk geval een mooi plekje gevonden voor zijn macchiato. Die paste perfect in het onderste deurvak.

*

Op kantoor verzamelde Halvor zijn troepen en hij praatte Kristine, Merete en Hans Petter bij over wat er de vorige middag gebeurd was.

'Ik neem aan dat iedereen het ermee eens is dat Arnfinn Helseth en Beate Løchen nu aan de beurt zijn. Kristine en ik beginnen vanmorgen met Helseth, omdat die het meest voor de hand ligt.'

Ze namen de overige taken voor deze dag door. Ze begonnen met Hans Petter, die een deel van de vorige middag bezig was geweest met een routinecheck van de alibi's die Nikolai Pedersen en Vidar Steffensen vrijdagavond hadden gegeven.

'Ik heb Steffensen gisteravond voor de zekerheid meegenomen om een paar details toe te lichten, maar tot dusver heb ik niets gevonden wat niet klopt met de verklaringen die hij en Pedersen hebben gegeven. Ik heb het gisteren niet helemaal afgekregen, dus ik ga er vandaag mee verder. Ik wil onder andere bij Telenor controleren of de telefoontjes kloppen die Pedersen voor een paar vitale tijdstippen noemt,' zei hij.

Bastian wilde de dag gebruiken om het technische bewijs nog eens door te nemen en het spoor van de slang na te gaan, waarvoor Halvor te weinig tijd had gehad toen Bastian in Zweden was.

'Een taipan komt maar zelden buiten zijn normale habitat, dus we moeten iets met dat spoor kunnen doen. Misschien moeten we een beetje in Noorse reptielenkringen porren om iets los te krijgen, maar daarvoor heb je mijn volmacht,' zei Halvor.

Bastian, slechts een meter vierenzeventig lang, glimlachte zwakjes en vroeg: 'Misschien is het een idee om Hans Petter mee te nemen als ik ga porren?'

Halvor glimlachte terug. 'Doe dat.' En hij voegde eraan toe: 'Het is ook vast een goed idee om na te gaan of Helseth of Løchen de laatste tijd in Australië is geweest. Wil je dat ook doen, Bastian? Ik kan het natuurlijk rechtstreeks vragen, maar soms is het slimmer om met iets te komen waar ze niet op voorbereid zijn. Bel me op mijn mobieltje als je dat hebt uitgezocht.' De jonge agent knikte om aan te geven dat hij begreep waarom.

Ze beëindigden de vergadering. Halvor hield Kristine even tegen toen de anderen weggingen.

'Uit wat Vedal gisteren vertelde, lijkt die Arnfinn Helseth me niet een type dat er meteen van alles uitflapt. Ik wil hem graag een beetje aan het schrikken maken, zodat hij al voordat hij op het bureau komt, beseft dat het ons ernst is. Als we hem van zijn werk ophalen, is hij misschien meteen al wat meegaander, dacht ik.'

'Dat is vast een goed idee, maar ik heb de eerste paar uur echt geen tijd. Ik moet per se een paar telefoontjes voor de officier van justitie plegen in verband met die bedreigingszaak van een paar maanden geleden. Die zaak komt morgen voor, dus dat moet ik nu wel doen.'

Halvor dacht na. 'Oké, doe dat, dan haal ik Helseth intussen alleen op. Ik kan hem toch niet gaan verhoren voordat hij hier is, dus dan kan hij even in de verhoorkamer zitten zweten totdat jij klaar bent.'

Halvor liep bij Hans Petter naar binnen en kreeg het adres van het aannemersbedrijf waar Helseth werkte. Dat zat aan de Tordenskioldsgate, midden in het beste deel van het centrum tussen de vesting Akershus en het parlement. Het was duidelijk geen onbenullig bedrijfje waar Helseth voor werkte.

Bij de receptie wachtte hen een verrassing, want Helseth had zich die ochtend ziek gemeld. Maar hij kreeg het privéadres en een paar nieuwsgierige blikken van de receptioniste en wilde juist weer in de auto stappen toen hij zag dat hij naast een boekhandel had geparkeerd. Rechts onder in een hoek van de etalage lag een stapel gele paperbacks die hij meende te herkennen. Hij herinnerde zich dat hij datzelfde boek van dezelfde schrijver in de zak van het colbert van Dalberg, de leraar, had gezien, al had dat niet hetzelfde omslag. Maar dat was niet waarop hij intuïtief had gereageerd. Hij voelde dat zijn brein kleine stukjes informatie bij elkaar bracht en wachtte af.

Het antwoord kwam als een bliksemschicht: het gele omslag was exact hetzelfde als dat van de paperback die bij de persoonlijke spullen van Bjarne Rossvik zat. Hij herinnerde zich dat hij het boek had gezien toen hij keek wat er allemaal in Rossviks tas zat, maar hij was het weer helemaal vergeten toen hij de foto van Kris vond.

Kon dat boek een betekenis hebben? Een boodschap van de moordenaar dat dit de straf was voor de misdaden die ze tegen Kris hadden begaan? Hij verwierp de gedachte. De slang was kennelijk twee dagen voordat Rossvik was gebeten in de kast gestopt, dus de dader kon het boek niet in een tas hebben gestopt die het slachtoffer die dag bij zich had toen hij naar het zwembad ging. In dat geval had hij maandagochtend naar het zwembad moeten teruggaan om het boek in Rossviks tas te stoppen, en niets in de getuigenverhoren wees erop dat dat gebeurd was.

Halvor stapte in de auto en startte. Terwijl hij zijn knipperlicht aanzette, kwam er plotseling een ander idee in hem op. Hij pakte zijn mobieltje. Bastian nam meteen op.

'Wil jij de grootste overzichtsfoto die we van dat kleedhokje in het Vestkantbad hebben voor me openen?'

'Ogenblikje,' zei Bastian. Het was even stil terwijl de brigadier kennelijk de beeldbank opende. Toen was hij weer aan de lijn.

'Ik heb er een open. Op de goede hoogte genomen. Wat zoeken we?'

'Een boek. Een paperback. Zie je ergens zoiets?'

Weer een stilte. 'Nee.'

'Kun je het vanuit een andere hoek bekijken?'

Hij hoorde wat geklik van de muis. 'Ja, nu zie ik inderdaad een boek. Het is geel en het ligt helemaal achter op de bank, tegen de kast aan. Het lag in de dode hoek van de vorige foto. Is het belangrijk?'

'Misschien,' zei Halvor. Hij voelde zijn hart sneller kloppen. Het boek had niet in de tas gezeten en kon daar evengoed al sinds zaterdag hebben gelegen. 'Nu wil ik dat je het rapport van Dahls flat erbij pakt en kijkt of hetzelfde boek daar genoemd wordt.'

'Ja, maar jezus, die hele flat stond vol boeken! Dat duurt eeuwen, en ik kan me niet voorstellen dat ze alle titels hebben opgeschreven.'

'Dat denk ik ook niet, maar als er een boek op een bijzondere plaats lag in de buurt van waar we het lijk gevonden hebben, is de kans een stuk groter. Maak dat rapport maar open.'

'Heb ik al gedaan.'

'Zoek eens op "misdaad".' Halvor wachtte, terwijl er op het toetsenbord werd gerammeld.

Daar was Bastian weer. 'Niks. Moet ik hier de foto's ook proberen?'
'Wacht even. Probeer "Dostojevski" eens.' Halvor spelde de naam.
'Niks.'
'Oké. Laatste poging. Schrijf alleen "Dosto".' Weer gerammel. Toen hoorde hij de spanning in Bastians stem aanmerkelijk stijgen.
'Gevonden! Maar het staat hier met een y in plaats van met een i. En dan staat er iets wat me Spaans lijkt: "*Crimen y castigo*". Het boek is gevonden in de la van het bureau, staat hier.'
Eindelijk! De doorbraak! Halvor was er nu van overtuigd dat het boek een teken was. Er was bovendien maar één man van wie hij wist dat hij expert was op het gebied van *Misdaad en straf*, een man die ook voldoende bij de zaak betrokken was om de moordenaar te kunnen zijn: Rolf Dalberg.
Tegen Bastian zei hij: 'Rolf Dalberg geeft op de Kathedraalschool les in dat boek. Zorg dat Cecilie Kraby als de bliksem SO opdracht geeft om hem te bewaken. Hij mag geen centimeter bewegen zonder dat hij wordt geobserveerd, verdomme. Ze zal wel vinden dat we weinig bewijs hebben, maar dan moet je maar met hoofdletters zeggen dat we een vierde moord proberen te voorkomen en dat ik haar er persoonlijk verantwoordelijk voor hou als die toch wordt gepleegd. Is dat duidelijk?'
'Ik doe het meteen.'
'Mooi. Ik kom zo naar het bureau. Haal jij intussen alle mogelijke gps-gegevens van die leraar boven water.'
Halvor drukte op *einde gesprek*. Hij moest nog één ding doen voordat hij weer naar zijn kantoor ging. Hij kende de naam van de vrouw die de telefoon opnam niet, maar hij gaf het dossiernummer op en wachtte. Toen ze terugkwam, zei ze: 'Ze zijn morgen pas weer open. Ik kan u wel doorverbinden met meneer Gundersen, als u wilt?'
'Nee, zeg maar tegen hem dat ik eraan kom.'

*

Gundersen kwam hem in de gang tegemoet en nam hem mee naar een van de ruimtes van de technische recherche. De cementklomp stond op een werktafel. 'Ik wil dat jullie hem openmaken.'
Gundersen keek Halvor wantrouwend aan en zei toen: 'Dat kan

niet. We zijn nog niet klaar met het onderzoek van de buitenkant.'

'Hebben jullie iets nuttigs gevonden?'

'Wat biologische sporen, maar zoals ik al zei: we zijn nog niet klaar.'

'Toch wil ik dat jullie hem nu openmaken.'

Gundersen sloeg zijn ogen ten hemel. 'Dat wil ik niet en dat mag ik niet. Ik ben niet van plan mogelijke bewijsstukken te vernietigen zonder dat ik daar van Kraby zelf opdracht toe heb gekregen.'

'Vertrouw me, Gundersen. Denk aan al die zaken waarin we hebben samengewerkt. Heb ik je ooit gevraagd iets te doen waar we niet voor honderd procent achter stonden? Ik zeg je dat er iets in die klomp zit wat van belang is voor een zaak waarin drie mensen zijn vermoord en waarin we proberen te voorkomen dat er een vierde dode valt.'

Gundersen leek nu iets coöperatiever te worden. 'Wat denk je dat erin zit?'

'Een boek,' zei Halvor. Gundersens gezicht werd weer wantrouwend. Toen schudde hij zijn hoofd een paar keer, trok een paar grove werkhandschoenen aan en tilde de cementklomp met schijnbaar gemak van de tafel.

'We doen het hier,' zei hij en hij liep voor Halvor uit naar een ruimte ernaast. Daar was een cementvloer en ook zwaarder gereedschap. Gundersen zette het cementblok op de vloer, pakte een moker en gaf Halvor een stevige beitel. 'Zet de spitse kant tegen het cement naast de ketting en hou hem rechtop.'

Halvor ging op de grond zitten, keek Gundersen aan en zei: 'Nou niet misslaan, hè?'

'Als ik jou moet vertrouwen, mag jij mij verdomme ook wel vertrouwen.'

Gundersen sloeg. Hij had maar één slag nodig. Halvor voelde het blok splijten. Hij hoefde maar even met de beitel als wig te wrikken, toen viel het blok cement in twee keurige stukken uiteen. De delen vielen langzaam om en wiebelden nog wat na. Toen werd het stil.

Gundersen keek Halvor met grote ogen aan, maar hij zei niets. Ter hoogte van de ketting zagen ze een boekomslag. Het was rood.

*

'In die cementklomp zat ook een boek,' zei Halvor tegen Bastian. 'Weliswaar in het Russisch, maar ik durf er mijn kop onder te verwedden dat het *Misdaad en straf* is. Wil jij een expert in Russisch opsnorren? Liefst een die verstand heeft van Russische literatuur. Probeer het maar bij de universiteit. Hij of zij kan ons misschien vertellen of er meer overeenkomsten zijn tussen het boek en wat er hier nu gebeurt.'

'Ik doe het meteen.'

Even vroeg Halvor zich radeloos af hoe het nu verder moest. Het boek in de cementklomp zag er oud uit, zo oud dat hij onmiddellijk begreep dat ze waarschijnlijk niet zouden kunnen achterhalen waar het ooit was gekocht. Toen schoot hem te binnen dat Nikolai Pedersen had gezegd dat hij bij Defensie Russische les had gehad. Bovendien moest hij veel over literatuur weten en over hoe je oude uitgaven te pakken krijgt. Per slot van rekening had hij twee antiquariaten.

Halvor maakte met zijn mobiele telefoon door het plastic van het bewijszakje heen twee foto's van het boek, een van de voorkant en een van de achterkant, en liep naar zijn auto. Het was halftien, en als hij het zich goed herinnerde ging het antiquariaat Perkament om negen uur open.

Zonder dat hij precies wist hoe hij het aan zou pakken, zette hij zijn auto voor de winkel neer. Hij merkte dat hij holde en dat viel ook de jonge jongen achter de toonbank op.

'U hebt wel erg dringend behoefte aan een boek,' zei hij glimlachend.

Halvor vroeg hijgend naar Nikolai.

'Hij zei dat hij vandaag wat later zou komen. Ik geloof dat hij thuis nog iets moest doen.'

Het was ruim honderd meter naar de flat van Pedersen. Hij wist het adres nog uit het rapport van Merete en Hans Petter en hij besloot de auto te laten staan en erheen te lopen. Toen hij bij Pedersen wilde aanbellen, kwam er een oude dame naar buiten. Halvor hield de deur voor haar open. Ze inspecteerde hem even van top tot teen voordat ze hem voorbijliep. Het was een appartementencomplex dat typerend was voor de wijk Frogner, met achteringangen. In een hoek was iemand bezig een cementvloer te leggen, maar op dit moment was er niemand aan het werk. Halvor stond even stil bij de cementmolen die ernaast stond en dacht na. In plaats van bij het naambordje PEDERSEN aan te bellen, koos hij een iets lagere bel.

Verbazend genoeg voor dit tijdstip van de dag was er iemand thuis. Halvor legde uit wie hij was en kreeg een zachte zoem van de deur ten antwoord. Op de tweede verdieping stond de deur op een kier en hij voelde zijn maag samenknijpen van de spanning. Hij liep voorzichtig op de deur af en vroeg zich af wat hij zou doen als hij geconfronteerd zou worden met iemand met een wapen. Zelf was hij zoals gewoonlijk ongewapend.

Hij duwde zachtjes tegen de deur, luisterde en liep voorzichtig de gang in. Toen probeerde hij het met een voorzichtig: 'Hallo?' Meteen daarna hoorde hij een geluid uit wat de woonkamer moest zijn en een geschrokken en onmiskenbaar vrouwelijk: 'Ja, hallo?' Hij probeerde kalm te blijven en liep naar de kamer terwijl hij zei wie hij was.

In de kamer, naast de salontafel, stond Maria, de vriendin van Nikolai. Ze zag er geschrokken uit, maar ontspande zichtbaar toen ze hem herkende. Op de grond voor haar lag een boek dat ze kennelijk had laten vallen toen ze hem hoorde.

'Ik dacht dat jullie niet samenwoonden, maar alleen een relatie hadden,' zei Halvor glimlachend om haar gerust te stellen.

'Hij heeft me vereerd met een sleutel. Ik ben hier alleen maar met een verrassing voor Nikolai. Hij had hier nu eigenlijk zullen zijn,' zei ze en ze boog voorover om het boek op te rapen. Ze zorgde ervoor dat ze dat met haar achterwerk naar Halvor toe deed, zodat hij goed kon zien hoe welgevormd dat was. Ze kwam weer overeind en keek hem aan. Toen hield ze haar hoofd scheef en zei, terwijl er een glimlach om haar ene mondhoek speelde: 'We zijn allebei verzamelaars, weet je.'

Halvor vroeg zich af wat zij precies verzamelde en pakte toen het boek aan dat ze hem voorhield. Het was oud, maar niet zo oud dat de titel nog met gotische letters was geschreven. Op de rug stond met gouden letters: DOSTOJEVSKI, SCHULD EN BOETE.

'Dit is een uitgave waar hij al lang naar op zoek was. Ik heb hem gisteren op een vlooienmarkt gevonden. Eigenlijk begint die pas komend weekend, maar wij mogen meestal eerst even kijken.'

'Heeft hij er veel?'

Ze draaide zich om naar de overvolle boekenkast en wees op een plank die helemaal van de ene korte wand naar de andere liep.

'Die hele plank,' zei ze en ze glimlachte opnieuw. 'Als ik me niet vergis, heeft hij 163 verschillende uitgaven. Met deze erbij 164.'

Halvor liep naar de boekenkast. Daar stond Dostojevski's klassieker in alle soorten en maten en in allerlei talen. Het duurde niet lang voordat hij er een in het Russisch had gevonden. De cyrillische letters op het kaft leken angstaanjagend veel op de letters die hij bij Gundersen had gezien.

'Nikolai spreekt Russisch?'

'Ja, hij heeft ook Russische familie. Hij heeft die naam niet zomaar gekregen.'

'Weet u waar hij is? Ik wil van alles van hem weten, en het is dringend,' zei Halvor.

'Ik dacht dat hij hier nu zou zijn, zoals ik al zei, maar ik heb me blijkbaar vergist. Als hij niet in de winkel is, is hij misschien op bezoek bij die jeugdvriend van hem. Steffen heet hij, geloof ik. Nikolai had het erover dat hij naar hem toe wilde om over vroeger te praten. Maar waarom belt u hem niet, u hebt toch zijn mobiele nummer?'

'Dat ga ik nu doen,' zei Halvor en hij draaide zich om.

Maar hij belde niet naar Nikolai Pedersen. Hij toetste het nummer van SO in en vroeg om de telefoonnummers van de wachtposten die bij Pedersen en Vidar Steffensen waren neergezet. De eerste antwoordde pas nadat de telefoon zes keer was overgegaan.

'Met Heming. Ben jij in de buurt van Pedersen?'

'Ja.'

'Ben je daar de hele tijd geweest?'

'Eh… Toen ik de wacht overnam van de man van vannacht, was Pedersen er niet; niet in zijn slaapkamer en niet in zijn auto, en degene die ik afloste kon het niet uitleggen. Toen ik Pedersen belde, kreeg ik te horen dat hij naar een repetitie van een muziekkorps in Nordstrand was en dat hij daar geen bewaking bij nodig had. Hij zou om halfnegen terug zijn, zei hij, dus ik kon gewoon op hem wachten.'

'En dat heb je gedaan?'

'Ja, ik dacht dat het weinig zin had om helemaal naar Nordstrand te gaan, en dat hij daar wel veilig was. Niemand wist dat hij daar was, zei hij.'

Halvor was kwaad, maar liet dat op dat moment niet merken. Andersen en hij moesten maar eens met de baas van SO praten als er wat meer tijd was. Dus hij vroeg alleen maar: 'Waar zijn jullie nu?'

'Mijn collega en ik zitten op de veranda bij Vidar Steffensen. Zijn zoon komt vanmiddag thuis uit het ziekenhuis. Onze twee oppaskindjes zitten binnen herinneringen op te halen.'

'Zijn jullie daar al lang?'

'Eh... een halfuurtje of zo. Hoezo?'

'Dus ze zitten al een halfuur alleen? Klopt dat?' vroeg Halvor. Zijn stem klonk onheilspellend.

'Ja. Het zijn oude vrienden, en het leek of ze allebei wel met rust wilden worden gelaten. Zolang wij hier zitten, kan niemand het huis in. Alles zit dicht en op slot, en we lopen regelmatig een rondje om het huis.'

'Oké. Nu wil ik dat je het volgende doet: ga naar binnen en controleer of het goed gaat met die twee. Dan kom je weer naar buiten en belt me terug. Begrepen?'

'Dat is goed, maar er is toch geen reden om...'

Verder kwam hij niet. Halvor onderbrak hem met een ijzig 'Doe dat nou maar' en verbrak de verbinding. Vervolgens zette hij het zwaailicht op zijn auto en racete richting Stabekk. Waar had je nou verdorie politiebescherming voor? Hij was woedend op de wachtposten en hij was woedend op zichzelf. Waarom had hij in vredesnaam niet langer nagedacht over de mogelijkheid dat een van de bendeleden erachter zou kunnen zitten? Iemand die spijt had van wat hij destijds op school had gedaan en die alle anderen wilde meeslepen in een collectieve straf? Dat had zo buiten hun voorstellingsvermogen gelegen dat ze de alibicheck als een pure routineklus hadden gezien, iets waar geen haast bij was.

Ik had het moeten snappen, dacht hij. Ik had eerder moeten beseffen dat niet zomaar iedereen De Kraker meekrijgt zo'n helling bij Ingierstrand op. Gunnar Vedal had dat vast niet voor elkaar gekregen en de moeder van Kris en haar vriend ook niet, maar het was helemaal niet ondenkbaar dat het Pedersen, het oude maatje van De Kraker, wel was gelukt.

Halvor vloekte en sloeg met zijn rechterhand op het stuur. Op hetzelfde moment ging zijn mobiele telefoon.

25

Dinsdag 26 september 2006

De twintig voorbije jaren leken te verdwijnen. Steffen had nog altijd halflang haar, en afgezien van een baard van twee dagen en een paar rimpeltjes bij zijn ogen was zijn gezicht nog hetzelfde.

Nikko merkte dat hij zelf zijn gewatteerde jack net zo ophing als vroeger: hij hield het lusje omhoog en gooide de jas bijna op de haak van de kapstok. Toen ging hij achter Steffen aan de keuken in. Het was er warm, maar Nikko hield zijn trui aan. Ze gingen aan de grote eikenhouten tafel zitten.

Een van de politieagenten liep mee. 'Jullie kennen elkaar goed, begrijp ik?'

Ze knikten allebei.

'Willen jullie alleen blijven?'

Ze knikten weer, en de politieman zei dat zijn collega en hij op de veranda aan de achterkant van het huis gingen zitten en dat ze maar hoefden te roepen en ze zouden komen. Nikko hoorde de buitendeur in het slot klikken en de politieman alle drie de verdiepingen van het huis controleren. Toen ging de verandadeur open en werd het stil.

Geen van beiden zei intussen iets. Ten slotte doorbrak Nikko de stilte: 'We hebben iets gemeen, hè?'

'Dat kun je wel zeggen,' zei Steffen, uit het raam starend. Nikko vond dat Steffen de indruk wekte niet noemenswaardig veel zin in dit bezoek te hebben. Aan de telefoon had hij gisteren gezegd dat zijn zoon vandaag uit het ziekenhuis zou komen. Misschien zag hij daarnaar uit; dan kon hij zich op iets anders dan Kris concentreren.

'Al iets van het ziekenhuis gehoord?' probeerde Nikko.

Steffen schudde zijn hoofd. 'Laten we het bij Kris houden.'
'Hebben we dit verdiend, wat we nu meemaken?' vroeg Nikko.
Steffen kreeg vochtige ogen. 'Als er íéts in mijn leven is wat ik graag ongedaan zou maken...' Hij maakte zijn zin niet af.
'En dat wilde je al voordat die moorden begonnen?' vroeg Nikko.
'Absoluut. Ik kan de dagen dat ik in mijn volwassen leven niet aan Kris heb gedacht, op de vingers van één hand tellen. Het is vreemd hoe iemand die je eigenlijk zo slecht kende, zo'n grote plaats in je leven kan innemen. Maar in feite denk ik niet echt aan hem, maar meer aan mezelf.'
'Hoezo?'
'Hoe kon ik aan zoiets meedoen?! Hoe kon jíj aan zoiets meedoen?! Die hele toestand geeft me het idee dat wij, als we in nazi-Duitsland hadden geleefd, Hitlers voornaamste wapendragers zouden zijn geweest. Ik denk dat die zaak voor de rest van mijn leven mijn zelfbeeld heeft verwoest. Mijn hele volwassen leven probeer ik al te bewijzen dat ik zo niet ben. Het is een soort continue boetedoening...'
'We waren amper veertien.'
'Dat maakt geen bal uit! Ik hoop toch zó dat de kinderen van veertien van tegenwoordig wat verstandiger zijn dan wij. Ik geloof het wel. Allemachtig!'
'Vind je niet dat we al genoeg straf hebben gehad?'
Steffen gaf geen antwoord. Hij greep naar zijn hoofd en wreef met zijn handen over zijn wangen. Zijn handen werden vochtig en glanzend. Nikko pakte het kleine, blauwe zakje dat hij had meegebracht, het zakje waar de ene politieman met een goedkeurend knikje in had gekeken. Hij zette de fles op tafel: een dertig jaar oude Laphroaig maltwhisky die bij de staatsslijterij 3.200 kronen kostte.
'Ik weet dat het vroeg is, maar we kunnen wel een slokje gebruiken, hè? Zal ik glazen pakken?'
Steffen knikte kort, maar zei niet waar hij die kon vinden. Nikko nam de fles mee naar het aanrecht en vond in de eerste de beste kast die hij opendeed al twee keukenglazen. Toen haalde hij onopvallend een klein monsterflesje uit zijn zak, haalde de dop eraf en draaide zich half om naar Steffen. Die zat nog met zijn rug naar

hem toe uit het raam te kijken. Hij leek nog geen millimeter van zijn plaats te zijn geweken. Snel goot Nikko de inhoud van het monsterflesje over in het ene keukenglas. Daarna vulde hij het aan met whisky. Hij nam de twee glazen mee terug naar de tafel, ging zitten en hief het glas.

'Op Kris! Dat hij niet vergeefs gestorven mag zijn. Wij weten allebei maar al te goed waar het om gaat. Ik weet niet hoe het met jou is, maar ik heb me voorgenomen om de rest van mijn leven tegen pesten te strijden. Dat is toch het ideale offer voor Kris, vind je niet?'

Eindelijk keek Steffen op, hij pakte zijn glas en fluisterde nauwelijks hoorbaar: 'Proost.' Toen dronk hij zijn glas in één teug leeg. Hij leek verrast te zijn door de smaak. Dat was een van de voordelen van Laphroaig: de extreem sterke rooksmaak zou verder alles wel maskeren.

Opnieuw stak Nikko zijn hand in de blauwe zak. Nu haalde hij er een boek uit, en hij legde het met de bovenkant naar boven op tafel.

Hij schoof het naar Steffen toe. 'Een weerzienscadeautje. Je hebt me ooit op gang geholpen met mijn antiquariaat, dus het moest er nog bij komen dat je daar geen souvenirtje van zou krijgen.'

Steffen keek niet-begrijpend naar de dikke pil die voor hem lag. Nikko vulde de glazen opnieuw en zei: 'Ja, het is dus *Misdaad en straf* oftewel *Schuld en boete*, zoals het vroeger heette. Het is de eerste uitgave in het Noors. Uit 1883.'

Steffen mompelde een soort bedankje. Het werd weer stil. Nikko stond op en wiste het zweet van zijn voorhoofd. Hij zou blij zijn als hij zijn trui uit kon doen.

'Misschien wil je me je huis eens laten zien?' vroeg Nikko. 'Ik denk erover om uit mijn flat in Frogner te verhuizen, dus ik vind het leuk om te zien hoe het bij anderen is.'

Steffen stond op, zo te zien zonder veel enthousiasme. Ze gingen eerst naar boven, waar Nikko de kinderkamers en de badkamer mocht zien.

Toen gingen ze naar de kelder. Het trapgat hing vol foto's van een gelukkig gezin. Met Kris in het achterhoofd was het bijna pijnlijk om al dat geluk te zien. Toen Nikko de grote, gemarmerde badkamer zag met een enorm massagebad in de ene hoek, bedacht hij dat Steffen de afgelopen jaren veel meer had gedaan dan alleen aan Kris denken. Hij zag zijn jeugdvriend met de ogen knipperen en ging gauw de badkamer weer uit.

'Dit is… de kelderkamer,' zei Steffen en hij liet hem de volgende kamer binnen. Hij wankelde een beetje.

'Voel je je niet goed?' vroeg Nikko.

'Nee… zo moe… dit hier… te veel.'

Nikko legde Steffens arm over zijn schouder en hielp hem naar de bank. Hij legde zijn gastheer neer met het gezicht naar beneden. Steffens linkerhand viel slap op de grond. 'Welterusten,' zei Nikko zacht.

Snel trok hij zijn wollen trui uit, rolde een nylon touw af dat hij rond zijn middel had gedragen en haalde een grote haak tevoorschijn. Het touw, van een centimeter doorsnee en met een lus, legde hij even weg. Daarna ging hij op een tafeltje staan en begon de haak in de draagbalk tussen de plafondplaten te draaien. Het duurde bijna een minuut voordat hij de schroefdraad helemaal in de balk gedraaid had. Toen stak hij de kleine schroevendraaier die hij had meegenomen in de haak om hem aan te draaien, en daarna ging het snel. Het was nog steeds stil in huis, afgezien van een licht gesnurk dat van de bank kwam.

Hij pakte de lus, trok die voorzichtig over Steffens hoofd en stak het andere eind van het touw door de haak. Toen begon hij te trekken. Langzaam kwam Steffens lichaam overeind van de bank. Het was helemaal slap. Ten slotte hing Steffen met zijn hoofd vlak onder het plafond. Nikko maakte het touw vast aan de deurkruk. De stellage leek het wel te zullen houden, maar Steffens voeten lagen nog op het tafeltje. Snel schopte Nikko het tafeltje met zijn ene voet weg.

Hij pakte een krukje en liep naar het kelderraam. Terwijl hij het raam opendeed, hoorde hij in de verte stemmen, maar er was niemand te zien. Boven hem ging een deur open. Zonder dralen kroop Nikko naar buiten.

26

Dinsdag 26 september 2006

'Ja!' brulde Halvor zo ongeveer in de telefoon. Het was dezelfde politieman. Hij klonk een beetje hysterisch.

'We hebben ze gevonden... Dat wil zeggen... We hebben er één gevonden. Steffensen hing aan een haak in het plafond van de kelder, en Pedersen is weg. Mijn collega is hem aan het reanimeren. De ambulance is onderweg.'

Tegelijkertijd hoorde Halvor vaag het geluid van een motor door de telefoon. 'Is dat hem?'

Hij kreeg geen antwoord. De politieman was nu kennelijk gaan rennen. Hij kon zijn stappen op het grind en zijn zware ademhaling horen. Halvor deed het navigatiesysteem op het dashboard aan.

'Ja, dat is hem,' hoorde hij de ander hijgen. 'Hij rijdt over de Marstrandervei in de richting van de Vollsvei. Heb je een kaart bij je?'

'Mijn gps staat aan. Wat voor auto?'

'Zijn eigen auto. Een donkerblauwe Volkswagen Sharan, Delta Bravo 23672.'

'Oké. Ik ben net van de E18 af, dus ik ben er vlakbij. Met een beetje mazzel kom ik hem tegen. Laat in Oslo, maar ook in Asker en Bærum, een achtervolging per auto en helikopter in gang zetten. Als iemand dat niet onmiddellijk de hoogste prioriteit geeft, moet je ze vragen Andersen te bellen. Dan ga je naar je collega terug en je zorgt ervoor dat Steffensen het overleeft. Hoor je dat?'

'We doen wat we kunnen, maar hij leek al ver heen...'

Meer wilde Halvor niet horen, dus hij drukte op het uitknopje van zijn mobiel, die hij inmiddels in de handsfreeset had gezet.

Hij moest er niet aan denken hoe de zieke zoon van Steffensen zou reageren als hij hoorde dat zijn vader dood was. Hij haalde het zwaailicht weer van zijn auto af – Pedersen hoefde niet te weten dat hij ontdekt was – en concentreerde zich volledig op het rijden. In de krappe bocht pal tegenover het spoorwegviaduct zag hij de Sharan in volle vaart de andere kant op rijden. Pedersen zat achter het stuur, maar leek alleen maar ogen te hebben voor de weg. Hiervandaan kon hij talloze wegen kiezen, dus Halvor zag maar één mogelijkheid. Vlak voor het viaduct was er een zijweggetje naar links. Hij scheurde naar links de weg af, remde hard, reed in z'n achteruit weer naar de weg toe en vervolgens de andere richting uit. Het was ongelofelijk, maar volgens hem was er tussen Pedersen en hemzelf niet één auto voorbijgekomen. Maar de auto van Pedersen was inmiddels uit het zicht verdwenen.

Hij zag hem ook niet toen hij bij de eerste rotonde kwam. Op de afrit naar Fornebu meende hij echter iets blauws te zien en hij volgde zijn intuïtie. Toen hij de bocht genomen had en op de weg reed die parallel liep aan de E18, wist hij het zeker: de auto die zo'n tweehonderd meter voor hem reed, moest een donkerblauwe Sharan zijn. En hij reed hard ook, want hoewel Halvor doortrok naar honderddertig kilometer per uur, liep hij niet op hem in. Straks moest hij zijn zwaailicht er weer op zetten.

In de tunnel reed Pedersen zigzaggend tussen de auto's op de vier rijstroken door. Halvor gaf het op, zette zijn zwaailicht weer op het dak en zette de sirene op volle kracht aan. De auto's gingen opzij en hij had vrij baan naar het kruispunt met stoplichten.

Het was nog een klein stukje, maar Pedersen was er al en leek op het kruispunt nog meer snelheid te maken, hoewel hij door rood reed. Auto's die al op het kruispunt waren, remden abrupt en botsten op elkaar. Het voordeel was dat ze rustig stil bleven staan tot ook Halvor voorbij was.

Ze raasden langs het inmiddels opgeheven vliegveld Fornebu, als twee vliegtuigen die een paar jaar te laat waren opgestegen. Waar gaat hij toch in godsnaam heen, dacht Halvor. Dit is de beste manier om gepakt te worden. De enige weg die van dit schiereiland, Snarøya, af leidde, was deze. Hij drukte op het knopje met het verkorte nummer van de operatieleider, legde uit waar hij was en vroeg hem de weg terug te blokkeren.

'De helikopter is in de lucht. Binnen tien minuten is hij bij je. Moeten we ook de boten oproepen?' vroeg de operatieleider. Halvor zei ja en merkte dat hij Pedersen bijna uit het oog verloor. Die bevond zich al tussen de dichte bebouwing van Snarøya, en Halvor wist dat hij de man kwijt zou raken als die niet snel vaart minderde. Door een woonwijk rijden en kinderen de stuipen op het lijf jagen was voor Halvor geen optie.

Maar Pedersen minderde geen vaart en reed af en toe op de linkerrijstrook als er iemand voor hem reed. De tegenliggers konden nog net toeteren voordat ze in de berm gejaagd werden. Het was een wonder dat er geen ongelukken gebeurden. Halvor remde af, maar hield zijn zwaailicht en sirene aan, zodat de mensen hopelijk een beetje geattendeerd werden op wat er ver voor hem gebeurde.

Somber moest hij toezien hoe de Sharan uit het zicht verdween.

*

Voldaan keek Nikko in de achteruitkijkspiegel. De auto met zwaailicht was niet meer te zien. Als hij zich maar even gedekt kon houden tot hij bij het park voor de villa was, zou de politie hem niet makkelijk meer kunnen vinden. Hij wist bovendien dat hij met elke meter die hij dichter bij de zee kwam, ook dichter bij de vrijheid kwam.

Hij reed, nauwelijks langzamer, rechtdoor totdat hij de zijweg naar links had gevonden. Hij sloeg af, reed zachtjes door en probeerde zich te herinneren waar de volgende afslag was.

Daar! Het hoge hek en de laan zagen er nog net zo uit als hij zich herinnerde van veertien jaar geleden. De prachtige stenen villa lag zo ver in het park dat hij bijna niet te zien was vanaf de weg, en er stond nog steeds geen poort bij de oprit.

Hij stuurde de wagen rustig over de laan en draaide na twintig meter het goed onderhouden gazon op. Hij reed nog vijftig meter door, tot hij de boom vond die hij zocht. De enorme eik was nog net zo mooi als toen. De boom stond nog in blad, al hadden de bladeren nu wel ongeveer alle kleuren van de regenboog aangenomen.

Hij sprong uit de auto, trok de tas met zich mee waarin hij zijn slaapzak en eten voor vijf dagen had gestopt en deed het portier zo zacht hij kon achter zich dicht. Als de politie een helikopter zou inzetten zou het bijna onmogelijk zijn de auto vanbovenaf te zien. Als ze over land kwamen, moesten ze het landgoed een flink eind op rijden voordat ze de auto konden zien staan. De oudere dame die dit prachtige landhuis bezat, ging alleen de deur uit als het stralend weer was, en daarmee bleef alleen de tuinman over.

Nikko ging er echter van uit dat die uien aan het rooien was aan de andere kant van het huis. Dat had hij tenminste zelf in deze tijd van het jaar altijd gedaan.

Het was een perfecte baan geweest naast zijn studie. Hij had gratis in het kelderappartement mogen wonen, als hij de oudere dame maar beschermde en ervoor zorgde dat haar bezit in goede staat bleef. Vier jaar had hij hier gewoond, tijdens zijn studie literatuurwetenschap. De lange weg naar de universiteit in Blindern had hij er graag voor overgehad.

Hij holde over het pad dat hij zo goed kende en kwam bij de steiger en de twee rode botenhuizen. Zoals verwacht was er niemand te zien. Hij liep de steiger op naar een van de keien die aan weerskanten daarvan stonden. Hij knielde bij een vaag rozekleurige steen en tilde hem op. De sleutel van het botenhuis lag nog op precies dezelfde plek als vroeger.

Hij ging het botenhuis in en maakte de kabel van een kleine G14-boot los. Toen deed hij de deuren naar de fjord open, sprong op de boot en trok aan de choke. De krachtige motor startte na één keer trekken en ging over in een welbekend gepruttel. Nikko bedankte zijn opvolger, die de zaken blijkbaar net zo goed onderhield als hijzelf en die er bovendien voor had gezorgd dat de tank vol zat.

Nu kwam het gevaarlijkste deel van zijn vlucht. Hij koerste naar links zodra hij uit het botenhuis kwam, maar wist dat hij nu vanaf de bovenste verdieping van het huis gezien kon worden. Het was echter maar zeer de vraag of daar nu iemand was. Het voordeel was dat hij vanaf de voorkant, waar de tuinman zich waarschijnlijk bevond, niet kon worden gezien.

Hij begon aan een grote bocht, maar zag zich meteen gedwongen die in te korten. Ver weg aan de horizon, zo te zien boven de stad, zag en hoorde hij een helikopter. Die kwam beslist richting Snarøya, en Nikko twijfelde er niet aan wie ze zochten. Ze zouden ongetwijfeld eerst op het vasteland naar zijn auto zoeken, en daar waren ze wel even zoet mee. Hopelijk gaf hem dat voldoende voorsprong voor de korte overtocht naar de Steilene-eilandjes.

*

Terwijl Halvor in alle zijwegen keek die hij passeerde, schommelde zijn snelheidsmeter rond de twintig. Tot dusver geen spoor van de donkerblauwe Sharan. Hij vreesde dat hij het nu aan de politiehelikopter moest overlaten. Via de operatiecentrale kreeg hij direct contact met de piloot. Ze waren al boven Snarøya.

'Heb je de auto nog steeds niet gezien?'

'Nee, maar we gaan nu pas systematisch te werk.'

Halvor bedacht dat de vluchtroute ook heel goed gepland kon zijn, zoals alles wat Pedersen had gedaan. Misschien was hij helemaal niet van plan zich op Snarøya te verschuilen. 'Zijn er veel boten op de fjord?'

'Nee, het is er niet bepaald druk. Ik zie er van hieruit maar een stuk of twee, drie.'

'Oké. Dan wil ik dat jullie eerst langs de kustlijn vliegen als jullie hier zijn. Als jullie boten zien die eruitzien alsof ze de afgelopen minuten vanaf Snarøya zijn vertrokken, moeten jullie die extra goed bekijken. Kijk uit naar een man alleen, kalend en met een buikje.'

De piloot bevestigde dat hij het begrepen had. Het werd stil, en Halvor ging door met zoeken. Hij kwam bij Kongshavn, waar hij besloot even te stoppen om naar de boten te kijken. Hij schrok even toen hij een man in een sloep in de buurt van de steiger zag varen, maar hij realiseerde zich meteen dat dat Pedersen niet kon zijn. Hij wilde juist naar zijn auto teruggaan toen zijn mobiel ging. Het was de helikopterpiloot.

'Ik heb hier een man die aan jouw beschrijving voldoet en die op weg is naar Nesodden. Ik ben heel dicht over hem heen gevlogen, maar hij kijkt niet op.'

Halvor had zich al omgedraaid. Hij hield zijn legitimatie omhoog en wenkte de man in de sloep. De jongeman voer in de richting van de steiger die Halvor aanwees.

'Sorry, maar ik zit achter een moordenaar aan die de zee op is gevlucht. Ik moet uw boot in beslag nemen,' riep hij. De man sprong zonder een woord te zeggen op de steiger en liet de boot over aan Halvor.

De helikopter was nu goed zichtbaar. Halvor hield de richting daarvan aan en duwde de gashendel helemaal naar voren. Hij kan zich nog maar net staande houden toen alle pk's vrijkwamen.

★

Het allesoverheersende helikopterlawaai vulde zijn hoofd, maar Nikko was niet van plan op te geven. Hij wist bijna zeker dat de mensen in de helikopter hem hadden herkend, want ze concentreerden zich duidelijk op zijn boot. Bovendien vlogen ze zo laag dat de werveling van de bladen het zeewater van alle kanten naar hem opzweepte. Zijn plan om aan te leggen bij de Steilene, de boot tot zinken te brengen en zich daar in het oude bakstenen gebouwtje te verstoppen tot de ergste jacht voorbij was, moest worden herzien.

Improviseren. Nadenken! Dat was niet gemakkelijk in dat helse kabaal, maar langzaam maar zeker ontstond er toch een nieuw plan in zijn hoofd. De fout die voortvluchtigen vaak maakten, was dat ze van de ene plek naar de andere gingen, terwijl ze eigenlijk beter een plek konden zoeken om zich te verstoppen, een plek waar ze een paar dagen rustig konden blijven zitten zonder dat ze bang hoefden te zijn voor ontdekking. Zo'n plek wist hij. Hij besloot zo snel mogelijk naar het vasteland te gaan. De eerste mogelijkheid was Alværn, pal tegenover de Steilene.

Voor zover hij kon zien, kwamen er geen boten zijn kant op. Hij begon te geloven dat hij het zou redden. Toen draaide hij zich nog een keer om en hij werd meteen ongerust. Er kwam een boot met grote snelheid achter hem aan. Maar nu had hij geen keus meer; hij moest het erop wagen.

Hij was al zo dicht bij de kust dat hij details van de kleine strandhuisjes kon zien toen hij zich weer omdraaide. De andere boot lag nu nog maar honderd meter achter hem. Hij concentreerde zich volledig op zijn doel, maar verwachtte de andere boot elk moment in zijn ooghoek te zien opduiken. Daar! Links van zich zag hij een witte boeg met wit schuimende golven eromheen. Hij keerde zich om en herkende Halvor.

*

Halvor vloekte dat het een aard had toen de motor begon te stotteren. Klotemotor! Zo dichtbij en toch nog zo veraf. Hij keek op de benzinemeter. Leeg. Was er ergens een reserveblik?

Hij begon systematisch te zoeken in het vooronder. Niets. Hij richtte zich weer op en keek waar Pedersen was gebleven. Hij had al aangelegd en vluchtte nu te voet over de weg de helling op. De helikopter volgde hem nog steeds, maar van een afstandje, omdat de piloot waarschijnlijk bang was dat hij te dicht in de buurt van elektriciteitsleidingen en vlaggenmasten zou komen. Pedersen keek niet meer om.

Uit pure frustratie schopte Halvor tegen de wand voor zich. Dat klonk hol. Hij boog voorover en zag nog een kastje. Hij deed het open en zag een rood reserveblik benzine staan.

*

Hij had niet veel tijd meer als hij klaar wilde zijn voordat de eerste politiewagens er waren, en Nikko liep harder dan hij in heel veel jaren had gedaan. Als hij maar eenmaal door het bos was, wist hij wel een bushalte vlak bij de weg. Als hij nou maar een beetje mazzel had met de bustijden!

Het geluid van de politiehelikopter was nog steeds ergens boven hem, maar ze wisten blijkbaar niet meer waar hij was. In elk geval was het geluid afwisselend zwakker en sterker. Hij zag dat het bos dunner werd en even later zag hij de grijze weg. Hij begon uit te kijken naar de bushalte.

Daar! Vijftig meter naar rechts. Hij liep ernaartoe maar lette goed op dat hij onder de beschutting van de bomen bleef. Er kwam met razende snelheid een politieauto voorbij, maar Nikko kon nog wel zien dat de achterruit van de auto wit geschilderd was. De hondenpatrouille!

Nu had hij niet veel tijd meer. Hij zag een grote spar, een meter of vijf van de weg, en ging eronder liggen.

*

Een auto die hem bekend voorkwam, reed veel te snel door de scherpe bochten naar de steiger. Halvor was blij dat de collega's van het politiedistrict Follo hadden begrepen dat er haast bij was. De auto stopte vlak bij het water, ongeveer waar Pedersen had aangelegd, en er sprongen ongeveer gelijktijdig twee bewapende agenten uit. Een van heen deed de achterklep open om een enthousiaste herdershond eruit te laten.

'Zijn boot ligt daar vlak onder jullie,' riep Halvor.

De agenten knikten en lieten de hond in de boot springen. Die besnuffelde zorgvuldig de gashendel en de stoelzitting en sprong toen weer aan land. Algauw waren de twee agenten en de hond verdwenen in het bos.

*

Daar was de bus. Nikko stond meteen op en liep naar de halte. Hij kocht een kaartje naar Fagerstrand en liet zich in een lege stoel vlak bij de achteruitgang zakken. Hij zorgde ervoor zo veel mogelijk buiten het zicht van de chauffeur te blijven. Hij had niet de indruk dat hij veel aandacht trok, ook al voelde hij het zweet over zijn gezicht stromen. Hij hoopte vurig dat de politie de busmaatschappijen nog niet had kunnen waarschuwen.

Twee haltes later stond er een jongen met een rugzak op. Nikko wachtte tot de deuren open waren en de jongen bijna de bus uit was, stond toen snel op en stapte ook uit. Als hij mazzel had, had de chauffeur dat niet gezien. De jongen ging de andere kant op, en verder was er niemand te zien. De politiehelikopter hoorde hij niet meer.

*

Halvor belde de commissaris en vertelde dat hij langs de westkust van Nesodden wilde cruisen voor het geval Pedersen weer de zee op wilde gaan. Hij verwachtte niet dat het iets zou opleveren, maar omdat hij toch geen formele rol had in de politiejacht die zich nu ontwikkelde, maakte het niet uit wat hij deed. Hij voer langzaam langs Nesodden naar het zuiden, terwijl hij omhoogkeek naar de rotsen die loodrecht uit het water staken.

*

Met zijn oren gespitst bleef hij aan de kant van de weg lopen. Nergens was een teken van leven te zien. Dat was niet verrassend, want dit was een streek vol zomerhuisjes en niet bepaald een plek waar je op een dinsdag in de late herfst veel mensen kon verwachten, áls er al mensen kwamen. Ten slotte ging hij van de weg af en liep tussen de dennenboompjes door over het plateau boven de fjord. Daar probeerde hij het pad terug te vinden van die keer – hij wist niet meer hoeveel jaar geleden – toen hij was uitgenodigd om naar het merkwaardigste zomerhuisjesterrein te gaan waar hij tot dan toe ooit was geweest. Het zou een perfecte schuilplaats zijn, alleen toegankelijk vanaf het water. Daar zorgden de dertig meter hoge klippen wel voor die achter de huisjes lagen.

De boot, waarvan hij had gehoopt dat die hem om de kaap heen naar de zes kleine huisjes zou kunnen brengen, lag er niet. Dat was een streep door de rekening, maar Nikko was erop voorbereid. Hij liep zo het water in. Dat was niet warmer dan tien graden, maar het was maar een kort zwemtochtje.

Toen hij de kaap rond gezwommen was, kwam hij bij de trap van de steiger naar de eerste hut op het opgemetselde plateau. Er was geen teken van leven. Hij rende naar het verst afgelegen huisje en sloop naar de achterkant, aan de bergzijde. Daar raapte hij een steen op. Hij gooide de ruit in de toegangsdeur kapot en haalde opgelucht adem toen hij de draaiknop aan de binnenkant voelde.

Eenmaal binnen keek hij snel het huisje rond en kleedde zich toen uit in het piepkleine badkamertje. Hij droogde zich af met een handdoek uit de kast die daar stond en sloeg toen een dekbed om zich heen dat hij in een van de beide slaapkamers vond. Hopelijk zou deze schuilplaats hem de tijd geven om te doen wat hij van plan was en definitief een eind te maken aan die geschiedenis met Kris.

Hij begon het weer warm te krijgen en keek om zich heen naar een elektrisch kacheltje om aan te zetten. Er zat er een onder het raam dat uitkeek op de fjord. Hij liep er snel heen, draaide de kachel helemaal open, stond weer op en zag een glimp van de zee. Verdomme! Hij liet zich languit op de grond vallen.

*

Halvor voer voorbij een landtong en keek verbaasd naar wat hij aan de andere kant te zien kreeg. Aan zee, daar waar de rotsen steil uit de fjord oprezen, lag een groepje huisjes. Ze waren nauwelijks groter dan de huisjes die je wel in volkstuincomplexen zag en ze waren van de landkant niet te bereiken. Het was een fascinerend gezicht.

Halvor bekeek de huisjes nog eens goed en wilde toen verder varen naar het zuiden. Op dat moment zag hij beweging achter het grote raam van het huisje dat het verst weg lag. Was dat de reflectie van iets? Hij keek om zich heen. Nee, er was niets wat de beweging kon verklaren die hij had gezien – het was geen verbeelding. Hij voer dichterbij en wilde juist zijn mobieltje pakken toen hij de gordijnen heel licht zag bewegen.

Hij zette de motor af en gleed geluidloos in de richting van het tweede huisje. Hij maakte de boot vast aan de ring van de steiger en klom aan land. Het was eb en de boot lag zo ver onder de rand van de steiger dat hij vanaf het zesde huisje waarschijnlijk niet te zien was. Hij bleef dicht bij de rotsen en sloop achter de huisjes langs. Bij de ingang van het vijfde huisje stopte hij. Hij luisterde en keek om de hoek. Nee, ook hiervandaan kon hij de ingang van het laatste huisje niet zien. Hij legde heel voorzichtig de laatste meters af en stopte toen hij glasscherven zag op het stoepje voor wat de toegangsdeur moest zijn. Er waren ook twee natte plekken te zien.

Voorzichtig pakte hij zijn mobieltje om Bastian een sms'je te sturen. Toen hij de eerste toets wilde indrukken, vervloekte hij zichzelf omdat hij de telefoon niet op stil had gezet. De piepjes zouden hem verraden. Hij kon maar één ding doen: het op eigen houtje proberen en hopen dat Pedersen niet gewapend was.

Maar wat moest hij doen als het hem al lukte hem te overmeesteren? De rechercheurs van tegenwoordig liepen niet rond met een politieradio, laat staan met handboeien.

*

Het dekbed bleef achter hem op de grond liggen toen hij zachtjes en uiterst voorzichtig langs de plint naar de bank in de hoek kroop. Daar in de hoek was hij vanaf het raam niet te zien.

Hij ging zitten en vroeg zich af wat hij moest doen. Het geluid van de motor was plotseling opgehouden. Dat kon alleen maar betekenen dat de boot gestopt was en niet voorbijgevaren. Op het tafeltje naast de leuning van de bank stond een grote houten kandelaar. Nikko pakte hem, haalde de kaars eruit, ging staan en wachtte met de kandelaar in zijn hand.

*

Heel voorzichtig duwde Halvor de klink omlaag. Tot dusver was het hem gelukt geen geluid te maken. Plotseling kwam het krakje waar hij bang voor was geweest. Hij sloeg de deur met een klap open en stormde het huisje in met een steen in de aanslag. Hij zag het dekbed onder het raam liggen, rende de twee meter naar de kamer en zag opeens iets op zich af vliegen. Hij kon zich nog net op de grond laten vallen, zodat wat-het-ook-was alleen zijn schouder raakte. Halvor richtte zich op, draaide zich om en smeet de steen die hij in zijn hand had uit alle macht in de richting van waar hij zijn aanvaller vermoedde.

Pedersen kreeg de steen in zijn kruis en klapte voorover. Halvor was alweer overeind gekomen en gaf hem een kniestoot. Pedersen wankelde achteruit en viel op de bank. Halvor wierp zich op hem, draaide hem op zijn buik en haalde, schrijlings op Pedersens rug zittend, zijn riem uit zijn broek. Pedersen rukte en worstelde zo dat het onmogelijk was de riem aan te trekken. Halvor ging boven op hem liggen en hield hem in een stevige houdgreep met zijn armen onder die van Pedersen door.

'Stil liggen, anders breek ik je arm,' siste Halvor.

Pedersen bleef stil liggen. Halvor kwam voorzichtig overeind, draaide Pedersens armen om en trok de riem zo strak aan als hij maar kon. Toen stond hij op. 'Blijf liggen,' commandeerde hij. Met zijn ogen nog steeds op de man op de bank gericht, deed hij voorzichtig een paar passen achteruit. Hij pakte zijn mobieltje en begon het nummer van de operatiecentrale in te toetsen. Toen deed Pedersen zijn mond voor het eerst open. 'Ik denk eigenlijk niet dat je dat wilt,' zei hij.

27

Oktober 1982

Elke keer als de mishandelde fiets een oneffenheid in de weg raakte, ging er een pijnscheut door zijn heup. Kris durfde zich echter niet om te draaien toen hij na een poosje het geluid van een auto achter zich hoorde. Hij hoorde dat de auto vaart minderde en naast hem kwam rijden. Het was Arnfinn.

'Wat is er gebeurd?! Wat zie je eruit! Ben je gevallen?'

De teddybeer kwam uit zijn auto en legde zijn arm om Kris heen. Kris zag niets meer; zijn ogen stonden vol tranen.

*

Ze waren naar de Eerste Hulp geweest en er waren röntgenfoto's gemaakt. Hij had niets gebroken, hij was alleen maar bont en blauw. Zijn moeder en Arnfinn waren de hele avond bezig geweest koude kompressen op al zijn kneuzingen te leggen en ze hadden brandzalf op de uitslag van de brandnetels gesmeerd. De dag daarna was hij niet naar school gegaan. Toen ze vroegen of hij wel naar Denemarken kon, had hij alleen maar geknikt. Kris was bijna de hele tijd op zijn kamer gebleven. Hij zat met kussens in zijn rug op zijn bed te schrijven. Toen zijn moeder vroeg of hij huiswerk aan het maken was, knikte hij weer.

De boot vertrok 's middags om vijf uur. Ze waren er ruim op tijd en brachten de bagage naar de hut. Toen gingen ze naar de bar en Kris kreeg een paarse, alcoholvrije cocktail. Hij smaakte vreselijk zoet en vies. Arnfinn zat met zijn arm om Kris' moeder heen terwijl ze van hun cocktails nipten. Zijn moeder had het over de positiekleding die ze wilde kopen.

Kris gebaarde met zijn handen dat hij een ommetje ging maken. Zijn moeder vond het een goed teken dat hij nieuwsgierig was en knikte enthousiast. Kris ging naar de receptie, waar ze de sleutel van de hut hadden gekregen, haalde een brief uit de binnenzak van zijn jack en legde die in het rode postvak dat aan de muur hing.

Toen liep hij een rondje over de dekken. Op de achterplecht stonden in de late middagzon een hoop mensen te zwaaien. Achter hen zag hij het stadhuis van Oslo steeds kleiner worden.

Hij ging terug naar de bar en gaf met zijn vingers aan dat hij de sleutel van de hut wilde hebben. Zijn moeder en Arnfinn waren overgegaan op spierwitte cocktails. Hij ging naar zijn hut, pakte een boek en ging op bed zitten lezen. Door het raampje zag hij dat het donker begon te worden.

Na een paar uur kwamen zijn moeder en Arnfinn. Ze glimlachten naar Kris, en Arnfinn gooide hem een zakje snoepgoed toe. Ze zeiden dat ze even wilden uitrusten voordat ze gingen dineren. Tien minuten later was zijn moeder tegen Arnfinns schouder in slaap gevallen. De teddybeer snurkte.

Kris stond op en liep naar hun bed. Hij streelde zijn moeder voorzichtig over haar wang en kuste haar toen zachtjes op haar voorhoofd. Toen boog hij zich over Arnfinn heen en vormde met zijn lippen vier woorden: 'Pas goed op mama.'

Hij legde een briefje op het tafeltje onder het buitenraampje. Toen opende hij de deur van de hut en deed hem zachtjes weer achter zich dicht.

*

Het water sloot zich boven hem. Het was koud, maar op een bepaalde manier ook heerlijk. Toen hij weer bovenkwam, ging hij op zijn rug liggen in de rustige deining achter het schip. Hij keek naar de sterrenhemel en probeerde de Grote Beer te vinden. Toen sloot het water zich weer boven hem.

28

Dinsdag 26 september 2006

Nikko was heel tevreden over zichzelf toen hij in zijn eentje in een boot over de Oslofjord voer. Over een paar minuten zou hij bij het schiereiland Hurumlandet aankomen. De uren die hij een weekje geleden in zijn auto voor de twee-onder-een-kapwoning in Manglerud had doorgebracht, hadden hun vruchten afgeworpen. Het was koud en vervelend geweest, maar zeer, zeer nuttig. In een iets andere setting was het echt schattig geweest dat de ervaren rechercheur had afgewassen en een van zijn kinderen over de bol had geaaid voordat hij zelf naar bed ging. Vandaag had hij de bevestiging gekregen dat Heming inderdaad zo gehecht was aan zijn gezin als hij had gedacht.

Dat hij zich bovendien vanmorgen zelf aan zijn politiebescherming had weten te onttrekken, grensde gewoon aan het geniale. Alles was gelukt.

Heming had twee telefoontjes mogen plegen, twee keer zoveel als de politie arrestanten toestond, dus eigenlijk was Nikko heel royaal geweest. Toen de politieman geen gehoor kreeg op de mobiele telefoon van zijn vrouw, had hij de crèche gebeld. Wat hij daar te horen had gekregen, had hem duidelijk van zijn stuk gebracht. Hij had afwezig uit het raam naar de fjord staan kijken, met de telefoon slap bungelend in zijn rechterhand. 'Ze dachten dat hij ziek was...'

Toen had hij zonder een woord te zeggen zijn mobieltje en de sleutel van de boot aan Nikko gegeven en was naar de kaap gelopen om daaromheen te zwemmen. Nikko moest toegeven dat dit een grote kans was.

Hij had erop gegokt dat hij, als hij gepakt zou worden, Heming wel even onder vier ogen te spreken zou weten te krijgen en dat die dan wel een manier zou vinden om hem te laten gaan. Dat hij uiteindelijk door Heming zelf gepakt was, had het allemaal veel makkelijker gemaakt.

29

Dinsdag 26 september 2006

Kletsnat holde Halvor over de asfaltweg vanaf de fjord. Pedersen had niet willen zeggen of Hans nog leefde of niet. Hij had herhaald dat hij de hoofdinspecteur, als de tijd daar rijp voor was, zou vertellen waar zijn zoon zich bevond. De angst gierde Halvor door het lijf. Hij was buiten adem, maar rende op pure wilskracht door. Er was geen mens te zien. Toen hij eindelijk bij de hoofdweg kwam, had hij geen idee welke kant hij op moest.

Terwijl hij naar de bushalte ging om uit te zoeken waar hij was, hoorde hij het geluid van een auto. Hij draaide zich om. Een taxi!

Weliswaar zonder verlichting op het dak, maar dat kon Halvor op dit moment niet zoveel schelen. Hij begon in de binnenzak van zijn doornatte jack te grabbelen en kreeg zijn portefeuille er met veel moeite uit. Juist toen de taxi voorbij zou rijden, hield hij zijn legitimatiekaart omhoog. De chauffeur zag hem nog net en remde.

Halvor holde naar de auto en plofte op de achterbank. Er zat nog niemand. De chauffeur draaide zich om en haalde zijn neus op boven een zee van baard. 'Had u niet iets bij u om op te gaan zitten?'

'Nee, dit is een noodsituatie. Hebt u een mobiele telefoon?'

De chauffeur bekeek hem van top tot teen. 'Ja, die van u zal het wel niet meer doen in zo'n nat pak. Maar u kunt sowieso maar tot aan de steiger mee. Daar moet ik iemand ophalen.'

'Laat de centrale maar meteen weten dat u dat ritje niet kunt maken. Waar is uw mobieltje?'

Halvor kreeg de telefoon en draaide zijn eigen mobiele nummer. Hij ging vijf keer over, toen schakelde hij over op de voicemail. Hij vloekte.

‘Richting Oslo,’ zei hij tegen de chauffeur, die meteen gas gaf en de meter op nul zette. Pedersen kon in de anderhalf uur die hij vanmorgen zonder politiebescherming was geweest onmogelijk de stad uit zijn geweest.

Halvor belde opnieuw. Weer de voicemail. Ofwel Pedersen hoorde de bel niet in het lawaai van de boot ofwel hij was nog niet bereid om op te nemen. Halvor vloekte weer en had er spijt van dat hij de man had geloofd. Hij had trouwens geen keus gehad. Hij bracht de telefoon andermaal naar zijn oor. Tevergeefs. Hij leunde achterover en voelde de angst. Zou hij de operatiecentrale toch maar bellen? Toen ging het mobieltje. Halvor herkende zijn eigen nummer onmiddellijk. Hij hoorde geklots aan de andere kant en toen Pedersens toonloze stem: ‘Heming?’

‘Ja?’

‘Ik heb een groot probleem. En jij dus ook. De motor is ermee opgehouden en wil niet meer starten. Bovendien lijkt die helikopter dichterbij te komen. Ik hoop niet dat jij…’

De woorden bleven onheilspellend in de lucht hangen. Pedersen had blijkbaar niet begrepen dat een gebrek aan benzine er de oorzaak van was dat er eerder die dag een eind was gekomen aan de bootachtervolging. Halvor kreeg een idee toen hij zich herinnerde waar hij het reserveblik had gelaten nadat hij de tank had gevuld.

‘Die man van wie ik de boot geleend heb, zei dat er weinig benzine in zat, maar dat er een reserveblik aan boord was.’

‘Waar dan, verdomme? Ik zie geen reserveblik.’

‘Dat vertel ik je als je mij vertelt waar je Hans hebt gelaten.’

Het werd stil. Halvor verbeeldde zich dat hij door de telefoon een helikopter hoorde, maar begreep toen dat het geluid zijn rechteroor binnenkwam, niet zijn linker-, waar hij de telefoon voor hield.

Pedersen had kennelijk een besluit genomen. ‘Dat vertel ik je als ik dat blik heb gevonden, niet eerder. Maar hier heb je een hint: rij maar richting Oslo. Nou, waar is dat ding?’

Halvor vloekte inwendig. Hij was in zijn eigen val getrapt. ‘Voor in de boeg.’

Er verstreek een minuut. Toen ging de telefoon opnieuw. ‘Je hebt gelogen, verdomme. Dat blik is leeg!’

'Dat kon ik toch niet weten. Vertel me nou alsjeblieft waar Hans is. Die jongen is pas drie jaar en heeft er niks m...'

De andere kant van de lijn was dood.

*

Halvor zag de grote ogen van de chauffeur in de spiegel. 'Snelste weg naar Oslo. Let niet op de maximumsnelheid.' Hij had nog vier keer naar Pedersen gebeld zonder dat die opnam en vervloekte zichzelf omdat hij zo'n hoog spel had gespeeld. Het was duidelijk dat zijn hersenen niet optimaal functioneerden als ze zo onder druk stonden als nu.

Hij had geen idee waar hij Hans moest zoeken. De gedachte dat de jongen dood zou kunnen zijn liet hij niet toe. Maar hoe lang kon een driejarig kind dat opgesloten was het uithouden zonder dat er blijvende schade ontstond of iets nog veel ergers gebeurde? Hij merkte dat hij in paniek begon te raken en dwong zijn hersenen hun werk te doen. Denk verdomme na!

Eerst belde hij Birgitte nog een keer. Nog geen antwoord. Toen belde hij Bastian op het politiebureau en vroeg hem een ambulance naar de Rugvei in Manglerud te sturen. 'Vraag ze uit te kijken naar een zilvergrijze Polo met een vrouw erin. Zorg dat ze mij op dit nummer bellen als ze haar gevonden hebben.'

'Wat is er...'

'Ik leg het je later wel uit. Nu moet je bij het kadaster uitzoeken welke onroerende goederen Nikolai Pedersen bezit – we moeten absoluut alles weten. Bel me op dit nummer als je wat hebt.'

Hij snapte niet hoe Pedersen midden in de ochtendspits de auto had kunnen aanhouden, Birgitte had kunnen overvallen en een kind had kunnen ontvoeren zonder dat ook maar iemand iets had gemerkt. Dat zei bedenkelijk veel over de stress die de ouders van kleine kinderen ervaren in de periode tussen het wegbrengen van de kinderen en het begin van hun werk.

De telefoon had amper geluid gemaakt of Halvor nam hem al op. Het was Bastian.

'In het kadaster vind ik hem alleen als eigenaar van de flat en die twee winkels. Maar ik heb nog iets verder gezocht en ik kwam in een gemeentelijk dossier iets interessants tegen. Bijna twee jaar geleden heeft hij van de gemeente een brief gehad betreffende *Verhuur van huisjes bij Brannfjell op de Ekeberg*, met daaronder: *terugzending van ondertekende overeenkomst*. Heb je daar iets aan?'

Halvor wist precies welke huisjes dat waren. Toen hij nog tijd had om te sporten, ging zijn hardlooprondje daarlangs.

'Je bent fantastisch, Bastian. Help me herinneren dat ik dat vaker tegen je zeg. Ga door met zoeken en bel me als je nog iets vindt. Ik bel je later weer.'

Hij wist dat hij volgens de regels Bastian had moeten informeren over wat hij aan het doen was, maar hij wilde nu geen minuut kwijt zijn aan formaliteiten. De taxi raasde voorbij pretpark Tusenfryd. Halvor boog zich naar de chauffeur toe. 'Neem de E6. We moeten boven op de Ekeberg zijn. Knipper en toeter maar. Dit is een noodsituatie en dan is dit eigenrichting.'

Hij wist niet wat officier van justitie Cecilie Kraby daarvan zou vinden, maar daar had hij lak aan. Nu zorgde zijn opmerking ervoor dat hij sneller dan ooit over de vlakke weg van Langhus naar Oslo reed, en dat was het enige wat hem iets kon schelen. De auto's voor hen gingen verbluffend snel opzij. Waarschijnlijk dachten ze dat er een vrouw in barensnood naar het ziekenhuis werd gebracht.

Vlak voor het knooppunt Ryen sloeg de chauffeur van de E6 af, precies zoals hij zelf gedaan zou hebben. De Mercedes knalde over de verkeersdrempels in de Sandstuvei en sloeg toen rechts af de Ekebergvei op. Na tien seconden passeerden ze een bosje aan de rechterkant.

'Hier het weggetje naar het kunstgrasveld in. U kunt tussen die twee stenen door. Rij over het gras rechts van het hek.'

De chauffeur wilde protesteren, maar een blik op Halvor in de spiegel deed hem voor de zoveelste keer zijn mond houden. Hij slaagde er op miraculeuze wijze in zijn auto met bijna veertig kilometer per uur tussen de stenen door te manoeuvreren. Halvor wees voorbij het hoofd van de chauffeur.

'Die rode huisjes daar!'

De wielen van de Mercedes draaiden door in het kopergroene herfstgras. Halvor vreesde dat de aanhoudende motregen het laatste restje van de ondermaatse drainage van het Ekebergplateau definitief had geruïneerd, maar toen pakten de wielen weer. Rechts raasden de donkere, zware dennen voorbij terwijl links het plateau zich opende als een weidse belofte van spel, plezier en het jaarlijkse jeugdvoetbaltoernooi.

Recht voor hen stonden een stuk of tien kleine, rode huisjes netjes op een rij aan de rand van het bos. Allemaal met witgeschilderde luiken voor de ramen. Shit! Hij had geen idee welk huisje het kon zijn.

'Stop!' Halvor sprong uit de auto en rende naar het stoepje voor het eerste huisje. Niets wees erop dat hier pas nog iemand was geweest. Hij holde naar het huisje ernaast. Ook niets. Bij het derde huisje ontdekte hij sporen van een breekijzer in het deurkozijn, maar het hout was al donker en het was duidelijk een spoor van een oude inbraak. En waarom zou Pedersen inbreken in zijn eigen huisje?

Tussen het vierde en het vijfde huisje drong het tot hem door dat hij geen idee had waar hij eigenlijk naar zocht. Hij stopte, haalde diep adem en riep: 'Hans!'

Niets. Hij riep opnieuw. Vergiste hij zich? Moest hij Bastian weer bellen? Hij draaide zich om om terug te gaan naar de auto, toen zijn oog viel op een zijraam van het eerste huisje dat hij had bekeken. Was dat niet een kiertje? Het was een poging waard, ook al had hij geen idee waarom Hans juist in dat huisje zou zijn. Misschien was Pedersen zo zorgzaam geweest om het kind wat licht te geven? Zo niet, dan zou een snel kijkje hem in elk geval inzicht geven in hoe de huisjes er vanbinnen uitzagen.

Hij moest op zijn tenen gaan staan om bij de luiken te kunnen. Ze gingen meteen open toen hij eraan trok. Toen de luiken open waren, zag hij een ruit, maar die zat te hoog om door naar binnen te kunnen kijken. Het schoot hem te binnen dat hij voor het huisje een bank had zien staan. Hij keek even naar de grendel en het hangslot van de voordeur en begreep dat hij daar zonder stevig gereedschap niet naar binnen kon. Dus hij droeg de bank de hoek om.

Toen hij erop ging staan, keek hij recht in een piepklein slaapkamertje, maar het was er te donker om details te kunnen zien. Zonder aarzelen trok hij zijn jack uit, wond het om zijn hand en sloeg de ruit in. De broze ruit brak onmiddellijk, en hij maakte de haken aan de binnenkant los. De ruit was door een kozijn in tweeen gedeeld en de moed zonk hem in de schoenen toen hij besefte dat het voor een man van zijn lengte onmogelijk was zich daar naar binnen te persen. Hij liet zijn ogen even wennen aan het donker binnen. Zijn aandacht werd getrokken door iets op het bed.

Hij meende een bult onder het lichte dekbed te zien. Hij keek nog eens beter en ontdekte aan het ene uiteinde van het bed, zo dicht mogelijk tegen de muur aan, een donkerder vlek.

'Hans!' Halvor schreeuwde zo dat het hele huisje ervan trilde. Geen beweging onder het dekbed.

'Hans!' Nu gebeurde er iets. Hij zag dat de bult groter werd en riep nog een keer. De donkere vlek werd groter en Halvor zag een gezicht oplichten met twee vermoeide, angstige ogen. De jongen had al zijn kleren nog aan en had met zijn schoenen en zijn jas aan in bed gelegen.

'Papa?'

'Ja, ik ben het, jochie. Papa is er.'

'Ik ben bang, papa.'

'Dat hoeft niet meer. Hier is het niet gevaarlijk. Kom maar naar het raam.'

Hans kwam uit bed en liep voorzichtig naar het raam. Halvor bekeek de afstand tot de vloer en dacht dat het moest kunnen.

'Kom maar helemaal naar het raam en steek je armen omhoog.'

Hans deed wat Halvor zei. Halvor stak zijn ene arm zo ver mogelijk door het raam. Hij voelde twee zachte, warme kinderhandjes. Hij pakte de jongen bij beide polsen.

'Ik til je op. Dat doet misschien een beetje zeer, maar dan kun je eruit. Oké?'

Hij tilde het kind zo voorzichtig mogelijk op. Het kinderhoofdje, nog warm en het haar nog in de war van de slaap, kwam langzaam omhoog, en toen kon Halvor de peuter met zijn andere hand onder de oksel pakken. Hij trok het kind in zijn armen.

*

Nikko hoorde het motorgeluid van de helikopter snel dichterbij komen, maar vertikte het zijn hoofd om te draaien. Pas toen de zee aan alle kanten om hem heen begon te kolken, zag hij in dat het weinig zin had de werkelijkheid te ontkennen. Nog steeds zonder op te kijken, ging hij het vooronder in en begon hij in de kastjes te rommelen. Hij vond wat hij zocht en ging weer aan dek.

*

Twee straten van het politiebureau vandaan belde het ambulancepersoneel om te vertellen dat ze een uurtje eerder een luid snurkende vrouw hadden aangetroffen in een Polo in Manglerud. 'Het was zo'n lawaai dat het een wonder is dat de auto er niet van uit elkaar viel,' zei de man aan de telefoon. Toen voegde hij eraan toe dat ze een witte doek op de rechter voorstoel hadden gevonden die naar chloroform rook. 'De rest laten we aan jullie over.'

Halvor zat met Hans op schoot op de achterbank. Zijn zoontje was duidelijk niet met chloroform bedwelmd, want hij was klaarwakker en praatte het grootste deel van de rit over de hogesnelheidstrein die hij op station Lodalen had zien staan. Dat hij niet wakker was geworden toen de ruit van het huisje werd ingeslagen, schreef Halvor toe aan de diepe slaap die de jongen had ontwikkeld omdat het thuis af en toe zo'n herrie was.

Het leek alsof Hans al was vergeten wat hem was overkomen. Het enige wat hij over de kwestie had gezegd, was dat hij een koekje had gekregen van de man die hem naar dat huisje had gebracht. De taxichauffeur van zijn kant had de taximeter uitgezet toen die op 2.314 kronen stond en verklaarde dat hij erover dacht het bureau geen rekening te sturen. 'De rest van de dag sta ik tot uw beschikking – gratis,' voegde hij er grootmoedig aan toe.

Halvor had hem echter maar tot de Storgate nodig. Daar, bij de Eerste Hulp, kwam er juist weer zo'n beetje leven in Birgitte. Ze praatte zacht en onduidelijk, maar keek Halvor oneindig gelukkig aan toen hij met Hans op zijn arm binnenkwam. 'Ik zal nooit meer het raampje opendoen voor vreemde mannen,' verklaarde ze mat.

Daarna waren ze samen naar het bureau in Grønland gegaan, waar Pedersen al in een verhoorruimte zat. Niet dat dat veel zin had, want de man had geen woord gezegd sinds hij uit zee was geplukt, waar hij in een goed zichtbaar oranje reddingsvest richting Hurumlandet zwom.

30

Woensdag 27 september 2006

Halvor stond met zeer gemengde gevoelens voor de deur van kamer 232. Aan de ene kant hadden ze juist een van de ingewikkeldste zaken opgelost die de Oslose politie ooit had gehad. Aan de andere kant lag Steffensen in coma en moest Halvor zich voor de eerste keer in zijn leven verantwoorden tegenover de Rijksrecherche.

Het ergste was dat hij die confrontatie ook nog verdiende. De woede had hem tot een te harde reactie gedreven. Hij had die twee jongens nooit vast mogen pakken, hen nooit tegen die steen mogen duwen, hen nooit met eenzame opsluiting mogen bedreigen en hij had zich nooit op zijn status als politieman mogen laten voorstaan. Vier fouten. Waarschijnlijk meer dan genoeg om hem te veroordelen wegens 'onbehoorlijk gedrag tijdens of buiten diensttijd'.

Als er iets was wat je van een politieman kon verwachten, was het dat hij zichzelf onder controle had. Zo niet, dan was je een gevaar voor jezelf en anderen. Hij had zich dus voorgenomen volkomen eerlijk te zijn. Om die reden had hij ook alle goedbedoelde raad van collega's om een advocaat mee te nemen, afgeslagen.

Hij klopte aan. De deur ging open en hij moest plaatsnemen op een rechte houten stoel. Ze waren met zijn tweeën: een blonde vrouw van een jaar of veertig met krullen en een jongere man, lang, mager en met al wat dunner wordend haar. Zij gingen aan de andere kant van de tafel zitten. Tussen hen en Halvor in stond een mp3-opnemer.

Toen deed de vrouw iets verrassends. In plaats van de band aan te zetten, wat ze als eerste had moeten doen, keek ze hem recht aan en zei: 'U weet waarom u hier bent, neem ik aan. Wilt u in uw eigen woorden beschrijven wat er gebeurd is?'

Dat was zot. Dit ging helemaal niet zoals het hoorde te gaan, dacht Halvor. Hardop zei hij: 'Eerst wil ik graag weten wat mijn status in deze zaak is. Ben ik getuige, verdachte, beklaagde?'

De vrouw had blauwe ogen, registreerde hij. Ze keerde zich even om naar de man naast haar, zuchtte en keek Halvor toen weer aan.

'Tot...' Ze keek op haar horloge. '... zevenendertig minuten geleden werd u verdacht van onbehoorlijk gedrag inzake een incident bij het Østensjøvannet in Oslo. Na een verhoor gisterenmiddag hadden we u opgewaardeerd van getuige tot verdachte.'

Halvor begreep er helemaal niets van. Was hij nu in staat van beschuldiging gesteld? Hij merkte ineens dat zijn mond openhing. Hij klapte hem dicht en zei: 'En wat ben ik nu dan?'

De vrouw zuchtte weer. 'Niets.'

'Hoe bedoelt u?'

'Ik bedoel dat de aanklacht is ingetrokken en dat de twee jongens hun verklaring hebben veranderd. Alle twee zeggen ze nu dat u alleen maar met hen hebt gepraat, dat u geen fysiek geweld hebt gebruikt en dat ze pas later hebben gehoord dat u bij de politie bent. Ze zeggen dat ze u alleen maar hebben beschuldigd uit wraak. En tja, gezien de jeugdige leeftijd van de jongens zullen we ze niet aanklagen wegens het afleggen van een valse verklaring.'

Halvor probeerde zich goed te houden. Hij begreep er helemaal niets van. Waarom hadden ze hun verklaring in vredesnaam veranderd?

'Dus als u uw versie niet wenst te vertellen, kunt u gaan.'

Halvor had een paar seconden nodig om alle alternatieven te overdenken. Als hij nu de waarheid vertelde, zou hij waarschijnlijk in staat van beschuldiging worden gesteld. Maar als die twee bij hun nieuwe versie bleven, zou hij waarschijnlijk niet veroordeeld worden. Het zou alle betrokkenen waarschijnlijk alleen maar een hoop onnodig gedoe opleveren. Hij vroeg zich even af of hij uit lijfsbehoud tot deze conclusie kwam of dat het een scherpe analyse was. Hij besloot dat het laatste het geval was, stond op en liep naar de deur.

Toen hij de klink pakte, zei de vrouw: 'Heming.' Hij draaide zich om. 'Gefeliciteerd met die arrestatie van gisteren. Een degelijk stuk politiewerk, lijkt me.' Voor het eerst glimlachte ze. Halvor knikte en ging weg.

★

Voor het verhoor had hij het niet kunnen opbrengen naar zijn kantoor te gaan. Nu zag hij drie boeketten bloemen aan zijn deur hangen. Hij nam ze mee naar binnen en ging op zijn bureaustoel zitten. Het eerste boeket was van Birgitte, met een simpel kaartje: *Ik hou van je. Bel me als je klaar bent.*

Het tweede was van Andersen – bloemen van Andersen! – met de boodschap: *Goed werk. Zorg dat ik je niet kwijt raak*. Beide boeketten waren beslist bezorgd vóór het ultrakorte verhoor.

Hij had geen idee van wie het derde boeket afkomstig was.

De bloemen zaten in cellofaan en moesten dus persoonlijk zijn afgeleverd. Wie kon dat hebben gedaan? Toen hij de bloemen uit het cellofaan haalde, viel er een enveloppe uit. Hij maakte hem open, maar ook hier had de afzender niet overdreven veel inkt gebruikt. Er stond alleen maar: *Ik neem aan dat het goed is gegaan.* KH Kristine! Wat bedoelde ze met die tekst? Had ze zoveel vertrouwen in hem dat ze ervan uitging dat hij zich wel onder een zo overduidelijke misstap uit zou weten te praten? Of stak er meer achter?

Hij dacht lang na of hij haar zou bellen of niet. Ten slotte kreeg de rechercheur in hem de overhand en hij pakte de telefoon. Zoals hij al verwachtte, was ze juist klaar bij de rechtbank.

'Dankjewel voor de bloemen.'

'Ging het goed? Geen zaak?'

Hij dacht dat hij haar kon horen glimlachen. Wantrouwend zei hij: 'Hoe wist je dat?'

'Een inspecteur hoeft niet alles te weten.'

Hij verbleekte. Wat was hier aan de hand? 'Hoe bedoel je dat?'

Het werd stil. Kristine had één groot probleem – of misschien moest je dat eigenlijk geen probleem noemen: ze kon niet liegen. Hij wist dat ze nu spijt had van haar vorige opmerking. Haar oplossing was om niets meer te zeggen.

'Je moet me iets meer vertellen, Kristine.'

Opnieuw stilte. Toen kwam het hoge woord eruit. 'Oké. Die twee jongens hebben hoogstwaarschijnlijk een inbraak in juli in een kiosk in Manglerud Senter op hun geweten. Maar omdat ze nog maar zo jong zijn, heeft eigenlijk niemand de behoefte gehad om ze daarvoor op te pakken. Tot gisteren. Ik weet toevallig dat een paar agenten van het bureau Manglerud gisteravond bij hun ouders op bezoek zijn geweest.'

Het duizelde Halvor en hij legde de hoorn op de haak. Minutenlang bleef hij roerloos in zijn stoel zitten. Toen stond hij langzaam op, pakte Kristines boeket in zijn rechterhand en mikte op de prullenbak naast de deur.

31

Donderdag 5 oktober 2006

Het was een mooie week geweest. Het begon al met het bericht dat Steffensen uit zijn coma was ontwaakt en bezoek had gehad van zijn vrouw en kinderen. Het zag ernaar uit dat hij geen blijvende schade aan zijn avontuur zou overhouden.

'Dan zijn de rollen nu omgedraaid,' had Halvor droog maar zeer opgelucht gereageerd, want nu was het de beurt aan de zoon om zijn vader in het ziekenhuis te bezoeken in plaats van andersom. De anderen hadden niet begrepen wat hij bedoelde, en Halvor had het niet uitgelegd. Hij volstond ermee bij zichzelf te constateren dat hij blij was dat het geen minuut langer had geduurd voordat hij doorhad hoe het zat. Dan zou een negenjarige jongen nu geen vader meer hebben gehad.

De presentatie vanmorgen over de zaak bij Geweldszaken was een succes geweest. Vanaf het moment dat hij vier verschillende uitgaven van *Misdaad en straf* op tafel had gegooid, kon je een speld horen vallen in de grote vergaderzaal. De hoofdcommissaris en Andersen waren het er roerend over eens geweest dat dit een zaak was waar de meeste mensen iets van konden leren, dus de zaal zat stampvol. Het nieuws dat Vidar Steffensen zijn eerste verklaring had afgelegd, had daar ook een steentje aan bijgedragen. Het zou weliswaar nog even duren voordat hij weer voldoende bij stem was om voor de rechtbank te kunnen getuigen, maar daar zou de zaak toch pas over een paar maanden voorkomen.

De boeken hadden alle eventuele twijfel weggenomen dat dezelfde dader de drie moorden en de ene poging tot moord op zijn geweten had. Thuis op de keukentafel van Steffensen hadden ze nog een vierde uitgave van *Schuld en boete* gevonden. Weliswaar hadden ze alleen op deze laatste vingerafdrukken gevonden, maar daar stond tegenover dat het zulke prachtexemplaren waren dat er geen twijfel over kon bestaan wie de eigenaar was. Het allerduidelijkste bewijs had de politie echter diep in de vriezer van Pedersen gevonden: de afgehakte duim van Knut Iver Bredal.

Maar de boekhandelaar zweeg nog altijd tijdens de verhoren. Halvor had daarom tijdens de presentatie duidelijk aangegeven dat er nog steeds stukjes van het verhaal waren die ze alleen maar door deductie hadden kunnen invullen. 'Alles wijst erop dat Pedersen is begonnen met de moord op Bredal. Hij lokte zijn oude maat mee naar Ingierstrand en het bos in, waarschijnlijk met het voorwendsel dat hij hem iets wilde laten zien. Daar sloeg hij Bredal met een stomp voorwerp op het achterhoofd, bond hem vast aan palen op de heuvel en martelde hem door zijn hoofd in een kist vol harde sneeuw te duwen. Dat laatste kunnen we afleiden uit de wonden in Bredals gezicht, gecombineerd met de sporen van groene alg die de forensische arts heeft gevonden en die in sneeuw kunnen voorkomen. Hoe dan ook, toen Bredal dood was, sleepte Pedersen het lijk naar de fjord, verzwaarde het met een blok cement en dumpte het in zee. Daar was het lichaam waarschijnlijk nog heel lang blijven liggen als Pedersen het hangslot niet onzorgvuldig had gesloten.'

'Waarom sneeuw?' had iemand in de zaal gevraagd. Die vraag had Halvor aangegrepen om uiteen te zetten wat, naar zij aannamen, Pedersens motieven waren geweest. Alles wat hij had gedaan – de moorden zelf, de moordmethodes en het uitdelen van de klassieker van Dostojevski – leek te verwijzen naar Pedersens opvatting dat hij en zijn jeugdvrienden verantwoordelijk waren voor de zelfmoord van Kris. Het 'inzepen' van Bredal, de slang in de kast bij Rossvik, de fietsketting bij Dahl en het ophangen van Steffensen – dat alles verwees naar de methodes die de bende had gebruikt om Kris te pesten.

'Waarschijnlijk haatte Pedersen zichzelf en zijn vrienden. Daarom heeft hij alle slachtoffers waarschijnlijk ook een exemplaar van *Misdaad en straf* gegeven, ook al konden deze cadeautjes de verdenking op hem laden. De drang om zich uit te spreken was dus sterker dan de drang om zich te verbergen. Maar hij deed het zo subtiel dat we het waarschijnlijk niet ontdekt hadden als hij niet die blunder met het hangslot had gemaakt.'

Daarna behandelde Halvor het hoofdthema van het boek van Dostojevski, waarbij hij de nadruk legde op de zelfverachting die bezit nam van de hoofdpersoon Raskolnikov nadat hij een oude woekeraarster had vermoord. Een vage grijns van Cecilie Kraby maakte echter dat hij gauw van onderwerp veranderde om eventuele 'literaire' vragen van haar kant te voorkomen.

Hij ging nader in op een aantal aanwijzingen die ze in deze zaak hadden gevolgd. Zo meldde hij dat Pedersen de rechercheurs bewust op een dwaalspoor had gezet door de sleutels van Bredal mee te nemen en een reeks 'bewijzen' in diens flat achter te laten, zoals de ingevroren muizenlijkjes en de slangenbak. Misschien had Pedersen ook wel het papiertje gemaakt dat Bastian naar Zweden had gelokt. Waar de slang vandaan kwam waarmee Rossvik was vermoord, was voorlopig nog niet duidelijk, maar bronnen die Bastian en Hans Petter in reptielenkringen hadden gevonden gaven toe dat ze geruchten hadden vernomen over in het geheim in Australië gefokte taipans die onder meer naar Noorwegen werden gesmokkeld. Dit deel van de zaak was nu voor nader onderzoek overgedragen aan de Milieupolitie. De speurders hadden nog iets gevonden wat het verband tussen Pedersen en de slang versterkte: thuis bij de antiquaar hadden technici een kist en een grote tas gevonden die hoogstwaarschijnlijk gebruikt waren om de slang op de zaterdag voor de moord naar het Vestkantbad te vervoeren.

Hopelijk zouden de tests van de kist een eind maken aan alle twijfel. Hoe Pedersen de slang uit de kist in de kast had gekregen zonder zelf te worden gebeten, was overigens een van de vele onderwerpen waarover Halvor graag met Pedersen had gesproken. De hoofdinspecteur sloot af met het belangrijkste leermoment voor de rechercheurs in de zaal: 'Met de valse vingerafdruk, de muizenlijkjes, het terrarium, het gebruik van de mobiele telefoon en de DNA-sporen op de fietsketting heeft Pedersen onze eigen methodes tegen ons gebruikt. Wij zijn geneigd blind op fysieke en biologische sporen te vertrouwen, dus laat dit nuttig leergeld zijn voor ons allemaal. Eerlijk gezegd denk ik niet dat we de moord op Steffensen hadden kunnen voorkomen als Bredal niet zoveel eerder boven was komen drijven dan Pedersen wilde.'

*

Er was anderhalve week verstreken, en nog steeds geen woord van Pedersen. Hij had niet met zijn advocaat gesproken, hij had niet met de rechercheurs gesproken, zelfs tegenover het gevangenispersoneel deed hij zijn mond niet open. Halvor vroeg zich af hoe lang dat nog kon duren. Zelf had hij al van alles geprobeerd tijdens de 'verhoren', maar nu wist hij niets meer te bedenken. De belangrijkste reden waarom hij *Misdaad en straf* was gaan herlezen, was om te proberen Pedersen op die manier te bereiken. Ook dat had niet geholpen, ook al had Halvor geprobeerd een reactie uit te lokken door de wildste theorieën op Dostojevski's boek los te laten. Het enige wat hij had bereikt, was een laatdunkende blik, meer niet.

Niet dat het voor het onderzoek veel uitmaakte. Ze hadden meer dan genoeg bewijs om Pedersen voor alle drie de moorden en een poging tot moord veroordeeld te krijgen. Maar voor Halvors persoonlijke verwerking was het heel belangrijk. Hij was oprecht geïnteresseerd in de motieven voor een misdrijf, in wat iemand zo ver dreef dat hij de afschuwelijkste van alle misdaden pleegde.

Hij werd in zijn overpeinzingen gestoord doordat de telefoon ging. Het was Bjørn Lindholt, Pedersens advocaat. Halvor ging er meteen goed voor zitten. Hij had veel respect voor Lindholt, zo ongeveer de enige advocaat waarover op het politiebureau nooit geruchten over corruptie de ronde hadden gedaan. Niet dat die ooit een hoog waarheidsgehalte hadden, maar bij Lindholt waren ze zo onvoorstelbaar dat zelfs een loos gerucht niet van de grond kwam.

'Mijn cliënt is bereid zich door de politie te laten verhoren op zondag 22 oktober om twee uur 's middags,' zei Lindholt.

'Op zondag?'

'Ja. Dat was volgens mijn cliënt de enige mogelijkheid.'

'Hij heeft dus met jou gesproken?'

'Je weet dat ik daar geen commentaar op geef, Halvor.'

Halvor bedankte Lindholt en hing op. Via een paar mensen die Hans Petter bij de districtsgevangenis kende, waren ze erachter gekomen dat Lindholts bezoeken steeds maar heel kort waren geweest en dat het er niet naar uitzag dat de advocaat meer uit zijn cliënt had weten te krijgen dan de politie. Maar als Pedersen nu echt bereid was om te praten, was dat een verhoor dat hij voor geen goud wilde missen.

Maar waarom nu juist 22 oktober? Pedersens dagen in de gevangenis waren nu niet bepaald zo gevuld met activiteiten dat hij niet op een willekeurige andere dag had kunnen praten. Halvor strekte zijn arm uit, zette zijn pc voor het eerst die dag aan en logde in op het dossier. Hij vond de verklaring van Vidar Steffensen, die hij voor een deel zelf geschreven had omdat hij zijn stem nog niet goed kon gebruiken, en begon te lezen. Toen hij bij de passage over de zelfmoord van Kris Løchen kwam, ging hem een licht op. In de verklaring stond weliswaar alleen maar dat die in oktober had plaatsgevonden, maar een kort telefoontje met Beate Løchen bevestigde zijn vermoeden. Kris Løchen had op 22 oktober 1982 zelfmoord gepleegd.

*

Hij ging een uur eerder naar huis dan normaal. Als hij toch zoveel tijd had, kon hij net zo goed eerst even thuis langs om vrijetijdskleren aan te trekken voordat hij Hans en Hanne ging halen. Oles schoenen hadden in de gang moeten staan, maar daar stonden ze niet. Hij besloot even bij zijn oudste zoon te gaan kijken voordat hij naar de crèche ging. Maar toen hij in de auto wilde stappen, hoorde hij plotseling een enorm lawaai achter de heg van de buren.

'Ah, nee hè?' ving hij op voordat het lawaai nog een tandje hoger ging en bijna de hele straat vulde. Het was duidelijk een groepje jongens die met elkaar schreeuwden en plezier hadden.

Vol bange vermoedens rende hij over het tuinpad naar de andere kant van de heg en hij belandde midden in de groep. Er lagen zeker zes, zeven jongens op een grote hoop in de berm. Onderaan kon hij nog net een glimp van een lichtblauwe broekspijp zien.

'Wat zijn jullie verdomme aan het doen?' Hij schreeuwde veel harder dan hij had bedoeld. De spieren onder zijn bloes spanden zich, de aderen in zijn voorhoofd trilden, en hij voelde dat zijn bescherminstinct hem de neiging gaf om te gaan slaan. Maar met de ervaring van de Rijksrecherche nog vers in het geheugen zag hij af van drastische ingrepen.

Het lawaai verstomde ogenblikkelijk. Een voor een krabbelden de negen à tien jaar oude jongetjes overeind. Niemand keek hem aan. Hij herkende Marius, van wie hij tot dusver had aangenomen dat hij de beste vriend van zijn zoon was. Ten slotte lag alleen Ole nog op de grond. Hij lag op zijn borst en zijn knieën, met zijn achterste een beetje omhoog, alsof hij een stomp in zijn buik had gekregen.

Pas toen Halvor vooroverboog om zijn verwondingen te bekijken, zag hij de voetbal die Ole onder zich vastklemde. Hij ging op zijn knieën zitten om iets te zeggen, maar Ole was hem voor: 'Papa,' fluisterde hij, 'dit is wel zó ontzettend stom van je.'

*

Halvor had liever gehad dat iets anders Ole ertoe gebracht had om de werkelijke oorzaak van de blauwe plek op zijn voorhoofd te vertellen. Het kwam niet door pesten en ook niet doordat hij in de klas gevallen was. Hij had het uitdrukkelijke verbod van zijn ouders genegeerd om van het dak van het stokoude, vermolmde bushokje twee blokken verderop te springen. Bij het neerkomen was hij met zijn hoofd tegen een rots beland.

Hij was het helemaal met Ole eens toen die voorstelde om niets over het incident aan Birgitte te vertellen. In plaats daarvan had Halvor de avond gebruikt om Birgitte bij te praten over de stand van het onderzoek.

Ze had niet altijd zoveel belangstelling voor zijn werk, maar nu zij en Hans erbij betrokken waren, veranderde dat de zaak. Bovendien was de psycholoog in haar geïnteresseerd in Pedersen.

'Zei je dat Bubbel de ergste pestkop van alle vijf was, maar dat hij met een foto van Kris in zijn portefeuille rondliep?'

'Ja. En volgens Birger Schram had hij gezegd dat dit de eerste jongen was op wie hij verliefd was geweest, maar ik heb nauwelijks tijd gehad om erover na te denken hoe dat in het plaatje past. In principe zou je niet denken dat er hier sprake was van verliefdheid.'

'Het verband is misschien niet duidelijk, maar ik ben ervan overtuigd dat het er is,' zei Birgitte.

'Bedoel je dat Bubbel zich aangetrokken voelde tot sm of zo?' vroeg Halvor in een poging tot galgenhumor. Hij merkte dat Birgitte niet lachte.

'Hm... dat misschien niet. Maar probeer je eens voor te stellen: was het in het begin van de jaren tachtig makkelijk om homo te zijn? Of was "homo" zo ongeveer het ergste scheldwoord dat je naar je hoofd geslingerd kon krijgen?'

'Dat wel, ja. Ik moet toegeven dat ik het in die tijd zelf weleens heb gebruikt.'

'Dan denk ik dat het heel simpel is. Bubbel strafte zichzelf door Kris te straffen. Hij was bang voor de gevoelens die Kris in hem opriep. Door hem te pesten kon Bubbel dicht bij Kris zijn en tegelijkertijd afstand van hem nemen.'

32

Zondag 22 oktober 2006

Hij was ergens wakker van geworden. Maar hij kon er niet achter komen waarvan. Hij voelde dat hij naar de wc moest en op weg daarheen bleef hij zich afvragen wat zijn onrust nu toch veroorzaakte. Terwijl de straal in de toiletpot kletterde, dacht hij aan het verhoor later die dag, en zijn onrust nam toe. Toen hij terugkwam in de slaapkamer zag hij dat de wekker 04:13 aangaf. Hij ging dicht tegen de rug van de ronkende Birgitte aan liggen, maar zij had op dit moment duidelijk geen belangstelling voor hem en trok zich terug. Hij kon de slaap niet vatten. Hij lag maar te woelen, en hoeveel ledematen hij ook buiten het bed stak, hij bleef maar zweten. Toen voelde hij opeens Birgittes hand, eerst op zijn buik, daarna lager.

'Je hebt me wakker gemaakt,' zei ze slaapdronken, maar met die langzame nonchalance in haar stem die betekende dat ze er niets op tegen had.

'Ik kan niet meer in slaap komen.'

Birgitte begreep dat hij niet op seks uit was en deed het licht aan. 'Heeft het iets met het verhoor van morgen te maken?'

'Ik denk het wel, maar ik krijg er de vinger maar niet achter. Het bevalt me niet dat Pedersen niet meer praat. Het doet me denken aan het zwijgen van Kris voordat hij zelfmoord pleegde.'

Even was het stil, terwijl Birgitte nadacht. Haar stem klonk nog steeds slaperig toen ze antwoordde: 'Het lijkt wel of Pedersen de rol van Kris min of meer heeft overgenomen. Daar past zijn zwijgen wel bij. Er zit een soort verwrongen logica in.'

Halvor zette de redenering door: 'Dat betekent dat we moeten vrezen dat Pedersen zelfmoord zal plegen, en wel op dezelfde datum als Kris.'

'Daar zit zeker iets in, maar hij heeft vast ook de behoefte om zich uit te spreken. Ik durf er iets onder te verwedden dat hij eerst een verklaring af wil leggen. Maar voor de zekerheid zou ik na het verhoor de gevangenis toch maar vragen om extra toezicht op zijn cel, ook de dagen erna,' zei Birgitte.

Halvor dacht over haar woorden na, maar de onrust werd alleen maar sterker. Toen stond hij op en ging naar de woonkamer. Daar ging hij onder de leeslamp zitten met zijn mobiel in zijn hand. Hij zette het geluid van de telefoon uit en belde de centrale. Hij kreeg het telefoonnummer dat hij wilde hebben, toetste het in en drukte op BELLEN.

'Districtsgevangenis Oslo.'

Halvor voelde zich nogal dom toen hij uitlegde wie hij was. Hij vroeg of een van de gevangenen, Pedersen, zich de laatste tijd ook vreemd had gedragen. De nachtwacht ontkende dat en vertelde dat hij een paar uur geleden nog in de cel van Pedersen had gekeken. Toen had hij braaf geslapen, en het was zo tijd voor de volgende ronde.

'Ik heb zo'n raar voorgevoel. Zou u zo vriendelijk willen zijn om die ronde nu te maken, en dan te beginnen bij Pedersen?'

De nachtwacht zuchtte en noteerde Halvors nummer. Halvor ging zitten wachten, zijn ogen gericht op het display. Na tien minuten begon hij ongerust te worden. Waarom duurde het zo lang? De wacht had beloofd met Pedersen te beginnen en Halvor dan meteen terug te bellen.

Er gingen nog tien minuten voorbij. Toen lichtte het display op en Halvor schoot overeind.

'Met Heming!'

'U had gelijk dat u ongerust was. Hij is dood.'

Halvor voelde de woede in zich opkomen. 'Hoe hebben jullie dat in godsnaam kunnen laten gebeuren?!'

'Hij hing aan de poot van zijn bed toen ik binnenkwam... Het bed stond met de lange kant tegen de muur en hij had het laken in repen gescheurd en als touw gebruikt...' De nachtwacht leek in shock. Hij praatte hortend en stotend. 'Zijn voeten... maar een paar centimeter boven de vloer... ongelofelijk... dat dat kon.'

'Maar die bedden staan toch in de vloer vastgeschroefd!'

'Helemaal vol hier... extra cel...'

Halvor kon het niet meer aanhoren en drukte op de uitknop. Hij keek op en zag Birgitte in de deuropening staan. Ze was heel stil en Halvor zei: 'Hij heeft het al gedaan. Ik ga naar de gevangenis.'

★

De straten waren helemaal verlaten en Halvor kon al zijn adrenaline botvieren op het gaspedaal. Hij hoopte intens dat er een of ander bericht in de cel van Pedersen lag. Hij kon deze zaak niet afsluiten zonder dat hij antwoord had gekregen op een paar vragen die maar in zijn hoofd bleven rondzoemen. Een briefje. Ja, dat moest het zijn. Dat zou kloppen. Kris had twee afscheidsbrieven achtergelaten. Zo had Pedersen het vast ook gearrangeerd.

Bij het enige benzinestation onderweg naar de gevangenis dat vierentwintig uur per dag open was, stopte hij. Het was bijna vijf uur. Hij stapte uit de auto en liep met zijn mok naar de koffieautomaat. Terwijl de mok zich vulde, zei Halvor de vermoeide nachtbediende gedag, die juist de kranten in de standaards legde.

Toen de man weer rechtop ging staan, kon Halvor de voorpagina van *Dagbladet* lezen.

'Nikko' bekent in *Dagbladet*:

HIEROM DEED IK HET

Pagina 2 (hoofdartikel), 6, 7, 8 en 9

Pedersen had woord gehouden: hij had op 22 oktober een verklaring afgelegd.

33

Dagbladet, zondag 22 oktober 2006

Seriemoordenaar waarschuwt pesters in het hele land:

'Ik kom jullie halen...'

In een exclusieve brief aan deze krant onthult 'Nikko' Pedersen waarom hij een drievoudige moordenaar werd en op een paar seconden na een vierde moord beging. Pedersen heeft tot dusver geen woord tegen de politie gezegd, en dat wil hij naar eigen zeggen ook niet. *Dagbladet* heeft na zorgvuldige ethische overwegingen besloten de brief in zijn geheel af te drukken in deze krant:

'Al veel te lang leef ik in de overtuiging dat ik precies vierentwintig jaar geleden iemand heb vermoord. Iemand die een goed leven had kunnen leiden, die een voorbeeld voor anderen of een groot kunstenaar had kunnen worden. Ik, Nikolai Pedersen, heb hem die kans ontnomen.

Ik heb alles verteld aan een engel in de hemel, maar nu moet ik het ook aan een engel op aarde vertellen.

Fjodor Dostojevski.

Weliswaar was ik niet de enige, maar dat pleit me niet vrij. Als vijf mensen tegelijk de trekker overhalen, pleit dat hen dan alle vijf vrij van moord op een onschuldig kind?
Misschien was hij ook niet dat voorbeeld voor anderen gewor-

den. Maar dat kan ik net zomin weten als u, toch? En wie waren wij dat we ons bevoegd achtten in deze zaak te oordelen?
We waren ons er wel niet van bewust, maar we gingen op de stoel van de rechter zitten. Kris was klein, hij was goed op school en hij was het lievelingetje van de meester ("slijmerd" noemden we hem destijds), maar hij had geen vrienden en was een kluns op het voetbalveld. Vijf goede redenen die hem tot ons perfecte slachtoffer maakten, dachten wij. Tenminste, dat zullen we wel gedacht hebben, want wat was anders de lol ervan?
Ja, maar jullie hebben hem niet vermoord, zegt u. Maar we hebben hem er wel toe gedreven. Zonder ons zou hij vast geen zelfmoord hebben gepleegd. Voor mij staat dat gelijk aan moord.
Niemand van ons zou ooit gestraft zijn als ik die taak niet op me had genomen. Daarvoor verdien ik geen compliment, hooguit een schouderophalend "goed dat iemand het gedaan heeft".
Niemand van ons heeft het recht zich boven een ander te stellen. Er zijn geen übermenschen. Ik ben ook geen übermensch, ik ben alleen maar de beul die zijn morele plicht heeft gedaan. Ik sta niet tegenover de andere vier, maar naast hen en ik deel mijn lot met hen.
Mijn eigen straf verdraag ik dus met een glimlach. Vier van de vijf zijn gestraft voor moord, en dat is al met al toch niet verkeerd. NN [de naam van het vijfde lid van de bende; red.] moet maar verder leven als levend bewijs van wat er vierentwintig jaar geleden is gebeurd. Misschien is dat het beste. Misschien wil hij zijn leven nu gebruiken voor iets zinvollers dan reclamekreten verzinnen voor mondwater en popcorn. Daarom wil ik Halvor Heming [de hoofdinspecteur; red.] bedanken dat hij me ervan heeft weerhouden de laatste straf te voltrekken.
Maar tegen alle anderen die pesten zeg ik: jullie worden uiteindelijk gepakt. Door mij, door anderen of anders misschien zelfs door jezelf.

Met vriendelijke groet,
Nikolai Pedersen

P.S. *Dagbladet* heeft deze brief gekregen op voorwaarde dat de redactie niemand van het bestaan ervan vertelt voordat hij is gepubliceerd. En mocht iemand het willen weten, bijvoorbeeld Heming: dit is het laatste wat ik over deze zaak zeg.'

34

Zondag 29 oktober 2006

Het was een schitterende herfstdag. Het kerkhof baadde in het zonlicht, maar omdat het nog vroeg in de ochtend was, wierpen de grafstenen lange schaduwen voor zich uit. Halvor zocht zijn weg tussen alle namen. Ten slotte vond hij wat hij zocht:

KRIS LØCHEN
25 OKTOBER 1969 – 22 OKTOBER 1982
JE WAS HET LICHT VAN MIJN LEVEN

Hij ging op zijn hurken voor de steen zitten en dacht na. Over de wanhopige eenzaamheid die Kris moest hebben gevoeld, over waarom hij al het vreselijks dat hem overkwam niet aan zijn moeder kon vertellen. De rillingen liepen Halvor over de rug toen hij besefte hoe machteloos de moeder van Kris zich moest hebben gevoeld toen ze veel te laat hoorde hoe hij gepest was. Hij kon zich niet voorstellen dat ze na het bezoek van Gunnar Vedal rustiger was geworden. Integendeel.

Ook al lag de jongen in werkelijkheid niet in de grond onder hem, Halvor voelde toch dat hij bij een onvervuld leven zat, precies zoals Pedersen had beschreven. Hij knipperde een traan uit zijn ooghoek. Schaamde hij zich er als gezagsgetrouw politieman voor dat hij de gedachte niet van zich af kon zetten dat het recht had gezegevierd, hoewel er vier mensen waren gestorven? Zou zijn eigen houding tot zijn kinderen ooit nog dezelfde zijn na deze zaak?

Een van de lange schaduwen van de grafstenen naast hem leek te bewegen. Hij hoorde het gedempte geluid van voetstappen in het gras. Uit zijn ooghoeken zag hij dat Gunnar Vedal net als hijzelf op zijn hurken ging zitten. Geen van beiden zei iets.

Na een paar minuten verbrak Vedal de stilte: 'Weet u, ik geloof dat Kris de aardigste jongen was die ik ooit heb gekend.'

'Ik dacht dat u in Malawi zat,' zei Halvor.

'We denken erover terug te gaan naar Noorwegen. Ik ben hier voor een sollicitatiegesprek,' antwoordde Vedal.

Weer stilte. Vedal begon in zijn binnenzak te graven en haalde zijn portefeuille tevoorschijn. Hij haalde er een verfrommeld, vergeeld velletje papier uit tevoorschijn en gaf dat aan Halvor.

'Ik heb een slecht geweten omdat ik dit de vorige keer niet heb gegeven. Hopelijk hebt u daar begrip voor als u de brief hebt gelezen. Ik heb de belofte die hij me had afgedwongen één keer gebroken, en dat liep niet goed af. Maar nu wordt het voor ons allemaal tijd om de zaak achter ons te laten.'

Vedal keek Halvor even aan en stond toen op. De rechercheur keek hem achterna toen hij de poort uitliep en verdween. Hij leek rechter te lopen, en Halvor vroeg zich volstrekt irrationeel af of het grijs in Vedals haar nu minder zou opvallen. Toen rechtte hij zelf ook zijn stijf geworden lichaam en slenterde langzaam terug naar zijn auto.